ALBUM

ALBUM

Cuentos del mundo hispánico

Second Edition

Rebecca M. Valette
Boston College

Joy Renjilian-Burgy
Wellesley College

D. C. Heath and Company
Lexington, Massachusetts Toronto

Address editorial correspondence to:

D. C. Heath
125 Spring Street
Lexington, MA 02173

About the cover . . .

Joan Miró (1893–1983) painted *Horse, Pipe, and Red Flower* in 1920, during a period in which his works were more surrealistic. Departing from the more usual expression of Cubism, what is notable is the combination of the extreme solidity of the traditional Spanish still-life paintings and the use of the formal elements in a new way. Clearly identifiable objects fill the canvas, and none is really subordinate to another. At this point he seems more concerned with the presentation of various objects and their symbolic combination. Even the background is filled with equally important pattern and commands as much of the viewer's attention as the objects do. Later, Miró worked more with shapes and colors than individual objects, but he still disliked the term "abstract" to be applied to his work. He said, "For me a form is never something abstract; it is always a sign of something. It is always a man, a bird, or something else. For me painting is never form for form's sake. . . ."

Cover: Miró, Joan
Horse, Pipe, and Red Flower, 1920
Oil on canvas 82.5 × 75 cm
Philadelphia Museum of Art: Gift of Mr. and Mrs. C. Earle Miller

Published simultaneously in Canada.

Printed in the United States of America.

International Standard Book Number: 0-669-17379-7.

Library of Congress Catalog Card Number: 92-71113.

20 19

Preface

Album: Cuentos del mundo hispánico, Second Edition, is a Spanish reader designed to help intermediate students make the transition from highly controlled materials used at the elementary levels of language instruction to the appreciation of authentic literary works. It contains 22 short stories, written primarily in the twentieth century. The authors of these stories represent Spain and Latin America, as well as the Hispanic presence in the United States.

New features of the second edition

- This second edition has been expanded to include six new stories by both well-known writers—Vicente Blasco Ibáñez and Marco Denevi—and promising, newer authors—Julicta Pinto and Sonia Rivera Valdés. In addition, Ana María Matute and Julio Cortázar are each represented by a second story.
- The text is now accompanied by a ninety-minute audiocassette provided free of charge to students. Recorded by native speakers, the tape contains excerpts from each reading selection and may be used in or out of class to enhance students' literary appreciation and listening skills. A complete listing of the cassette's contents appears at the end of this preface.
- The longer stories have been subdivided into "scenes" to enhance student comprehension. The scene titles act as mini advance-organizers cuing the students as to what they will encounter.
- New paired and small group activities have been added at the end of each story to develop oral self-expression and to promote cooperative peer-learning activities.

  1. **Dramatización en parejas** gives the students the opportunity to further explore the themes of the story by taking on roles of specific or imaginary characters and acting out a conversation.
  2. **Discusión en grupos** suggests a variety of discussion ideas, so that each group can select a topic and share their thoughts.

- A new concluding section entitled **Comparaciones y contrastes** has been developed to enhance critical-thinking skills and help students prepare for Advanced Placement courses (at the secondary level) and literature courses (at the college level). Using these topics, students can refine their analytical skills by comparing and contrasting the thematic and stylistic features of several stories. The students may discuss these topics in class or prepare them as written essays. One topic is included at the end of each story, and additional topics are listed in Appendix A. This appendix is divided into four categories, each with a corresponding code for quick cross reference: Personajes (P), Simbolismo y estilo (S), Temas (T), and Ambiente (A).

- The post-reading activities are now divided into two levels: **Comprensión** and **Interpretación.** The **Comprensión** section provides students with a basic understanding of each story's plot and language so they have a solid foundation from which to progress to the more challenging and creative activities in the **Interpretación** section.
- An answer key for the **¡Otra vez!** summary activities is provided in Appendix B, thus allowing students to assume responsibility for their own learning and to check their work outside of class.

Objectives

The objectives of *Album, Second Edition,* are several:

1. To increase the reading power of intermediate students and to bring them one step closer to the goal of "liberated reading," that is, to the point where they can understand and appreciate unedited Spanish texts.
2. To expand the students' vocabulary by increasing their awareness of cognate patterns and word families.
3. To improve the students' ability to express themselves in written Spanish by providing review and practice of verb forms and tense usage, and by offering ample opportunity for both guided and free written self-expression.
4. To enhance the further development of the students' oral skills through extensive and varied speaking activities.
5. To encourage cooperative learning through paired and small group activities.
6. To develop students' critical-thinking skills.

Main characteristics

These goals can be attained only when students find the course material stimulating and accessible. The following characteristics of the book contribute to the realization of this objective.

- *Student interest.* The primary criterion for inclusion of selections was a good story line. Students whose interest is aroused and maintained will be more likely to continue reading.
- *Graded order of presentation.* The selections, each containing from 200 to 2,000 words of text, are sequenced in increasing order of difficulty.
- *Comprehensible input.* For students to benefit from their reading, the text must be comprehensible to them. Since authentic selections contain many expressions that intermediate students have not yet encountered, and whose meanings cannot be readily guessed from the context, it is crucial that the students' reading progress not be hampered by repeatedly searching for words in the dictionary. Therefore, any word or phrase that might present a comprehension problem to students has been glossed in the margin, either in English or Spanish, to allow for a fluid and meaningful reading of the text.
- *Cultural and historical footnotes.* Textual references to geographic locations, historical events, and cultural phenomena have been explained so that students can read the stories with fuller comprehension. Unfamiliar terms and idiomatic expressions may also be clarified in the footnotes.
- *Reading helps.* Each selection is followed by a section entitled **Fuente de palabras** which helps students learn to recognize cognate patterns and word families, thus increasing their reading vocabulary. There is also an **Observación** section which draws the students' attention to one or more verb forms encountered in the reading.
- *Varied activities.* Each selection is accompanied by a broad panoply of activities of varying degrees of difficulty. This allows the teacher to select those that best correspond to the interests and the linguistic level of the class.

Teaching suggestions

Album has been organized so that each reading can be prepared in one evening and followed by a variety of classroom activities. Therefore, the longer stories have been divided into two parts, each with its own set of activities.

- *Pre-reading guides.* Before beginning a selection, students are introduced to the author and are given a hint as to the content of the story. This initial material is provided in English so that students who are preparing the reading at home can understand the introduction. Students should also be encouraged to glance at the titles of the "scenes" so as to get a general overview of the organization of the story.

- *Outside preparation.* Generally students will be asked to read the story as homework. Because of the generous notes and glosses, they should find the text comprehensible and be readily able to understand the flow of the story. In addition, they may be assigned the **Fuente de palabras** with its brief **Transformaciones** activity, as well as the **Observación** and the **¡Otra vez!** activity. The **¡Otra vez!** sentences, read sequentially, provide a brief resume of the main points of the story. Students can check their work by turning to the answer key in Appendix B.
- *In-class and post-reading activities.* At the end of each story, there are numerous classroom activities. The teacher can select those that best match the students' interests and level of preparation.

1. The **¿Qué pasó?** questions are short enough so that students can answer them easily. They elicit a retelling of the story and thus let the students integrate their reading vocabulary into their speaking vocabulary.
2. Once students have demonstrated their comprehension of the story line, the **Análisis** questions encourage them to think about the author's style and the underlying themes of the readings. Teachers can select those that seem most appropriate.
3. After students are familiar with the story and have strengthened their command of specific aspects of grammar and vocabulary, they can apply this knowledge in short writing activities. The **Composiciones dirigidas** provide students with a simple topic followed by suggested key words. Students can meet in small groups to compare their compositions. Alternately, groups of students can combine their work into a single composition that they present to the class.
4. In more advanced classes, students can write the **Composiciones libres** as homework, using their understanding of the story to develop a more creative interpretation. In the course of the semester, the best interpretative examples can be saved in a personal portfolio or reproduced in a booklet for others to read.
5. In classes stressing spoken language, the **Dramatización en parejas** encourages pairs of students to create brief original skits based on the reading. Students may wish to prepare these by jotting down some key words and phrases. They should, however, be encouraged to perform their skits extemporaneously, without writing out a script in advance, in order to improve their speaking skills.

6. The **Discusiones en grupos** provides a variety of topics for students to discuss in small groups. Where appropriate, groups may choose a "recorder" to report their conclusions to the entire class.
7. Finally the **Comparaciones y contrastes** topics encourage students to use critical-thinking skills in comparing certain aspects across two or more stories. For each story, one such topic is suggested. Other topics referring to that particular text are cross-referenced to Appendix A which contains over sixty comparative themes. These may form the basis of a class discussion and then be assigned as written essays for homework.

The authors wish to express their special appreciation to Teresa Carrera-Hanley and Elena Gascón Vera for their critical reading of the first edition and would like to thank Norma Leticia Huizar for her assistance on the second edition. They also wish to extend their thanks to the Modern Language staff of D. C. Heath and Company for their editorial assistance.

The authors would also like to thank the following colleagues, whose comments and suggestions were very valuable to the revision of *Album*: Nina Galvin, University of Massachusetts at Amherst; Grant Staley, The Citadel Military College; Robert Fedorchek, Fairfield University; and Vera R. Texeira, Northwestern University.

Rebecca M. Valette
Joy Renjilian-Burgy

Contents of the Cassette to accompany Album, Second Edition

Contents

Una carta a Dios

Gregorio López y Fuentes

Escribió «A Dios» en el sobre, metió la carta y, todavía preocupado, fue al pueblo. En la oficina de correos, le puso un sello a la carta y echó ésta en el buzón.

Una carta a Dios

Gregorio López y Fuentes (1897–1966), novelist of the Mexican Revolution, grew up among peasant farmers (*campesinos*) in the state of Veracruz. In "Una carta a Dios,"[1] which appeared in *Cuentos campesinos de México* (1940), the unshakable faith of the peasant Lencho evokes a charitable response from the postmaster.

La casa de Lencho

La casa... única en todo el valle... estaba en lo alto de un cerro° bajo. Desde° allí se veían el río y, junto al° corral, el campo de maíz° maduro° con las flores del frijol° que siempre prometían una buena cosecha.°

5 Lo único que necesitaba la tierra era una lluvia, o a lo menos° un fuerte aguacero.° Durante la mañana, Lencho... que conocía muy bien el campo... no había hecho más que examinar el cielo hacia° el noreste.°

—Ahora sí que viene el agua, vieja.

10 Y la vieja, que preparaba la comida, le respondió:

—Dios lo quiera.°

Los muchachos más grandes trabajaban en el campo, mientras que los más pequeños jugaban cerca de la casa, hasta que la mujer les gritó a todos:

15 —Vengan a comer...

hill
From / next to the / corn
ripe / bean
harvest
at least
heavy downpour
toward / northeast
God willing.

La tempestad°

storm

Fue durante la comida cuando, como lo había dicho Lencho, comenzaron a caer grandes gotas° de lluvia. Por el noreste se veían avanzar grandes montañas de nubes.° El aire estaba fresco° y dulce.°

20 El hombre salió a buscar algo en el corral solamente para darse° el gusto° de sentir° la lluvia en el cuerpo, y al entrar exclamó:

—Estas no son gotas de agua que caen del cielo; son monedas° nuevas; las gotas grandes son monedas de diez centavos y las gotas chicas° son de cinco...

25 Y miraba con ojos satisfechos el campo de maíz maduro con las flores del frijol, todo cubierto° por la transparente cortina° de la lluvia. Pero, de pronto,° comenzó a soplar° un fuerte viento y con las gotas de agua comenzaron a caer granizos° muy grandes. Esos sí que° parecían monedas de plata° nueva. Los muchachos, expo-
30 niéndose a la lluvia, corrían a recoger las perlas° heladas.°

drops
clouds / cool
pleasant
to give himself / pleasure / of feeling
coins
= **pequeñas**
covered / curtain
all of a sudden / to blow
hail
Those really / silver
pearls / frozen

[1]**«Una carta a Dios»** "A Letter to God."

—Esto sí que está muy malo —exclamaba mortificado el hombre—, ojalá que pase pronto...

No pasó pronto. Durante una hora cayó el granizo sobre la casa, la huerta,° el monte, el maíz y todo el valle. El campo estaba blanco, como cubierto de sal.° Los árboles, sin una hoja.° El maíz, destruido. El frijol, sin una flor. Lencho, con el alma° llena de tristeza. Pasada la tempestad, en medio del campo, dijo a sus hijos:

—Una nube de langostas[2] habría dejado más que esto... El granizo no ha dejado nada: no tendremos ni maíz ni frijoles este año...

La noche fue° de lamentaciones:

—¡Todo nuestro trabajo, perdido!

—¡Y nadie que pueda ayudarnos!

—Este año pasaremos hambre°...

Pero en el corazón de todos los que vivían en aquella casa solitaria en medio del valle había una esperanza:° la ayuda° de Dios.

—No te aflijas° tanto, aunque° el mal es muy grande. ¡Recuerda que nadie se muere de hambre!

—Eso dicen: nadie se muere de hambre...

large vegetable garden
cubierto... covered with salt / leaf
soul
= **fue una**
we shall be hungry
hope / help
worry / even if

La Idea de Lencho

Y durante la noche. Lencho pensó mucho en su sola esperanza: la ayuda de Dios, cuyos° ojos, según le habían explicado, lo miran todo, hasta° lo que está en el fondo° de las conciencias.

Lencho era un hombre rudo,° trabajando como una bestia° en los campos, pero sin embargo sabía escribir. El domingo siguiente,[3] con la luz del día, después de haberse fortificado° en su idea de que hay alguien que nos protege, empezó a escribir una carta que él mismo llevaría al pueblo para echarla al correo.°

No era nada menos que una carta a Dios.

«Dios», escribió, «si no me ayudas, pasaré hambre° con toda mi familia durante este año. Necesito cien pesos para volver a sembrar° y vivir mientras viene la nueva cosecha, porque el granizo...»

Escribió «A Dios» en el sobre,° metió° la carta y, todavía preocupado, fue al pueblo. En la oficina de correos, le puso un sello a la carta y echó ésta° en el buzón.°

whose
even / bottom
uneducated / = **animal**
strengthened
para... to mail it
pasaré... I'll go hungry
volver a... to plant again
envelope / put in
= **la carta** / mailbox

El correo

Un empleado, que era cartero° y también ayudaba en la oficina de correos, llegó riéndose° mucho ante su jefe, y le mostró° la carta dirigida° a Dios. Nunca en su existencia de cartero había conocido

mailman
laughing / showed
addressed

[2]**Una nube de langostas** A cloud of locusts. A traditional plague in which swarms of locusts or grasshoppers strip the vegetation from large areas.

[3]Since Sunday was the day the peasants would come to the village to attend church and go to the market, it was also traditional that the post office be open for business Sunday morning.

esa casa. El jefe de la oficina... gordo y amable... también empezó a reír, pero muy pronto se puso° serio y, mientras daba golpecitos en la mesa° con la carta, comentaba:

—¡La fe!° ¡Ojalá que yo tuviera° la fe del hombre que escribió esta carta! ¡Creer como él cree! ¡Esperar con la confianza° con que él sabe esperar! ¡Empezar correspondencia con Dios!

Y, para no desilusionar aquel tesoro° de fe, descubierto° por una carta que no podía ser entregada,° el jefe de la oficina tuvo una idea: contestar la carta. Pero cuando la abrió, era evidente que para contestarla necesitaba algo más que buena voluntad,° tinta° y papel. Pero siguió° con su determinación:° pidió dinero a su empleado, él mismo dio parte de su sueldo° y varios amigos suyos tuvieron que° darle algo «para una obra de caridad».°

Fue imposible para él reunir° los cien pesos pedidos° por Lencho, y sólo pudo enviar° al campesino un poco más de la mitad.° Puso los billetes° en un sobre dirigido a Lencho y con ellos una carta que tenía sólo una palabra como firma:° DIOS.

he became / **daba...** he was tapping the table
faith / had
confidence
treasure / revealed
delivered
will / ink
he followed through / decision
salary / were obliged to, had to
obra... act of charity
to gather / requested
= **mandar** / half
bills
signature

La reacción de Lencho

Al siguiente domingo, Lencho llegó a preguntar, más temprano que de costumbre,° si había alguna carta para él. Fue el mismo cartero quien le entregó° la carta, mientras que el jefe, con la alegría° de un hombre que ha hecho una buena acción, miraba por la puerta desde su oficina.

Lencho no mostró la menor sorpresa° al ver los billetes... tanta° era su seguridad°... pero se enfadó° al contar° el dinero... ¡Dios no podía haberse equivocado,° ni negar° lo que Lencho le había pedido!

Inmediatamente, Lencho se acercó° a la ventanilla° para pedir papel y tinta. En la mesa para el público, empezó a escribir, arrugando° mucho la frente° a causa del trabajo que le daba expresar sus ideas.[4] Al terminar, fue a pedir un sello, que mojó° con la lengua y luego aseguró° con un puñetazo.°

Tan pronto como° la carta cayó al buzón, el jefe de correos fue a abrirla. Decía:

«Dios: Del dinero que te pedí, sólo llegaron a mis manos sesenta pesos. Mándame el resto, como lo necesito mucho; pero no me lo mandes por la oficina de correos, porque los empleados son muy ladrones.° —Lencho.»

usual
handed over
joy
surprise / so great
certainty / he got angry / upon counting
no... could not have been mistaken / deny
approached / window
wrinkling / forehead
moistened
affixed it / blow of a closed fist
As soon as
thieves

[4]**a causa... ideas** because of the effort it cost him to express his ideas. Literally,... because of the work that expressing his ideas gave him. (Note that **expresar sus ideas,** which is the subject of **daba,** is placed at the end of the sentence for emphasis.)

Comprensión

¿Qué pasó?

La casa de Lencho

1. ¿Dónde estaba la casa?
2. ¿Qué se veía desde la casa?
3. ¿Qué necesitaba la tierra?
4. ¿Qué hacían los hijos de Lencho?

La tempestad

5. ¿Qué ocurrió durante la comida?
6. Después de sentir la lluvia en el cuerpo, ¿qué exclamó el hombre?
7. ¿En qué se transformó la lluvia?
8. ¿Cómo estaban los árboles, el maíz y el frijol después de caer el granizo?
9. ¿Cuáles fueron los resultados de la tempestad?

La idea de Lencho

10. ¿Cuál fue la sola esperanza que tuvo Lencho durante la noche?
11. ¿A quién le escribió Lencho una carta?
12. ¿Cuánto dinero le pidió a Dios? ¿Para qué?

El correo

13. Al ver la carta dirigida a Dios, ¿qué hizo un empleado de la oficina de correos?
14. ¿Qué idea tuvo el jefe de la oficina?
15. ¿Fue posible reunir los cien pesos pedidos por Lencho?
16. ¿Qué escribió el jefe en la carta a Lencho?

La reacción de Lencho

17. ¿Cómo reaccionó Lencho al contar el dinero?
18. Entonces, ¿qué hizo Lencho?
19. En su segunda carta a Dios, ¿qué dijo Lencho sobre los empleados de la oficina de correos?

Fuente de palabras

Cognados

Cognates **(cognados)** are words in two languages that look alike and have the same or similar meanings. The presence of numerous cognates makes Spanish a relatively easy language for English-speaking students to read.

A few Spanish-English cognates are spelled exactly the same: **idea, invisible.** More often, there are minor spelling differences: **acción,** *action;* **evidente,** *evident;* **exclamar,** *to exclaim.*

Frequently, Spanish-English cognates do not have exactly the same meaning in both languages. Sometimes the English cognate has a synonym that is more commonly used. For example:

comenzar	*to commence*	BUT USUALLY:	*to begin*
terminar	*to terminate*	BUT USUALLY:	*to finish, to end*
grande	*grand*	BUT USUALLY:	*large, big*

In these instances, the cognate will remind you of the more common English equivalent.

Transformaciones

Dé el cognado inglés de cada palabra.

1. el valle
2. imposible
3. la existencia
4. la familia
5. examinar
6. transparente
7. serio
8. la determinación
9. responder

Observación

El pasado

In narrative style, Spanish uses the imperfect[5] to describe:

1. background conditions

   El aire **estaba** fresco y dulce. — *The air **was** cool and pleasant.*

2. people and places

   Lencho **era** un hombre rudo. — *Lencho **was** an uneducated man.*

3. ongoing actions

   Los muchachos más grandes **trabajaban** en el campo. — *The older boys **were working** in the field.*

The preterite[5] is used to narrate specific actions and events that have been completed.

Escribió «A Dios» en el sobre, **metió** la carta y... **fue** al pueblo. — *He **wrote** "To God" on the envelope, **inserted** the letter, . . . and **went** to the village.*

The preterite and the imperfect can be used together.

Y la vieja, que **preparaba** la comida, le **respondió:** «Dios lo quiera.» — *And the old woman, who **was preparing** the meal, **answered**: "God willing."*

[5]To review the formation of verb tenses for both regular and irregular verbs, see Appendix C, Verb Tables, pp. 193–206.

¡Otra vez![6]

Cambiando los verbos en itálicas al tiempo presente, vuelva a contar la historia de Lencho y su familia.

1. La casa *estaba* en lo alto de un cerro bajo. 2. Lo único que *necesitaba* la tierra *era* lluvia. 3. Lencho *conocía* muy bien el campo. 4. Los hijos más grandes *trabajaban* en el campo. 5. *Comenzaron* a caer grandes gotas de lluvia. 6. Lencho *miraba* con ojos satisfechos el campo de maíz maduro mientras *comía.* 7. *Llovió* muchísimo. 8. El granizo *dañó* la cosecha. 9. Lencho *estaba* muy triste. 10. Lencho *pensó* mucho en su sola esperanza, la ayuda de Dios, cuyos ojos, según le *habían* explicado, lo *miraban* todo. 11. *Escribió* una carta a Dios y él mismo la *llevó* al pueblo a la oficina de correos donde la *echó* al buzón. 12. Un empleado de la oficina de correos *trajo* la carta dirigida a Dios a su jefe, quien la *abrió.* 13. Entonces el jefe y los empleados *reunieron* más de la mitad del dinero pedido por Lencho. 14. En un sobre dirigido a Lencho, el jefe *puso* los billetes y un papel en que *firmó* «Dios.» 15. Cuando Lencho *volvió* a la oficina de correos y *leyó* la carta, *se enfadó* mucho. 16. Lencho *escribió* otra carta. 17. *Pidió* un sello que *mojó* con la lengua. 18. Cuando la carta *cayó* al buzón el jefe *fue* a leerla. 19. En la carta Lencho *decía* que los empleados *eran* muy ladrones y que ellos le *habían* robado el dinero que *faltaba.*

Interpretación

Análisis

1. ¿Qué clase de hombre es Lencho y cómo es su vida? Dé detalles.
2. ¿Qué opina usted sobre la fe de Lencho?
3. ¿Qué significa la tierra para la familia de Lencho?
4. Analice usted los motivos del jefe de la oficina de correos al contestar la carta de Lencho.
5. ¿Qué relación existe entre la cosecha destruida por la tempestad y la segunda carta escrita por Lencho?
6. ¿Es cómico o triste el final del cuento? ¿Por qué?
7. Mencione usted los adjetivos y sustantivos que el autor utiliza para crear un tono coloquial y un ambiente rural.
8. Señale usted algunos momentos desilusionantes en la historia.
9. Discuta la naturaleza como una fuerza positiva y negativa en la vida de los campesinos.

Composiciones dirigidas

1. Haga usted un retrato de Lencho.

   PALABRAS CLAVES tener / familia / trabajar / bestia / campo / ser / rudo / fe / Dios

[6]Answers to the *¡Otra vez!* exercises appear in Appendix B, pp. 188–192.

2. Compare y contraste el valle antes y después de caer el granizo.

   PALABRAS CLAVES campo / sol / cosecha / lluvia / nubes / aire / granizo / árboles / hoja / maíz / destruido / frijol / flor

Composiciones libres

1. Cuente la historia desde la perspectiva de la esposa de Lencho.
2. Invente otro final para este cuento.

Dramatización en parejas

Dos de los hijos de Lencho hablan del comportamiento raro de su padre durante los últimos días. ¿Qué se dicen?

Discusión en grupos

1. Compare y contraste usted la vida del campo con la vida de la ciudad.
2. ¿Prefiere usted vivir en el campo o en la cuidad? ¿Por qué?
3. Comente usted sobre lo siguiente: «Eso dicen: Nadie se muere de hambre.» ¿Es verdad?
4. Imagínese que está en una fiesta con amigos que usted no ha visto por mucho tiempo. Cuénteles algún incidente importante que le ha pasado este año.
5. Esta historia podría ser la base de un guión de cine (*film script*). Imagínese que usted es el director/la directora de la película. Organice las escenas.
6. Imagínese una conversación entre dos empleados de la oficina de correos y Lencho un año más tarde. ¿Qué se comentan?
7. Describa la peor tempestad que usted ha experimentado.

Comparaciones y contrastes

T1 Discuta el tema de la pobreza en «Una carta a Dios», «Cajas de cartón» y «El beso de la patria.» (Cuentos 1, 7 y 14)

Véase también el tema A3 en Apéndice A.[7]

[7]The topics in Appendix A are divided into four categories and are coded for easy cross-reference: **P = Personajes, S = Simbolismo y estilo, T = Temas,** and **A = Ambiente.**

Sala de espera

Enrique Anderson Imbert

En la sala de espera, una señora se sienta a su izquierda y le da conversación.

Sala de espera

Enrique Anderson Imbert (1910–), novelist, short-story writer and literary critic, has enjoyed a long university career both in his native Argentina and in the United States. As a writer, he is perhaps best known for his brief "microcuentos" in which he blends fantasy and magical realism. His story "Sala de espera"[1] is taken from *El gato de Cheshire* (1965). Just as Alice's cat vanishes into the air, leaving only a smile, so does Costa find himself caught up in a similar phenomenon.

Costa y Wright roban una casa. Costa asesina° a Wright y se queda con° la valija° llena de joyas° y dinero. Va a la estación para escaparse en el primer tren. En la sala de espera, una señora se sienta a su izquierda y le da conversación. Fastidiado,° Costa finge° con un bostezo° que tiene sueño y que va a dormir, pero oye que la señora continúa conversando. Abre entonces los ojos y ve, sentado a la derecha, el fantasma° de Wright. La señora atraviesa° a Costa de lado a lado° con la mirada y charla° con el fantasma, quien contesta con simpatía.° Cuando llega el tren, Costa trata de levantarse, pero no puede. Está paralizado, mudo° y observa atónito° cómo el fantasma toma tranquilamente la valija y camina con la señora hacia° el andén,° ahora hablando y riéndose. Suben, y el tren parte. Costa los sigue con los ojos. Viene un hombre y comienza a limpiar la sala de espera, que ahora está completamente desierta.° Pasa la aspiradora° por el asiento° donde está Costa, invisible.

= **mata**
keeps / = **maleta** / jewels
Annoyed / pretends
yawn
ghost / looks straight through
de... from one side to the other / = **habla**
friendliness
speechless / astonished
toward
platform
deserted
vacuum cleaner / seat

Comprensión

¿Qué pasó?

1. ¿Qué roban Costa y Wright?
2. ¿Qué le pasa a Wright después?
3. ¿De qué está llena la valija?
4. ¿Con qué motivo va Costa a la estación?
5. En la sala de espera, ¿quién conversa con Costa?
6. ¿Qué hace la señora cuando Costa finge que tiene sueño y que va a dormir?
7. Cuando Costa abre los ojos, ¿qué ve a la derecha?
8. ¿Cómo reacciona la señora frente al fantasma de Wright?
9. ¿Qué ocurre cuando llega el tren?

[1] **«Sala de espera»** "Waiting Room."

10. ¿Qué observa Costa?
11. ¿Qué hace el hombre que viene a la sala de espera?
12. Al terminar el cuento, ¿cómo está Costa?

Fuente de palabras

Verbos cognados *(-ar)*

Many Spanish verbs in **-ar** have English cognates. Observe the following patterns:

-ar ↔ Ø	**robar**	*to rob*
-ar ↔ -e	**continuar**	*to continue*
-ar ↔ -ate	**crear**	*to create*

Transformaciones

Dé el cognado inglés de cada palabra.

1. contemplar
2. observar
3. acusar
4. recuperar
5. indicar
6. presentar
7. educar
8. declarar
9. protestar
10. imaginar
11. adornar
12. escapar

Observación

El presente histórico

In "Sala de espera," the author narrates the story in the present tense to make the action appear more vivid and realistic.

Costa y Wright **roban** una casa. *Costa and Wright **rob** a house.*

This use of the historical present is more common in Spanish than in English.

¡Otra vez!

Narre el cuento en el pretérito. Complete las frases usando los verbos de la lista.

tomó	limpió	fue	fingió	mató
pudo	robaron	vino	partió	charló

1. Wright y Costa ____ una casa.
2. Costa ____ a Wright.
3. Costa ____ a la estación para escaparse.
4. La señora ____ con Costa.
5. Costa ____ tener sueño porque la conversación le molestaba.
6. Cuando llegó el tren, Costa trató de levantarse, pero no ____.
7. El fantasma ____ la valija y se fue con la señora.

8. Subieron y el tren ____.
9. Un hombre ____ a limpiar la sala de espera.
10. El hombre ____ el asiento donde Costa estaba invisible.

Interpretación

Análisis ✓

1. En su opinión, ¿por qué Costa mató a Wright?
2. Señale usted algunos elementos de la realidad y de la fantasía que el autor presenta en la narración.
3. ¿Hay realmente un robo o es todo imaginado en el cuento?
4. ¿Cómo interpreta usted el final de la historia?
5. ¿Qué significación tiene el título del cuento?
6. ¿Qué le sugieren a usted los apellidos «Costa» y «Wright»?

Composiciones dirigidas

1. Haga un retrato de la señora.

   PALABRAS CLAVES conversar / Costa / atravesar / mirada / Wright / contestar / simpatía / subir / tren / partir

2. Describa a las personas que están en la sala de espera.

   PALABRAS CLAVES estación / Costa / señora / hablar / sentado / fantasma / Wright / hombre / limpiar / desierto

Composiciones libres ✓

1. Cuente la historia desde el punto de vista de la señora.
2. Desarrolle otro final para este cuento.

Dramatización en parejas

Costa y Wright hacen sus planes para robar la casa. ¿Qué se dicen? ¿En qué detalles piensan?

Discusión en grupos

1. Imagínese que usted está en la sala de espera de un aeropuerto. Describa lo que usted ve y lo que usted oye.
2. Después de leer el periódico o de mirar las noticias de la televisión, haga un resumen de uno de los robos u otros crímenes mencionados.

3. ¿Qué piensa usted del empleo de los adivinos (*fortunetellers*) por la policía para resolver los crímenes?
4. En su opinión, ¿los criminales sienten remordimiento (*remorse*) por sus acciones? ¿Cree que les remuerde la conciencia? Explique.

Comparaciones y contrastes

P3 Compare y contraste el asesinato de Wright en «Sala de espera» con el de Abel en «Leyenda». (Cuentos 2 y 4)

Véase también el tema T18 en Apéndice A.

3

El tiempo borra

Javier de Viana

—Bájese —le gritó desde la puerta de la cocina una mujer de apariencia vieja...

El tiempo borra

Javier de Viana (1872–1926) devoted much of his literary career to recording the rural life and customs of his native Uruguay. In "El tiempo borra,"[1] which was published in *Macachines* (1913), de Viana introduces the reader to the gaucho Indalecio who, after fifteen years of prison, is returning home to his wife and his land.

El retorno de Indalecio

En el cielo, de un azul puro, no se movía una nube. Sobre la llanura° una multitud de vacas blancas y negras, amarillas y rojas, pastaba.° Ni calor, ni frío, ni brisa, ni ruidos. Luz y silencio, eso sí; una luz intensa y un silencio infinito.

A medida que° avanzaba al trote° por el camino zigzagueante, sentía Indalecio una gran tristeza en el alma,° pero una tristeza muy suave.° Experimentaba° deseos de no continuar aquel viaje, y sensaciones de miedo a las sorpresas que pudieran° esperarle.

¡Qué triste retorno era el suyo!° Quince años y dos meses de ausencia.° Revivía° en su memoria la tarde gris, la disputa con Benites por cuestión de una carrera mal ganada,[2] la lucha, la muerte de aquél,° la detención suya° por la policía, la triste despedida° a su campito,° a su ganado,° al rancho recién construido, a la esposa de un año... Tenía veinticinco años entonces y ahora regresaba viejo, destruido con los quince años de prisión. Regresaba... ¿para qué? ¿Existían aún° su mujer y su hijo? ¿Lo recordaban, lo amaban aún? ¿Podía esperarle algo bueno a uno que había escapado del sepulcro?° ¿Estaba bien seguro de que aquél era su campo? Él no lo reconocía. Antes no estaban allí esos edificios blancos que ahora se presentaban a la izquierda. Y cada vez con el corazón más triste siguió su camino, impulsado° por una fuerza irresistible.

plain
was grazing
As / at a trot
soul
gentle / He felt
might
= **su retorno** (his return)
absence / He relived
= **Benites** / = **de Indalecio**
farewell / dear land / cattle
still
tomb (i.e., prison)
propelled

El encuentro

¿Era realmente su rancho aquél ante el cual había detenido su caballo? Por un momento dudó. Sin embargo, a pesar del techo° de zinc que reemplazaba el de paja,° era su mismo rancho.

—Bájese —le gritó desde la puerta de la cocina una mujer de apariencia vieja, que en seguida, arreglándose el pelo, fue hacia él, seguida de media docena de chiquillos° curiosos.

a... in spite of the roof
thatched
= **niños**

[1] **«El tiempo borra»** "Time Erases."

[2] **una carrera mal ganada** a race unfairly won. An accusation of cheating had led to the fight in which Benites had been killed.

—¿Cómo está?

—Bien, gracias; pase para adentro.

Ella no lo había reconocido. Él creía ver a su linda esposa en aquel rostro° cansado y aquel pelo gris que aparecía bajo el pañuelo° grande.

Entraron en el rancho, se sentaron, y entonces él dijo:

—¿No me conoces?

Ella quedó mirándolo,° se puso° pálida y exclamó con espanto:°

—¡Indalecio!

Empezó a llorar, y los chicos la rodearon.° Después, se calmó un poco y habló, creyendo justificarse:

—Yo estaba sola; no podía cuidar los intereses.° Hoy me robaban una vaca; mañana me carneaban° una oveja;° después... habían pasado cinco años. Todos me decían que tú no volverías más, que te habían condenado° por la vida. Entonces... Manuel Silva propuso° casarse conmigo. Yo resistí mucho tiempo... pero después...

Y la infeliz° seguía hablando,° hablando, repitiendo, recomenzando, defendiéndose, defendiendo a sus hijos. Pero hacía rato que° Indalecio no la escuchaba. Sentado frente a la puerta, tenía delante el extensivo panorama, la enorme llanura verde, en cuyo fin se veía el bosque° occidental° del Uruguay.

—Comprendes —continuaba ella,— si yo hubiera° creído que ibas a volver...

face
kerchief
quedó... stared at him / became astonishment
surrounded
property
butchered / sheep
condemned
proposed
unhappy woman / **seguía...** kept talking
hacía... for quite a while
forest / on the western border
had

La despedida

Él la interrumpió:

—¿Todavía pelean en la Banda Oriental?[3]

Ella se quedó atónita° y respondió:

—Sí; el otro día un grupo de soldados pasó por aquí, yendo hacia la laguna Negra,[4] y...

—Adiosito° —interrumpió el gaucho.

Y sin hablar una palabra más se levantó, fue en busca de° su caballo, montó,° y salió al trote, rumbo al° Uruguay.

Ella se quedó de pie,° en el patio, mirándolo atónita, y cuando lo perdió de vista, dejó escapar un suspiro° de satisfacción y volvió pronto a la cocina, oyendo chillar° la grasa° en la sartén.°

aghast, astounded
So long
fue... went to find
mounted / toward
standing
sigh
sizzle / grease / frying pan

[3]**la Banda Oriental** = Uruguay. During Spanish colonial times, Uruguay was the "Eastern province" — **la Banda Oriental** — of the Viceroyalty of Río de la Plata, which included the present countries of Argentina, Bolivia, Paraguay, and the southwestern part of Brazil. In the nineteenth century Uruguay was involved in a series of border wars with its neighboring countries.

[4]**la laguna Negra** small lake in Uruguay near the Argentine border.

Comprensión

¿Qué pasó?

El retorno de Indalecio

1. ¿Dónde tiene lugar el cuento?
2. ¿Qué sentía Indalecio a medida que avanzaba al trote por el camino?
3. ¿Qué sensaciones experimentaba él?
4. ¿Cuánto tiempo había estado ausente?
5. ¿Por qué fue a la prisión?
6. ¿A quiénes esperaba encontrar en su casa?
7. ¿Cuántos años tenía el gaucho Indalecio al regresar?
8. ¿En qué estado regresaba el gaucho?

El encuentro

9. ¿A dónde llegó él?
10. ¿Quién le gritó desde la puerta de la cocina?
11. ¿Cuántos hijos tenía la mujer?
12. La mujer no reconoció a Indalecio al primer instante. ¿Cómo lo sabemos?
13. ¿Cómo reaccionó la mujer al reconocerlo?
14. ¿Qué le había pasado a la mujer en los últimos quince años?
15. Sentado frente a la puerta, ¿hacia dónde miraba Indalecio?

La despedida

16. ¿Con qué pregunta interrumpió Indalecio a la mujer?
17. Sin hablar una palabra más, ¿qué hizo Indalecio?
18. Cuando se fue el gaucho, ¿cómo reaccionó la mujer?

Fuente de palabras

Verbos cognados *(-er, -ir)*

Observe the common cognate patterns of Spanish verbs in **-er** and **-ir:**

-er, -ir ↔ Ø	**extender**	*to extend*	**referir**	*to refer*
-er, -ir ↔ -e	**mover**	*to move*	**servir**	*to serve*
-ger, -gir ↔ -ct	**proteger**	*to protect*	**dirigir**	*to direct*

Transformaciones

Dé el cognado inglés de cada palabra.

1. responder
2. elegir
3. discernir
4. combatir
5. defender
6. preferir
7. resolver
8. corregir
9. decidir
10. consentir

Observación

El orden de las palabras

Word order in Spanish is more flexible than in English. Elements to be stressed are usually placed at the end of the sentence, which means that the verb may precede the subject.

En el cielo... no se movía **una nube.** = Ni una nube se movía en el cielo.
*In the sky not **a cloud** was moving.*

Antes no estaban allí **esos edificios.** = Esos edificios no estaban allí antes.
***Those buildings** weren't there before.*

¡Otra vez!

Complete las frases usando los verbos de la lista para narrar el cuento.

reconoció	lloró	preguntó	movían
iba	salió	avanzaba	se arregló
hacía	regresaba	gritó	revivía

1. Las nubes del cielo no se ____ .
2. No ____ ni calor ni frío.
3. Indalecio ____ por el camino zigzagueante.
4. El gaucho ____ la memoria de aquella tarde gris.
5. Él ____ al rancho después de quince años de prisión.
6. Al principio él no ____ su rancho.
7. Una mujer le ____ desde la puerta de la cocina.
8. Ella en seguida ____ el pelo.
9. Al reconocerlo, la mujer ____ .
10. Ella creyó que Indalecio no ____ a volver más.
11. Él le ____ sobre la guerra en la Banda Oriental.
12. Indalecio montó a su caballo y ____ al trote rumbo al Uruguay.

Interpretación

Análisis

1. ¿Qué piensa usted del título, «El tiempo borra»? ¿Es apropiado? ¿Qué borró el tiempo para Indalecio y para su mujer?
2. ¿Es Indalecio un asesino? Explique.
3. ¿Es Indalecio una figura trágica? ¿y su esposa? ¿Quién ha sufrido más?
4. ¿Hizo la mujer lo correcto al casarse por segunda vez? ¿Por qué? ¿Cree usted que ella todavía quiere a su primer esposo?
5. ¿Por qué la mujer dio un suspiro de satisfacción al ver irse a Indalecio? ¿Por qué se fue el gaucho? ¿Cómo interpreta usted este final?

6. ¿Por qué el autor no le da nombre a la esposa de Indalecio? ¿Qué significa esta omisión?
7. Discuta usted los elementos de la nostalgia y de la soledad que se observan en el cuento.
8. ¿Qué elementos de la naturaleza son importantes? Explique.
9. Discuta el tema de la resignación en este cuento.
10. En el contexto de la sociedad de aquel entonces, compare los valores masculinos con los valores femeninos que se mencionan en este cuento.

Composiciones dirigidas

1. Describa usted el ambiente donde se desarrolla el cuento.

   PALABRAS CLAVES cielo / moverse / nube / llanura / verde / enorme / vaca / luz / silencio / extensivo / panorama / Uruguay

2. ¿Cómo encuentra Indalecio a su esposa después de los quince años de ausencia?

   PALABRAS CLAVES rancho / casarse / Manuel / tener / seis / hijo / defenderse / infeliz / rostro / cansado / viejo / pelo / gris

Composiciones libres

1. Imagínese que usted es Indalecio de rumbo al Uruguay al final del cuento. ¿Qué pensamientos y sentimientos tiene con respecto al pasado y al futuro?
2. Imagínese que usted es la esposa. ¿Qué le va a contar a su segundo esposo sobre la visita de Indalecio?

Dramatización en parejas

Indalecio y su hijo de quince años se encuentran en el camino. ¿Qué se dicen?

Discusión en grupos

1. Después de leer el cuento, ¿cómo cree usted que es la vida en la pampa?
2. El autor compara la prisión a un sepulcro. ¿Cómo se imagina usted la vida diaria en una prisión?
3. Indalecio estuvo en la cárcel entre las edades de veinticinco y cuarenta. ¿Qué hechos importantes ocurren en la vida de una persona durante esos años?
4. Describa algunos aspectos de la naturaleza que ejercen influencia sobre su vida.

Comparaciones y contrastes

T3 Compare y contraste el papel de la naturaleza en «Una carta a Dios» y en «El tiempo borra». (Cuentos 1 y 3)

Véase también los temas P1, P11, P16, T6, T9, T10, A8 y A9 en Apéndice A.

Leyenda

Jorge Luis Borges

Los hermanos se sentaron en la tierra, hicieron un fuego y comieron.

Leyenda

Jorge Luis Borges (1899–1986), born in Argentina, is one of the outstanding figures of contemporary Hispanic literature. One recurrent theme of his work is the relationship between reality and fantasy, between life and fiction. According to the book of Genesis, Cain is banished from the face of the earth as a fugitive and vagabond for having killed his brother Abel. In "Leyenda,"[1] published in *Elogio de la sombra* (1969), Borges elaborates on the Biblical tale by having Abel reappear in the desert for a final encounter with Cain.

Abel[2] y Caín[3] se encontraron después de la muerte de Abel. Caminaban por el desierto y se reconocieron desde lejos, porque los dos eran muy altos. Los hermanos se sentaron en la tierra, hicieron un fuego° y comieron. Guardaban silencio,° a la manera de la gente cansada cuando declina° el día. En el cielo asomaba° alguna estrella, que aún no había recibido su nombre. A la luz de las llamas,° Caín advirtió° en la frente° de Abel la marca de la piedra° y dejó caer° el pan que estaba por llevarse a° la boca y pidió que le fuera perdonado su crimen.

Abel contestó:

—¿Tú me has matado o yo te he matado? Ya no recuerdo, aquí estamos juntos como antes.

—Ahora sé que en verdad me has perdonado —dijo Caín—, porque olvidar es perdonar. Yo trataré también de olvidar.

Abel dijo despacio:

—Así es. Mientras dura° el remordimiento° dura la culpa.°

fire / They remained silent
draws to a close / appeared
flames
noticed / forehead / stone / **dejó...** dropped
estaba... he was about to put into
lasts / remorse / guilt

Comprensión

¿Qué pasó?

1. ¿Cuándo se encontraron Abel y Caín?
2. ¿Por dónde caminaban?
3. ¿Por qué se reconocieron desde lejos?
4. Después de encontrarse, ¿qué hicieron?
5. ¿Por qué guardaban silencio?

[1] **«Leyenda»** "Legend."
[2] **Abel** the second son of Adam and Eve.
[3] **Caín** the oldest son of Adam and Eve, who killed his brother Abel out of jealousy.

6. ¿Era de día o de noche? ¿Cómo lo sabe usted?
7. ¿Por qué dejó caer Caín el pan que estaba por comer?
8. ¿Qué le pidió Caín a Abel?
9. ¿Cómo contestó Abel?
10. ¿Por qué dijo Caín que sabía que Abel lo había perdonado?
11. Según Abel, ¿cuál es la relación entre el remordimiento y la culpa?

Fuente de palabras

Cognados con cambios ortográficos

Spanish-English cognates are often spelled somewhat differently in the two languages. For example, masculine nouns in Spanish frequently end in **-o** and feminine nouns in **-a.**

el desierto	*desert*	**la leyenda**	*legend*
el silencio	*silence*	**la marca**	*mark*

Some other common spelling changes encountered in earlier stories are:

i ↔ y	**paralizar**	*to paralyze*
c ↔ cc	**preocupado**	*preoccupied*
f ↔ ff	**la oficina**	*office*
l ↔ ll	**desilusionar**	*to disillusion*
n ↔ nn	**la manera**	*manner*
s ↔ ss	**asesinar**	*to assassinate*

Transformaciones

Dé el cognado inglés de cada palabra.

1. el motivo
2. expresar
3. la dinamita
4. el mito
5. diferente
6. pasar
7. imposible
8. acompañar
9. inocente
10. el colector

Observación

El presente perfecto

The present perfect is formed with the present tense of **haber** (**he, has, ha, hemos, habéis, han**) + the past participle (**-ado** or **-ido** form) of the verb. In general, Spanish and English use this tense in the same way. In Spanish it may also be used to describe a definite past action, where in English a simple past would be used.

... me **has perdonado**	. . . ***you have forgiven*** *me*
¿... yo te **he matado?**	. . . ***did I kill*** *you?*

Note that the pluperfect is formed like the present perfect, but uses the imperfect of **haber.**

[la] estrella... no **había recibido** su nombre.	*the star. . . **had not received** its name.*

¡Otra vez!

Vuelva a contar la historia, cambiando los verbos en itálicas al presente perfecto.

1. Abel y Caín se *encontraron.*
2. Ellos *caminaban* por el desierto.
3. Se *reconocieron* desde lejos.
4. Los hermanos se *sentaron* en la tierra
5. *Hicieron* un fuego y *comieron.*
6. En el cielo *asomaba* una estrella.
7. Caín *advirtió* en la frente de Abel la marca de una piedra.
8. Caín le *pidió* perdón a su hermano.
9. Abel no *recordó* quién *tenía* la culpa.
10. Caín *dijo,* «olvidar es perdonar».

Interpretación

Análisis

1. ¿Qué es una leyenda? ¿Cuál es su leyenda favorita? ¿Por qué?
2. Compare y contraste las personalidades de Caín y Abel.
3. ¿Dónde cree usted que Caín y Abel se encontraron? ¿en la tierra? ¿en el cielo? ¿en el infierno? ¿en otro lugar? Explique.
4. Describa el ambiente de este cuento con respecto al espacio y al tiempo. ¿Qué efectos produce?
5. ¿Qué diferencias hay entre la culpa y el remordimiento? ¿Qué es peor — sentir culpa o remordimiento? ¿Por qué?

Composiciones dirigidas

1. Describa usted el desierto donde se encontraron Caín y Abel.

   PALABRAS CLAVES desierto / lejos / tierra / hacer / fuego / luz / llama / cielo / estrella

2. Resuma usted la relación entre Caín y Abel.

   PALABRAS CLAVES hermano / alto / muerte / Abel / desierto / frente / piedra / perdonar / olvidar / durar / remordimiento / culpa

Composiciones libres

1. Compare y contraste esta historia de Caín y Abel con la de la Biblia (*Génesis*, Capítulo 4).
2. Invente una leyenda original basada en la vida contemporánea.

Dramatización en parejas

Adán y Eva hablan de lo que pasó entre sus dos hijos. ¿Qué se dicen?

Discusión en grupos

1. Según Abel, «Mientras dura el remordimiento dura la culpa.» ¿Está usted de acuerdo con esta filosofía? Explique.
2. ¿Hay mucha rivalidad entre hermanos en las familias de nuestra sociedad? ¿y violencia? ¿y abuso? Explique. ¿Cómo deben ser las relaciones entre hermanos?
3. Describa una situación de celos (*jealousy*) en una película o un libro que usted ha leído. ¿Cuál fue la consecuencia?
4. ¿Cómo es el desierto? ¿Le gustaría vivir en un desierto? ¿Por qué?

Comparaciones y contrastes

S3 Analice el estilo narrativo de los siguientes cuentos: «Leyenda», «El nacimiento de la col» y «Apocalipsis». ¿Qué efecto cree usted que el autor quiere producir en cada cuento? (Cuentos 4, 6 y 11)

Véase también los temas P3, T11, T13 y A1 en Apéndice A.

Un oso y un amor

Sabine R. Ulibarrí

Nunca me he sentido tan dueño de mí mismo. Nunca tan hombre, nunca tan macho. Me sentí primitivo, defendiendo a mi mujer.

Un oso y un amor

Sabine Ulibarrí (1919–) was born in the small town of Tierra Amarilla, New Mexico, which provides the background for many of his short stories. At the time Ulibarrí was growing up, Spanish was spoken not only by the Hispanics who had settled the area centuries earlier but also by the neighboring Pueblo Indians and the Anglo newcomers. In "Un oso y un amor,"[1] which appeared in *Primeros encuentros* (1982), the young narrator is helping Abrán (Abraham) herd the sheep to their summer grazing area in the mountains. They are joined for a picnic by several of the narrator's school friends, but a bear interrupts the festivities.

La sierra

Era ya fines° de junio. Ya había terminado el ahijadero y la trasquila.[2] El ganado° iba ya subiendo la sierra. Abrán apuntando,° dirigiendo.° Yo, adelante con seis burros cargados.[3] De aquí en adelante° la vida sería lenta y tranquila.

5 Hallé° un sitio adecuado. Descargué° los burros. Puse la carpa.° Corté ramas° para las camas. Me puse a° hacer de comer° para cuando llegara° Abrán. Ya las primeras ovejas estaban llegando. De vez en cuando salía a detenerlas,° a remolinarlas, para que fueran conociendo° su primer rodeo.[4]

10 El pasto° alto, fresco y lozano.° Los tembletes[5] altos y blancos, sus hojas agitadas temblando una canción° de vida y alegría. Los olores° y las flores. El agua helada° y cristalina del arroyo.° Todo era paz y harmonía. Por eso los dioses° viven en la sierra. La sierra es una fiesta eterna.

15 Las ollitas° hervían.° Las ovejas pacían° o dormían. Yo contemplaba la belleza° y la grandeza de la naturaleza.°

the end
flock / pointing
directing
De... From now on
I found / I unloaded / tent
branches / I began / **hacer...** to prepare the meal
would arrive
to stop them
fueran... would get familiar with
grass / lush
temblando... singing a song
fragrances / icy / stream
gods
little pots / were boiling / were grazing
beauty / nature

[1]**«Un oso y un amor»** "A Bear and a Love."

[2]Sheep-raising is an important activity in northern New Mexico. In the winter the sheep **(las ovejas)** are kept in the village. Once the lambs have been born in the spring **(el ahijadero)** and are old enough to travel, and after the wool of the adult lambs has been shorn **(la trasquila)**, the flock is taken up to the summer grazing areas in the mountains **(la sierra)**.

[3]The shepherds travel with donkeys, which carry all their supplies **(burros cargados)**, since they will not return to the village until fall.

[4]When the flock is being gathered for the night at the campsite **(el rodeo)**, those sheep who tend to wander on must be turned around **(remolinar)** and directed back to the central location.

[5]**los tembletes** the aspen. These typical Rocky Mountain trees of the poplar family have leaves that tremble in the slightest breeze **(hojas agitadas)**. In Spanish, the aspen is known as **el álamo temblón** or **el temblete.**

El festín°

De pronto oí voces y risas° conocidas. Lancé un alarido.° Eran mis amigos de Tierra Amarilla. Abelito Sánchez, acompañado de Clorinda Chávez y Shirley Cantel. Los cuatro estábamos en tercer año de secundaria.[6] Teníamos quince años.

Desensillamos° y persogamos° sus caballos. Y nos pusimos a gozar el momento. Había tanto que decir. Preguntas. Bromas. Tanta risa que reanudar.° Ahora al recordarlo me estremezco.° ¡Qué hermoso era aquello!° Eramos jóvenes. Sabíamos querer y cantar. Sin licor, sin drogas, sin atrevimientos soeces.°

Cuando llegó Abrán comimos. Yo tenía un sabroso° y oloroso° costillar de corderito asado° sobre las brasas.° Ellos habían traído golosinas° que no se acostumbran en la sierra. La alegría y la buena comida, la amistad y el sitio idílico convirtieron° aquello en un festín para recordar siempre.

banquet
laughter / I gave a shout.
We unsaddled / we staked out
renew / I shudder
= **aquel momento**
atrevimientos... vulgarity
tasty / delicious-smelling
costillar... roast side of lamb / coals
delicacies
transformed

Shirley

Shirley Cantel y yo crecimos° juntos. Desde niños fuimos a la escuela juntos. Yo cargaba con° sus libros. Más tarde íbamos a traer° las vacas todas las tardes. Jugábamos en las caballerizas° o en las pilas de heno.° Teníamos carreras° de caballo. En las representaciones° dramáticas en la escuela ella y yo hacíamos los papeles° importantes. Siempre competimos a ver quién sacaba° las mejoras notas.° Nunca se nos ocurrió que estuviéramos° enamorados. Este año pasado, por primera vez, lo descubrimos, no sé cómo. Ahora la cosa° andaba en serio.° Verla hoy fue como una ilusión de gloria.

Shirley tenía una paloma° blanca que llamaba° mucho la atención. Siempre la sacaba° cuando montaba a caballo. La paloma se le posaba° en un hombro,° o se posaba en la crin° o las ancas° del caballo. Llegó a conocerme° y a quererme a mí también. A veces la paloma andaba conmigo. Volaba° y volvía. La paloma era otro puente° sentimental entre nosotros dos. Hoy me conoció. De inmediato° se posó en mi hombro. Su cucurucú° sensual en mi oído° era un mensaje de amor de su dueña.°

Era gringa[7] Shirley pero hablaba el español igual que yo. Esto era lo ordinario en Tierra Amarilla. Casi todos los gringos de entonces hablaban español. Éramos una sola° sociedad. Nos llevábamos° muy bien.

we grew up
carried / to bring in
stables
haystacks / races / performances
hacíamos... played the roles
would get / grades
were
relationship / **andaba...** was serious
dove / attracted
took it along
perched / shoulder / mane / rump
Llegó... It got to know me
It would fly away
bridge
De... Right away / cooing
= **oreja** / owner
one single
We got along

El oso

Chistes° y bromas. Risas y más risas. Coqueteos° fugaces.° Preguntas intencionadas.° Contestaciones inesperadas.° La fiesta en su apogeo.°

Jokes / Flirtations / fleeting
loaded / unexpected
height

[6] **en tercer año de secundaria** in ninth grade (i.e., the third year of secondary school, which begins with seventh grade).

[7] A **gringo** or **gringa** is a non-Hispanic American.

De pronto el ganado se asusta.° Se azota° de un lado a otro. Se viene sobre nosotros° como en olas.° Balidos° de terror. Algo está espantando° al ganado.

Cojo° el rifle. Le digo a Shirley, «Ven conmigo.» Vamos de la mano.° Al doblar° un arbusto° nos encontramos con un oso.° Ha derribado° una oveja. Le ha abierto las entrañas.° Tiene el hocico° ensangrentado.° Estamos muy cerca.

Ordinariamente el oso huye° cuando se encuentra con el hombre. Hay excepciones: cuando hay cachorros,° cuando está herido,° cuando ha probado° sangre. Entonces se pone bravo.° Hasta° un perro se pone bravo cuando está comiendo.

Éste era un oso joven. Tendría dos o tres años.° Éstos son más atrevidos° y más peligrosos. Le interrumpimos la comida. Se enfureció.° Se nos vino encima.°

Los demás se habían acercado.° Estaban contemplando el drama. El oso se nos acercaba lentamente. Se paraba,° sacudía° la cabeza y gruñía.° Nosotros reculábamos° poco a poco. Hasta que topamos con° un árbol caído.° No había remedio.° Tendríamos que confrontarnos con el bicho.°

Nadie hizo° por ayudarme. Nadie dijo nada. Las muchachas calladas.° Nada de histeria. Quizás si hubiera estado° solo habría estado muerto de miedo. Pero allí estaba mi novia a mi lado. Su vida dependía de mí. Los otros me estaban mirando.

Nunca me he sentido tan dueño° de mí mismo. Nunca tan hombre,° nunca tan macho.° Me sentí primitivo, defendiendo a mi mujer. Ella y los demás tenían confianza° en mí.

Alcé° el rifle. Apunté.° Firme, seguro. Disparé.° El balazo° entró por la boca abierta y salió por la nuca.° El balazo retumbó° por la sierra. El oso cayó muerto a nuestros pies. Shirley me abrazó.° Quise morirme de felicidad.

Desollé° al animal yo mismo.° Sentí su sangre caliente en mis manos, y en mis brazos. Me sentí conquistador.°

En una ocasión le había regalado° yo a Shirley un anillo° que mi madre me había dado a mí. En otra° una caja° de bombones.° En esta ocasión le regalé la piel° de un oso que ella conoció en un momento espantoso.° Cuando se fue se llevó° la piel bien atada° en los tientos° de la silla.°

is frightened / It whips
Se... It comes toward us / waves / Bleats
has frightened
I grab
hand in hand / Coming around / bush / bear
He has downed / **Le...** He has ripped open the entrails. / snout
bloody
flees
cubs / wounded
tasted / he becomes fierce / Even
Tendría... It probably was 2 or 3 years old.
daring
He became furious. / **Se...** He came at us.
approached
He stopped / he shook
growled / backed up
we bumped against / fallen / choice
= **animal**
did (anything)
silent / **hubiera...** I had been
master
so much a man / manly
confidence
I raised / I aimed. / I fired. / shot
nape of the neck / echoed
hugged
I skinned / myself
conqueror
given / ring
= **otra ocasión** / box / candies
skin
frightening / she took with her / tied
straps / saddle

Recuerdos

Pasaron los años. Yo me fui a una universidad, ella, a otra. Eso nos separó. Después vino una guerra que nos separó más. Cuando un río se bifurca° en dos, no hay manera que esos dos ríos se vuelvan a juntar.°

No la he vuelto a ver desde esos días. De vez en vez° alguien me dice algo de ella. Sé que se casó, que tiene familia y que vive muy

divides
will join again
Once in a while

lejos de aquí. Yo me acuerdo con todo cariño de vez en vez de la hermosa juventud que compartí° con ella. — I shared

Recientemente un viejo amigo me dijo que la vio allá donde vive y conoció a su familia. Me dijo que en el suelo, delante de° la chimenea,° tiene ella una piel de oso. También ella se acuerda. — in front of; fireplace

Comprensión

¿Qué pasó?

La sierra

1. ¿Qué época del año es?
2. ¿Qué ha terminado?
3. ¿A dónde va subiendo el ganado?
4. ¿Quién dirige el ganado?
5. Después de hallar un sitio adecuado, ¿qué hace el narrador?
6. ¿Por qué sale el narrador a detener las ovejas de vez en cuando?
7. Describa usted la sierra.
8. ¿Qué hacen las ovejas? ¿y el narrador?
9. ¿Qué contempla el narrador?

El festín

10. ¿Qué oye el narrador? ¿Quiénes son? ¿Cuántos años tienen? ¿En qué año de la escuela están?
11. ¿Qué cosas se dicen los jóvenes?
12. ¿Cómo reacciona el narrador físicamente al recordar el pasado?
13. ¿Qué más recuerda el narrador de cuando eran jóvenes?
14. ¿Quién llega entonces?
15. ¿Qué comen los jóvenes?
16. ¿Por qué va a recordar el narrador siempre aquella experiencia?

Shirley

17. Desde niños, ¿qué hacen juntos el narrador y Shirley?
18. ¿Cuándo descubren que están enamorados?
19. ¿Qué saca Shirley siempre que monta a caballo?
20. ¿Cómo trata la paloma al narrador? ¿Cómo explica el narrador la actitud de la paloma hacia él?
21. ¿Por qué habla Shirley el español igual que el narrador?
22. ¿Cómo se lleva la gente de Tierra Amarilla?

El oso

23. ¿Qué coge el narrador? ¿Qué pasa entonces?
24. Describa al oso. ¿Por qué se enfurece? ¿Cómo reaccionan los demás?
25. ¿Qué hace el narrador entonces? ¿Por qué quiere el narrador morirse de felicidad?
26. ¿A quién le da el narrador la piel de oso?

Recuerdos

27. ¿Qué hace el narrador durante los años que pasan? ¿y Shirley?
28. ¿De qué se acuerda el narrador con todo cariño? ¿y ella?

Fuente de palabras

Sustantivos derivados de adjetivos *(-dad, -ía, -tud)*

In Spanish as in English, the existence of word families makes it easy to increase one's reading vocabulary. In Spanish, nouns may be derived from adjectives with the addition of a suffix.

-(i)dad	**feliz → la felicidad**	*happy → happiness*
-ía	**alegre → la alegría**	*joyful → joyfulness, joy*
-(i)tud	**joven → la juventud**	*young → youth*

Note that these nouns are feminine.

Transformación

Dé el sustantivo inglés que corresponde a cada palabra.

1. la infelicidad (infeliz)
2. la lentitud (lento)
3. la utilidad (útil)
4. la curiosidad (curioso)
5. la bondad (bueno)
6. la cortesía (cortés)
7. la posibilidad (posible)
8. la quietud (quieto)
9. la crueldad (cruel)
10. la obscuridad (obscuro)

Observación

El condicional

The conditional is formed by adding the endings **-ía, -ías, -ía, -íamos, -íais, -ían** to the future stem of the verb. In Spanish, as in English, the conditional is used to express future time when the main verb is in the past.

De aquí en adelante la vida **sería** lenta y tranquila.	*From now on, life* ***would be*** *leisurely and peaceful.*

The conditional is also used to express hypotheses.

Este era un oso joven. **Tendría** dos o tres años.	*This was a young bear. He* ***was probably*** *two or three years old.*

¡Otra vez!

Vuelva a contar la historia cambiando los verbos en itálicas al tiempo condicional.

1. *Era* fines de junio. 2. El ganado *subía* la sierra. 3. *Corté* ramas para las camas. 4. *Hice* la comida. 5. Algunas ovejas *dormían.* 6. Yo *contemplaba* la belleza de la sierra.

7. Unos buenos amigos *llegaron* a visitarme. 8. *Gozamos* del momento diciendo bromas. 9. Entonces *comimos.* 10. Shirley *montaba* a caballo con una paloma posada en su hombro. 11. El cucurucú de la paloma me *decía* mensajes de amor. 12. El ganado se *asustó* y se *vino* sobre nosotros como en olas. 13. Un oso atrevido *mató* una oveja. 14. Se *puso* bravo porque le *interrumpimos* la comida. 15. Nadie *dijo* ni *hizo* nada por ayudarme. 16. Mi novia *estaba* a mi lado y su vida *dependía* de mí. 17. Al matar al oso, me *sentí* muy macho. 18. Shirley me *abrazó.* 19. Yo le *di* la piel del oso como recuerdo. 20. *Pasaron* los años y la universidad y la guerra nos *separaron.*

Interpretación

Análisis

1. ¿Cómo es el narrador? ¿y Shirley?
2. ¿Cuántos años tiene el narrador cuando cuenta la historia?
3. ¿Qué actitud tiene el narrador hacia la naturaleza?
4. El narrador dice que la paloma era «otro puente sentimental» entre él y Shirley. Explique la función de la paloma en este cuento.
5. ¿Qué simboliza el enfrentamiento entre el narrador y el oso? ¿Es un héroe el narrador? Explique. ¿Qué opina usted sobre la matanza del oso?
6. ¿Por qué cree usted que no se casaron el narrador y Shirley?
7. Señale usted en el cuento referencias a los sentidos (visual, olfatorio, gustativo, auditivo, táctil).
8. El autor describe pequeñas escenas fragmentadas. ¿Qué impresión produce esta técnica estilística en el lector?

Composiciones dirigidas

1. Escriba una descripción de la sierra.

   PALABRAS CLAVES ovejas / pacer / pasto / ser / lozano / junio / tembletes / temblar / alegría / olores / arroyo / paz / dioses / recordar / sitio / idílico / siempre / naturaleza / grandeza

2. Describa la actitud del narrador hacia su ambiente y sus amigos.

   PALABRAS CLAVES contemplar / naturaleza / gozar / belleza / traer / vaca / enamorarse / Shirley / tener / quince / sentirse / hombre / Abrán / compartir / juventud / ser / sentimental

Composiciones libres

1. Póngase usted en el lugar de Abrán. ¿Cómo narraría usted la historia?
2. Imagínese un diálogo entre el narrador y Shirley a la edad de sesenta años. ¿Qué se dirían después de tantos años?

Dramatización en parejas

Durante el segundo año universitario, el narrador llama a Shirley. ¿Qué se cuentan?

Discusión en grupos

1. El narrador compara la separación permanente entre Shirley y él a «un río que se bifurca en dos.» Dice que «no hay manera que esos dos ríos se vuelvan a juntar.» ¿Está usted de acuerdo con esta filosofía? ¿Por qué?
2. ¿Cómo es el oso? Compare y contrástelo con el animal más terrible que usted pueda imaginar. Si usted estuviera cara a cara con un oso, ¿cómo reaccionaría?
3. ¿Cuáles son las manifestaciones del amor entre los miembros de una familia? ¿y entre amigos?
4. ¿De qué diversiones gozan los jóvenes de nuestra época?

Comparaciones y contrastes

P8 Shirley, de «Un oso y un amor», tiene quince años y la chica de «El décimo» tiene dieciséis. Compare y contraste sus vidas. (Cuentos 5 y 12)

Véase también los temas T14 y T17 en Apéndice A.

El nacimiento de la col

Rubén Darío

Y entonces vio el mundo la primera col.

El nacimiento de la col

Rubén Darío (1867–1916) was born in Nicaragua as Félix Rubén García Sarmiento. Today he is considered as one of the greatest poets of Latin America. As a leader of the *modernista* movement he emphasized perfection of artistic form and the importance of beauty. "El nacimiento de la col"[1] first appeared in 1893 in *La Tribuna*, an Argentine newspaper. In this carefully polished brief tale, Rubén Darío takes the reader to the Garden of Eden on the Fifth Day of Creation after God has brought forth the plants and the animals.

En el paraíso terrenal,° en el día luminoso° en que las flores fueron creadas, y antes de que Eva fuese° tentada° por la serpiente, el maligno° espíritu se acercó° a la más linda rosa nueva en el momento en que° ella tendía, a la caricia del celeste sol, la roja virginidad de sus labios.[2]

—Eres bella.

—Lo soy° —dijo la rosa.

—Bella y feliz —prosiguió° el diablo—. Tienes el color, la gracia y el aroma. Pero...

—¿Pero?...

—No eres útil. ¿No miras esos altos árboles llenos de bellotas?° Ésos, a más de° ser frondosos,° dan alimento° a muchedumbres° de seres animados[3] que se detienen° bajo sus ramas.° Rosa, ser bella es poco...

La rosa entonces —tentada como después lo sería° la mujer[4] — deseó la utilidad,° de tal modo° que hubo palidez en su púrpura.°

Pasó el buen Dios después del alba° siguiente.

—Padre —dijo aquella princesa floral, temblando° en su perfumada belleza—, ¿queréis° hacerme útil?

—Sea,° hija mía —contestó el Señor, sonriendo.

Y entonces vio el mundo° la primera col.

paraíso... Garden of Eden / = **claro**
was / tempted
evil / approached
when

Indeed I am
continued

acorns
besides / leafy / **dan...** feed / multitudes
live, stop / branches
would be
usefulness / **de...** so much so / **que...** that she became pale
daybreak, dawn
trembling
would you
So be it
= **el mundo vio**

[1]**«El nacimiento de la col»** "The Birth of the Cabbage."

[2]**ella tendía, a la caricia del celeste sol, la roja virginidad de sus labios.** she was offering to the caress of the celestial sun the red purity of her lips. Rubén Darío poetically describes the moment at which the rosebud in the warmth of the sun unfolds its fresh petals.

[3]**seres animados = fauna:** animales, pájaros, insectos.

[4]**la mujer = Eva.** In the third chapter of Genesis, the serpent tempts Eve to eat of the fruit of the Tree of Knowledge of Good and Evil.

Comprensión

¿Qué pasó?

1. ¿Dónde tiene lugar este cuento?
2. ¿Cuándo ocurrió la historia?
3. ¿Quién se acercó a la más linda rosa?
4. ¿Qué le dijo el maligno espíritu a la rosa?
5. ¿Qué más le dijo el diablo a la flor?
6. ¿Qué le informó el diablo sobre los altos árboles llenos de bellotas?
7. ¿Cómo reaccionó la rosa?
8. ¿Cuándo habló la flor con Dios?
9. ¿Qué pregunta le hizo la rosa a Dios?
10. ¿Quiso Dios hacer útil a la rosa?
11. ¿En qué convirtió Dios a la rosa?

Fuente de palabras

Sustantivos derivados de adjetivos *(-ez, -eza)*

In Spanish, nouns may also be derived from adjectives with the addition of the following suffixes:

-ez	**pálido → la palidez**	*pale → paleness, pallor*
-eza	**bello → la belleza**	*beautiful → beauty*

These nouns are feminine.

Transformaciones

Dé el sustantivo inglés que corresponde a cada palabra.

1. la pobreza (pobre)
2. la naturaleza (natural)
3. la grandeza (grande)
4. la tristeza (triste)
5. la riqueza (rico)
6. la madurez (maduro: *ripe*)
7. la pequeñez (pequeño)
8. la firmeza (firme)
9. la rapidez (rápido)
10. la extrañeza (extraño: *strange*)

Observación

Verbos irregulares

In order to read Spanish easily, and especially in order to look up unfamiliar words in the dictionary, it is necessary to recognize irregular verb stems and to identify the corresponding infinitives.

fueron, fuese: ser *(to be)*
dijo: decir *(to say, tell)*
prosiguió: proseguir *(to continue)*
se detienen: detenerse *(to stop)*
hubo: haber; hay *(there is)*
sonriendo: sonreír *(to smile)*
vio: ver *(to see)*

¡Otra vez!

Vuelva a contar la historia completando las frases con el tiempo presente del verbo entre paréntesis. ¡Los verbos con asteriscos son irregulares!

1. Dios (crear) ____ el paraíso terrenal. 2. El maligno espíritu (acercarse) ____ a la rosa nueva y le (decir*) ____ que ella es bella. 3. El diablo (proseguir*) ____ diciendo que la flor (tener*) ____ el color, la gracia y el aroma, pero que no (ser*) ____ útil. 4. Sin embargo la rosa (desear) ____ la utilidad. 5. Cuando (pasar) ____ el buen Dios, la rosa le dice lo que ella (querer*) ____ . 6. Dios (sonreír*) ____ y le (contestar) ____ que sí, y el mundo (ver) ____ la primera col.

Interpretación

Análisis

1. Caracterice usted al espíritu maligno de este cuento.
2. ¿Qué conflictos existen en la historia?
3. Contraste usted las personalidades del diablo y de Dios.
4. ¿Por qué escogió el autor la rosa para su cuento? ¿Qué simboliza la rosa?
5. Compare y contraste la rosa y la col.
6. ¿Cuál es la moraleja de este cuento?
7. ¿Cómo reacciona usted al final del cuento?
8. ¿Cuáles son los paralelismos entre este cuento y el de Adán y Eva?

Composiciones dirigidas

1. Escriba una descripción del paraíso terrenal.

   PALABRAS CLAVES ser / día / luminoso / flores / bello / árboles / frondoso / dar / alimento / Dios / bueno

2. Explique el problema de la rosa. Haga la narración en la primera persona.

   PALABRAS CLAVES yo / ser / rosa / lindo / tener / color / aroma / desear / utilidad

Composiciones libres

1. ¿Qué preferiría ser usted — una col o una rosa? ¿Por qué? ¿Cómo sería su vida?
2. ¿Cómo se imagina usted el paraíso?

Dramatización en parejas

Dos animales del paraíso terrenal hablan sobre lo que ha ocurrido. ¿Qué se cuentan?

Discusión en grupos

1. ¿Qué diferencias hay entre la utilidad y la belleza? ¿Cree usted que algo bello tiene que ser útil?
2. ¿Por qué les es importante a las personas sentirse útiles?
3. ¿Cuál es su flor favorita? ¿Por qué?
4. ¿Cree usted que realmente existe un espíritu maligno en el mundo u opina usted que esto es un mito? Explique.
5. Señale usted algunos de los problemas que afectan a la naturaleza y el medio ambiente (*environment*). ¿Cómo los solucionaría?

Comparaciones y contrastes

T4 Explique las diferencias temáticas entre «El nacimiento de la col» que trata de la creación y «Apocalipsis» que trata de la extinción. (Cuentos 6 y 11)

Véase también los temas S3 y T11 en Apéndice A.

7

Cajas de cartón

Francisco Jiménez

Todo estaba empacado menos la olla de Mamá. Era una olla vieja y galvanizada que había comprado en una tienda de segunda en Santa María el año en que yo nací.

Cajas de cartón

Francisco Jiménez (1943–), who came to the United States as the child of Mexican migrant workers, earned his doctorate at Columbia University. Now professor of Spanish at the University of Santa Clara, Jiménez has turned to the short story as a vehicle for recreating the world of the Chicanos in California. In "Cajas de cartón,"[1] published in 1977 in *The Bilingual Review,* he relates the experiences of eleven-year-old Panchito, whose family is forced to move around the state harvesting one crop after the other.

Primera parte

El fin de la cosecha

Era a fines de agosto. Ito, el contratista,° ya no sonreía. Era natural. La cosecha° de fresas° terminaba, y los trabajadores, casi todos braceros,° no recogían° tantas cajas de fresas como en los meses de junio y julio.

Cada día el número de braceros disminuía.° El domingo sólo uno —el mejor pizcador°— vino a trabajar. A mí me caía bien.° A veces hablábamos durante nuestra media hora de almuerzo. Así es como aprendí que era de Jalisco,[2] de mi tierra natal.° Ese domingo fue la última vez que lo vi.

Cuando el sol se escondió° detrás de las montañas, Ito nos señaló° que era hora de ir a casa. «Ya hes horra°», gritó en su español mocho.° Ésas eran las palabras que yo ansiosamente esperaba doce horas al día, todos los días, siete días a la semana, semana tras° semana, y el pensar que no las volvería a oír° me entristeció.°

Por el camino rumbo a casa,° Papá no dijo una palabra. Con las dos manos en el volante° miraba fijamente° hacia el camino. Roberto, mi hermano mayor, también estaba callado. Echó para atrás° la cabeza y cerró los ojos. El polvo° que entraba de fuera° lo hacía toser° repetidamente.

Era a fines de agosto. Al abrir la puerta de nuestra chocita° me detuve.° Vi que todo lo que nos pertenecía estaba empacado° en cajas de cartón. De repente sentí aún más el peso° de las horas, los

contractor
harvest / strawberries
day laborers / were gathering
was diminishing
picker / **A...** I liked him.
homeland
set
signaled / = **«Ya es hora»** It's time
broken
after / **no...** I would not hear them again
saddened
Por... On the way home
steering wheel / intently
He threw back / dust / from outside
cough
small shack
I stopped / packed
burden, weight

[1] **«Cajas de cartón»** "Cardboard Boxes."

[2] **Jalisco** Mexican state that borders on the Pacific Ocean. Its capital is Guadalajara.

días, las semanas, los meses de trabajo. Me senté sobre una caja, y se me llenaron los ojos de lágrimas° al pensar que teníamos que mudarnos° a Fresno.[3]

tears
to move

La mudanza

Esa noche no pude dormir, y un poco antes de las cinco de la madrugada° Papá, que a la cuenta° tampoco había pegado los ojos° en toda la noche, nos levantó. A pocos minutos los gritos alegres de mis hermanitos, para quienes la mudanza° era una gran aventura, rompieron el silencio del amanecer.° El ladrido° de los perros pronto los acompañó.

= **mañana** / seemingly, apparently
tampoco... had not shut his eyes either
move
dawn / barking

Mientras empacábamos los trastes° del desayuno, Papá salió para encender° la «Carcanchita°». Ése era el nombre que Papá le puso a su viejo *Plymouth* negro del año '38. Lo compró en una agencia de carros usados en Santa Rosa[4] en el invierno de 1949. Papá estaba muy orgulloso° de su carro. «Mi Carcanchita» lo llamaba cariñosamente.° Tenía derecho° a sentirse así. Antes de comprarlo, pasó mucho tiempo mirando otros carros. Cuando al fin escogió° la «Carcanchita», la examinó palmo a palmo.[5] Escuchó el motor, inclinando la cabeza de lado a lado como un perico,° tratando de detectar cualquier ruido que pudiera° indicar problemas mecánicos. Después de satisfacerse con la apariencia y los sonidos° del carro, Papá insistió en saber quién había sido el dueño.° Nunca lo supo,° pero compró el carro de todas maneras.° Papá pensó que el dueño debió haber sido° alguien importante porque en el asiento de atrás° encontró una corbata azul.

dishes, pots and pans
to start / little jalopy
proud
affectionately / the right
he chose
parakeet
could
sounds
owner / He never found out
de... anyway
debió... must have been / **asiento...** back seat

Papá estacionó° el carro enfrente a la choza° y dejó° andando° el motor. «Listo», gritó. Sin decir palabra, Roberto y yo comenzamos a acarrear° las cajas de cartón al carro. Roberto cargó las dos más grandes y yo las más chicas. Papá luego cargó el colchón° ancho sobre la capota° del carro y lo amarró° con lazos° para que no se volara° con el viento en el camino.

parked / shack / left / running
to carry
mattress
roof / secured / ropes
it wouldn't fly off

Todo estaba empacado menos la olla° de Mamá. Era una olla vieja y galvanizada que había comprado en una tienda de segunda° en Santa María[6] el año en que yo nací. La olla estaba llena de abolladuras° y mellas,° y mientras más° abollada° estaba, más le gustaba a Mamá. «Mi olla» la llamaba orgullosamente.

big cooking pot
secondhand
dents / scratches / the more / dented

[3]**Fresno** city in the fertile San Joaquin farming area of central California.

[4]**Santa Rosa** California city about 50 miles north of San Francisco.

[5]**palmo a palmo** inch by inch. Technically **un palmo** (a span) is the distance from the tip of the thumb to the tip of the little finger when the hand is fully extended (= 9 inches).

[6]**Santa María** California city about 50 miles north of Santa Barbara.

Sujeté° abierta la puerta de la chocita mientras Mamá sacó cuidadosamente su olla, agarrándola° por las dos asas° para no derramar° los frijoles cocidos.° Cuando llegó al carro, Papá tendió° las manos para ayudarle con ella.° Roberto abrió la puerta posterior del carro y Papá puso la olla con mucho cuidado en el piso° detrás del asiento. Todos subimos a la «Carcanchita». Papá suspiró, se limpió° el sudor° de la frente° con las mangas° de la camisa, y dijo con cansancio:° «Es todo.»

Mientras nos alejábamos,° se me hizo un nudo en la garganta.[7] Me volví° y miré nuestra chocita por última vez.

I kept
grasping it / handles
to spill / cooked / stretched out
= la olla
floor
wiped / sweat / forehead / sleeves
tiredness
we were leaving
I turned

La llegada a Fresno

Al ponerse el sol° llegamos a un campo de trabajo cerca de Fresno. Ya que° Papá no hablaba inglés, Mamá le preguntó al capataz° si necesitaba más trabajadores. «No necesitamos a nadie», dijo él, rascándose° la cabeza, «pregúntele a Sullivan. Mire, siga° este mismo camino hasta que llegue° a una casa grande y blanca con una cerca° alrededor. Allí vive él.»

Cuando llegamos allí, Mamá se dirigió a la casa. Pasó por la cerca, por entre filas° de rosales° hasta llegar a la puerta. Tocó° el timbre.° Las luces del portal° se encendieron° y un hombre alto y fornido° salió. Hablaron brevemente. Cuando el hombre entró en la casa, Mamá se apresuró° hacia el carro. «¡Tenemos trabajo! El señor nos permitió quedarnos° allí toda la temporada°», dijo un poco sofocada° de gusto° y apuntando hacia un garaje viejo que estaba cerca de los establos.

El garaje estaba gastado° por los años. Roídas° por comejenes,° las paredes apenas° sostenían el techo agujereado.° No tenía ventanas y el piso de tierra suelta° ensabanaba° todo de polvo.

Esa noche, a la luz de una lámpara de petróleo, desempacamos° las cosas y empezamos a preparar la habitación para vivir. Roberto, enérgicamente se puso a° barrer° el suelo;° Papá llenó los agujeros° de las paredes con periódicos viejos y con hojas de lata.[8] Mamá les dio de comer° a mis hermanitos. Papá y Roberto entonces trajeron el colchón y lo pusieron en una de las esquinas° del garaje. «Viejita», dijo Papá, dirigiéndose a Mamá, «tú y los niños duerman en el colchón, Roberto, Panchito, y yo dormiremos bajo los árboles.»

At sunset
Since
foreman
scratching / continue on
you arrive
fence
rows / rose bushes / She rang
doorbell / porch / were turned on
heavy-set
hurried
to stay / season
choked up / with pleasure
run down / Eaten away by termites
barely / full of holes
piso... dirt floor / covered
we unpacked
began / to sweep / floor / holes
dio... fed
corners

[7] **se me hizo un nudo en la garganta.** I got a lump in my throat. Literally, **un nudo** is a knot.

[8] **hojas de lata** thin sheets of tin, also known as **hojalatas.**

Comprensión

¿Qué pasó?

El fin de la cosecha

1. ¿Cuándo ocurrió la historia? ¿Dónde?
2. ¿Quién es Ito? ¿Por qué no sonreía?
3. ¿Qué recogían los braceros?
4. ¿Cómo se llama el narrador? ¿De dónde era?
5. ¿Qué palabras esperaba ansiosamente Panchito todos los días?
6. Al regresar a la casa, ¿quiénes estaban callados?
7. ¿Era Roberto menor o mayor que Panchito?
8. ¿Qué vio Panchito al abrir la puerta de su chocita? ¿Qué sintió de repente el narrador? ¿Por qué lloró?

La mudanza

9. ¿Qué reacción tuvieron los hermanitos ante la mudanza a Fresno?
10. ¿Qué era la «Carcanchita»? ¿De qué año era? Describa la actitud del papá hacia el carro.
11. ¿Qué cargaron Roberto y Panchito en el carro?
12. ¿Dónde puso el padre el colchón?
13. ¿Cómo era la olla de la mamá?
14. ¿Qué había cocinado la mamá en la olla?
15. ¿Por qué suspiró el papá?
16. ¿Qué sintió Panchito al ver su chocita por última vez?

La llegada a Fresno

17. ¿Quién de la familia hablaba inglés?
18. ¿Cómo se llamaba el hombre que les dio trabajo? ¿Dónde les permitió quedarse?
19. ¿En qué condiciones estaba el garaje?
20. ¿Cómo prepararon el garaje para vivir allí?
21. ¿Quiénes durmieron en el colchón?
22. ¿Dónde pasaron la noche Panchito, Roberto y el papá?

Fuente de palabras

Sufijos diminutivos

Diminutives in Spanish are very common. They not only show smallness in size, but are also used to indicate endearment and affection. Note the following suffixes:

-ito, -ita	**el hermano → el hermanito** *(little brother)*
-cito, -cita	**limpio → limpiecito** *(very clean)*
-illo, -illa	**el ojo → el ojillo** *(little eye)*
-cillo, -cilla	**el cuerpo → el cuerpecillo** *(little body, speck)*

NOTE: There may be a spelling change in the stem to maintain the sound of the final consonant.

g → gu	**un amigo → un amiguito**	*(good friend)*
c → qu	**chico → chiquito**	*(very small)*
z → c	**una choza → una chocita**	*(little shack)*

Transformaciones

Dé la palabra básica que corresponde a la expresión entre paréntesis.

1. Panchito ____ *(nickname for Francisco)*
2. el hombrecito ____ *(man)*
3. el bolsillo *(pocket)* ____ *(bag)*
4. la salita ____ *(large room, hall)*
5. la tarjetita ____ *(card)*
6. la aventurilla ____ *(adventure)*
7. el animalito ____ *(animal)*
8. la cajita ____ *(box)*
9. la puertecilla ____ *(door)*
10. el mocito ____ *(boy)*
11. el palito ____ *(stick)*
12. tempranito ____ *(early)*
13. el golpecito ____ *(blow, knock)*
14. detrasito ____ *(behind)*
15. la ventanilla ____ *(window)*
16. adiosito ____ *(good-bye)*

Observación

El imperfecto y el pretérito

A few Spanish verbs change meaning in the preterite. For example:

saber *to know* **sabía** *he knew*

BUT:

Nunca lo **supo...** *He never **found** that **out** . . .*

Usually, however, the tense of the verb does not change its basic meaning but simply reflects the narrator's view of the events of the story.

Era a fines de agosto.
*It **was** the end of August.* (The imperfect sets the background.)

Ese domingo **fue** la última vez que lo vi.
*That Sunday **was** the last time that I saw him.* (The preterite identifies a specific past event.)

¡Otra vez!

Narre otra vez la primera parte del cuento. ¡Preste atención a los hechos específicos! Cambie los verbos en itálicas al pretérito.

1. Ito no *sonreía*.
2. La cosecha de fresas *terminaba*.
3. Los braceros no *recogían* tantas fresas como antes.
4. Ellos *trabajaban* todos los días.
5. Papá *miraba* hacia el camino al manejar a casa.
6. Yo *sentía* el peso de las horas, los días, las semanas, los meses del trabajo.
7. *Teníamos* que mudarnos a Fresno.
8. Para los hermanitos la mudanza *era* una gran aventura.
9. A papá le *gustaba* su «Carcanchita».
10. Él *suspiraba*.
11. Papá se *limpiaba* el sudor de la frente.
12. Mamá *hablaba* con el capataz para pedir trabajo.
13. Nos *quedábamos* en el garaje.
14. *Llenábamos* los agujeros de las paredes con periódicos viejos.
15. Roberto *barría* el suelo.
16. Mis hermanitos *comían*.
17. Mamá y mis hermanitos *dormían* en el colchón.

Interpretación

Análisis

1. El carro y la olla son de segunda mano. La familia vive en un garage y utiliza cajas de cartón. ¿Qué tienen en común estos hechos?
2. ¿Cómo describiría usted la vida de aquella familia?
3. El papá llamaba cariñosamente a su carro «Carcanchita». La madre llamaba orgullosamente a su olla «mi olla». ¿Qué significan estas cosas para ellos?
4. ¿Qué representa la corbata azul que el padre encuentra en el asiento del carro?
5. Observe usted que esta historia la cuenta un chico en la primera persona. ¿Cree usted que esta técnica hace más verídico *(true)* el relato? ¿Qué efecto produce en el lector?

Composición dirigida

Describa al padre.

PALABRAS CLAVES ser / bracero / trabajador / callado / comprar / carcanchita / orgulloso / no hablar / inglés / suspirar / sudar / cansancio / bueno / esposa / hijos

Composiciones libres

1. ¿Cómo se imagina usted que es la apariencia física y la personalidad de Panchito?
2. Imagínese que usted es la madre. ¿Qué preparativos tiene que hacer para el viaje a Fresno? ¿Qué piensa sobre la mudanza?

Dramatización en parejas

Los padres de Panchito conversan al final de un día difícil. ¿Qué se dicen sobre el trabajo y la familia?

Discusión en grupos

1. Calcule usted el número de horas a la semana que trabajan Panchito y su familia. Póngase usted en su lugar. ¿Cómo reaccionaría usted en tal situación?
2. ¿Qué tal le parecería a usted vivir en aquel garaje?
3. ¿Se mudó o se separó usted de alguien alguna vez? ¿Cómo se sintió?
4. Describa el trabajo más duro que usted ha tenido que hacer.
5. Discuta los problemas económicos de su región. ¿Cómo los solucionaría?

Segunda parte

Trabajando en la viña

Muy tempranito por la mañana al día siguiente, el señor Sullivan nos enseñó donde estaba su cosecha y, después del desayuno, Papá, Roberto y yo nos fuimos a la viña° a pizcar.°

A eso de las nueve,° la temperatura había subido hasta cerca de cien grados. Yo estaba empapado° de sudor y mi boca estaba tan seca que parecía como si° hubiera estado masticando° un pañuelo. Fui al final del surco,° cogí la jarra de agua que habíamos llevado y comencé a beber. «No tomes mucho; te vas a enfermar», me gritó Roberto. No había acabado de advertirme° cuando sentí un gran dolor de estómago. Me caí de rodillas° y la jarra se me deslizó° de las manos.

Solamente podía oír el zumbido° de los insectos. Poco a poco me empecé a recuperar. Me eché° agua en la cara y en el cuello° y miré el lodo° negro correr por° los brazos y caer a la tierra que parecía hervir.°

Todavía me sentía mareado° a la hora del almuerzo. Eran las dos de la tarde y nos sentamos bajo un árbol grande de nueces° que estaba al lado del camino. Papá apuntó° el número de cajas que habíamos pizcado. Roberto trazaba° diseños° en la tierra con un palito.° De pronto vi palidecer° a Papá que miraba hacia el camino. «Allá viene el camión° de la escuela», susurró° alarmado.[1] Instintivamente, Roberto y yo corrimos a escondernos entre las viñas. El camión amarillo se paró° frente a la casa del señor Sullivan. Dos niños muy limpiecitos y bien vestidos se apearon.° Llevaban libros bajo sus brazos. Cruzaron la calle y el camión se alejó.° Roberto y yo salimos de nuestro escondite° y regresamos a donde estaba Papá. «Tienen que tener cuidado,» nos advirtió.°

Después del almuerzo volvimos a trabajar. El calor oliente° y pesado,° el zumbido de los insectos, el sudor y el polvo hicieron que la tarde pareciera° una eternidad. Al fin las montañas que rodeaban° el valle se tragaron° el sol. Una hora después estaba demasiado obscuro para seguir trabajando.° Las parras° tapaban° las uvas y era muy difícil ver los racimos.° «Vámonos», dijo Papá señalándonos° que era hora de irnos. Entonces tomó un lápiz y comenzó a figurar cuánto habíamos ganado ese primer día. Apuntó números, borró° algunos, escribió más. Alzó° la cabeza sin decir nada. Sus tristes ojos sumidos° estaban humedecidos.°

Cuando regresamos del trabajo, nos bañamos afuera con el agua fría bajo una manguera.° Luego nos sentamos a la mesa

vineyard / to pick
A... Around nine o'clock
soaked
as if / **hubiera...** I had been chewing
row
No... He hadn't finished warning me
Me... I fell to my knees / slipped
buzzing
I threw / neck
mud / run down
to boil
dizzy, sick
walnuts
wrote down
was tracing / designs
small stick / to grow pale
bus / he whispered
stopped
got off
drove off
hiding place
he warned
pungent-smelling
heavy
seem
surrounded / swallowed
para... to continue working / grapevines / covered
bunches
signaling
he erased / He raised
sunken / wet (with tears)
hose

[1] It is fall and both Panchito and Roberto should be in school. However, the family needs the income which the boys earn and cannot afford to let them go.

hecha de cajones° de madera y comimos con hambre la sopa de fideos,° las papas y tortillas de harina° blanca recién hechas. Después de cenar nos acostamos a dormir, listos para empezar a trabajar a la salida del sol.°

5 Al día siguiente, cuando me desperté, me sentía magullado;° me dolía todo el cuerpo. Apenas podía mover los brazos y las piernas. Todas las mañanas cuando me levantaba me pasaba lo mismo hasta que mis músculos° se acostumbraron a ese trabajo.

crates
noodles / flour
sunrise
beaten
muscles

La escuela

Era lunes, la primera semana de noviembre. La temporada 10 de uvas se había terminado y ya podía ir a la escuela. Me desperté temprano esa mañana y me quedé acostado° mirando las estrellas y saboreando° el pensamiento° de no ir a trabajar y de empezar el sexto grado por primera vez ese año. Como no podía dormir, decidí levantarme y desayunar con Papá y Roberto. 15 Me senté cabizbajo° frente a mi hermano. No quería mirarlo porque sabía que él estaba triste. Él no asistiría a la escuela hoy, ni mañana, ni la próxima semana. No iría hasta que se acabara° la temporada de algodón,° y eso sería en febrero. Me froté° las manos y miré la piel seca y manchada de ácido[2] enrollarse° y caer 20 al suelo.

Cuando Papá y Roberto se fueron a trabajar, sentí un gran alivio.° Fui a la cima° de una pendiente° cerca de la choza y contemplé a la «Carcanchita» en su camino hasta que desapareció en una nube de polvo.

25 Dos horas más tarde, a eso de las ocho, esperaba el camión de la escuela. Por fin llegó. Subí y me senté en un asiento desocupado.° Todos los niños se entretenían° hablando o gritando.

Estaba nerviosísimo cuando el camión se paró delante de la 30 escuela. Miré por la ventana y vi una muchedumbre° de niños. Algunos llevaban libros, otro juguetes.° Me bajé del camión, metí las manos en los bolsillos,° y fui a la oficina del director.° Cuando entré oí la voz de una mujer diciéndome: «May I help you?» Me sobresalté.° Nadie me había hablado inglés desde hacía meses.° Por 35 varios segundos me quedé sin poder contestar. Al fin, después de mucho esfuerzo,° conseguí° decirle en inglés que me quería matricular° en el sexto grado. La señora entonces me hizo una serie de preguntas que me parecieron impertinentes. Luego me llevó a la sala de clase.

me... I stayed in bed
savoring / thought
head down
would finish
cotton / I rubbed
peel off
relief / top / slope
empty / were amusing themselves
crowd
toys
pockets / principal
I was startled. / **desde...** for months
effort / I managed
to enroll

[2]**la piel... ácido** dry, acid-stained skin. After a day of grape-picking, the workers' hands are purple with grape juice. The harsh cleanser **(el ácido)** used to remove these stains tends to dry the skin and to leave discolored areas.

El señor Lema

El señor Lema, el maestro de sexto grado, me saludó cordialmente, me asignó un pupitre,° y me presentó° a la clase. Estaba tan nervioso y tan asustado° en ese momento cuando todos me miraban que deseé estar con Papá y Roberto pizcando algodón. Después de
5 pasar la lista,° el señor Lema le dio a la clase la asignatura° de la primera hora. «Lo primero que haremos esta mañana es terminar de leer el cuento que comenzamos ayer», dijo con entusiasmo. Se acercó a mí,° me dio su libro y me pidió que leyera.° «Estamos en la página 125», me dijo. Cuando lo oí, sentí que toda la sangre me
10 subía a la cabeza; me sentí mareado. «¿Quisieras° leer?», me preguntó en un tono indeciso.° Abrí el libro a la página 125. Mi boca estaba seca. Los ojos se me comenzaron a aguar.° El señor Lema entonces le pidió a otro niño que leyera.°

Durante el resto de la hora me empecé a enojar° más y más
15 conmigo mismo.° Debí haber leído,° pensaba yo.

Durante el recreo° me llevé el libro al baño y lo abrí a la página 125. Empecé a leer en voz baja, pretendiendo que estaba en clase. Había muchas palabras que no sabía. Cerré el libro y volví a la sala de clase.

20 El señor Lema estaba sentado en su escritorio. Cuando entré me miró sonriéndose. Me sentí mucho mejor. Me acerqué a él y le pregunté si me podía ayudar con las palabras desconocidas.° «Con mucho gusto», me contestó.

El resto del mes pasé mis horas de almuerzo estudiando ese
25 inglés con la ayuda del buen señor Lema.

desk / introduced
scared
pasar... taking roll / work
Se... He came up to me / **me...** he asked me to read
Would you like
querying
to water
le... asked another boy to read
to get angry
with myself / **Debí...** I should have read
recess
unfamiliar

La trompeta

Un viernes durante la hora del almuerzo, el señor Lema me invitó a que lo acompañara° a la sala de música. «¿Te gusta la música?», me preguntó. «Sí, muchísimo», le contesté entusiasmado, «me gustan los corridos° mexicanos.» Él cogió una trompeta,[3]
30 la tocó° un poco y luego me la entregó.° El sonido° me hizo estremecer.° Me encantaba° ese sonido. «¿Te gustaría aprender a tocar este instrumento?», me preguntó. Debió haber° comprendido la expresión en mi cara porque antes que° yo le respondiera,° añadió.° «Te voy a enseñar a tocar esta trompeta durante las horas
35 de almuerzo.»

Ese día casi no podía esperar el momento de llegar a casa y contarles las nuevas° a mi familia. Al bajar del camión me encontré con mis hermanitos que gritaban y brincaban° de alegría.° Pensé que era porque yo había llegado, pero al abrir la puerta de la chocita, vi
40 que todo estaba empacado en cajas de cartón...

a... to accompany him
folk songs
played / gave / sound
tremble / delighted
He must have
before / could respond
he added
news
were jumping about / joy

[3]**una trompeta** The trumpet is a key instrument in Mexican folk music.

Comprensión

¿Qué pasó?

Trabajando en la viña

1. ¿Quiénes fueron a la viña a pizcar?
2. ¿A cuánto había subido la temperatura?
3. ¿Cómo estaba Panchito? ¿Por qué se enfermó?
4. ¿Dónde se sentaron a las dos de la tarde?
5. ¿Por qué palideció el papá?
6. ¿Dónde se escondieron los dos hermanos? ¿Por qué?
7. ¿Cuándo volvieron a trabajar?
8. ¿Por qué estaba triste el papá al final de ese día?
9. ¿Qué hicieron después de regresar del trabajo? ¿Qué comieron?
10. ¿Cómo se sentía Panchito al día siguiente?

La escuela

11. ¿Cuándo pudo Panchito finalmente ir a la escuela?
12. ¿Cuánto tiempo duró la temporada para recoger las uvas?
13. ¿Cuándo podría ir Roberto a la escuela? ¿Por qué?
14. ¿Cómo llegó Panchito a la escuela? ¿Qué hacían los niños en el camión?
15. ¿Qué vio Panchito por la ventana?
16. Cuando Panchito estaba en la oficina del director de la escuela, ¿por qué se sobresaltó el joven?

El señor Lema

17. ¿En qué grado se matriculó?
18. ¿Cómo se llamaba el maestro?
19. ¿Qué pasó cuando Panchito entró en la clase?
20. Cuando el maestro le pidió que leyera, ¿cómo reaccionó Panchito?
21. ¿Qué hizo el muchacho durante el recreo?
22. ¿Qué le preguntó Panchito al maestro durante el recreo?
23. ¿Cómo pasó Panchito sus horas de almuerzo durante el resto del mes?

La trompeta

24. ¿Qué pasó un viernes en la sala de música?
25. ¿Por qué no podía Panchito esperar el momento de llegar a casa ese día?
26. Cuando llegó a casa, ¿qué hacían sus hermanitos?
27. ¿Qué vio Panchito al abrir la puerta de la chocita?

Fuente de palabras

Cognados falsos

Not all words that look alike in Spanish and English are true cognates. Some cognates have more than one meaning:

un grado *a grade,* BUT also, *a degree (of temperature)*
un maestro *a maestro (musician),* BUT also, *a teacher*

A few Spanish words that look like English words are false cognates.

contestar	*to answer*	NOT *to contest*	**(disputar)**
una lectura	*a reading*	NOT *a lecture*	**(una conferencia)**

Transformaciones

Estudie los siguientes cognados falsos que se encuentran en los cuentos de este libro. Utilice cada uno en una frase original.

1.	**actual**	*present*	NOT *real, true*	**(verdadero)**
2.	**la desgracia**	*misfortune*	NOT *disgrace*	**(la deshonra)**
3.	**realizar**	*to accomplish*	NOT *to realize*	**(darse cuenta de)**
4.	**ignorar**	*to be unaware of*	NOT *to ignore*	**(no hacer caso de)**
5.	**los parientes**	*relatives*	NOT *parents*	**(los padres)**
6.	**gracioso**	*witty, funny*	NOT *gracious*	**(amable)**
7.	**la miseria**	*poverty*	NOT *misery*	**(la infelicidad)**
8.	**simpático**	*nice, congenial*	NOT *sympathetic*	**(compasivo)**
9.	**soportar**	*to tolerate*	NOT *to support*	**(mantener; apoyar)**
10.	**injuriar**	*to insult*	NOT *to injure*	**(dañar)**
11.	**rudo**	*uneducated*	NOT *rude*	**(descortés)**

Observación

El futuro

In Spanish the future tense is a single word formed by adding the future endings **(-é, -ás, -á, -emos, -éis, -án)** to the future stem which ends in **-r** and which for most verbs is the infinitive. In reading, it is important to recognize and identify future verbs, especially those with irregular stems.

Lo primero que **haremos** esta mañana... (→ **hacer** *to do*)
*The first thing that **we will do** this morning . . .*

¡Otra vez!

Vuelva a contar la historia, cambiando los verbos en itálicas al tiempo futuro.

1. El señor Sullivan nos *enseñó* dónde *estaba* la cosecha.
2. Nos *fuimos* a la viña a pizcar.
3. *Hacía* mucho calor. La temperatura *subió* a cien grados.
4. Yo *tenía* mucha sed.
5. El camión de la escuela *vino* y Pedro y yo nos *escondimos*.
6. *Regresamos* del trabajo y nos *bañamos*.
7. *Comimos* sopa, papas y tortillas.

8. Me *dolía* todo el cuerpo.
9. Dos meses después yo *asistí* a la escuela.
10. El maestro me *saludó* y me *presentó* a la clase.
11. Entonces el señor Lema me *pidió* leer, pero no *pude*.
12. Me *enojé* conmigo mismo y me *llevé* el libro al baño, donde *leí* en voz baja.
13. Un viernes el señor Lema me *dijo* que me *enseñaría* a tocar la trompeta.
14. Muy contento, *fui* a casa a contar las nuevas a mi familia.
15. Los niños *estaban* saltando y brincando de alegría.
16. Al entrar a la chocita, *vi* que todo *estaba* empacado en cajas de cartón.

Interpretación

Análisis

1. ¿Qué significan las cajas de cartón?
2. ¿Por qué apuntó el padre el número de cajas de uvas que habían pizcado?
3. Panchito se sentía mareado al pizcar las uvas y también al tratar de leer en voz alta en la escuela. ¿Hay una relación entre estas dos actividades? ¿Qué actitud ante la vida indican los sentimientos del joven?
4. ¿Qué importancia tiene el señor Lema en la vida de Panchito?
5. Describa los efectos del calor sobre Panchito.
6. Comente usted sobre el tono del cuento.

Composición dirigida

Describa el peso del trabajo que hacían Panchito y su hermano.

PALABRAS CLAVES ir / viña / pizcar / temperatura / cien / sudar / boca / seco / agua / sentirse / mareado / trabajar / doce horas / siete días / almuerzo

Composiciones libres

1. Póngase usted en el lugar del maestro. ¿Qué pensamientos y sentimientos tendría con respecto a Panchito?
2. Imagínese que usted estuviera en una escuela en un país hispano. ¿Cómo se sentiría usted? ¿Qué haría para comunicarse mejor en español?

Dramatización en parejas

Diez años más tarde, Panchito y Roberto reflexionan sobre su pasado. ¿Qué hechos de su juventud recuerdan?

Discusión en grupos

1. Compare su vida con la de Panchito.
2. ¿Cómo se imagina usted la vida de una familia de braceros?
3. ¿Cómo definiría usted la pobreza? ¿Hay mucha pobreza en su ciudad? Explique.

Comparaciones y contrastes

T9 Analice el tema de la resignación en «El tiempo borra» y en «Cajas de cartón». (Cuentos 3 y 7)

Véase también los temas P2, P4, P7, P9, P12, P13, P15, P19, P22, T1, T5, T9, A3 y A7 en Apéndice A.

8 Una sortija para mi novia

Humberto Padró

... José Miguel penetró en «La Esmeralda», tenida por la más aristocrática joyería de la urbe.

Una sortija para mi novia

Humberto Padró (1906–1958) was born in Puerto Rico and taught school several years before turning to journalism and creative writing. In "Una sortija para mi novia,"[1] which appeared in *Diez cuentos* in 1929, José Miguel, a wealthy playboy, decides it is time to settle down and get married. But who is to be his fiancée?

José Miguel

Aquella mañana (¡ya eran las once!), José Miguel se levantó decidido a comprar una sortija para su novia. Esto, para José Miguel Arzeno, rico, joven, desocupado,° debía ser la cosa más sencilla° del mundo. Bastaría con° tomar su «roadster»[2] del garage, y de un
5 salto° ir a la joyería° más acreditada° de la ciudad. Pero he aquí° que la cosa no era tan fácil como aparentaba,° puesto que antes de procurarse° la sortija, José Miguel debía buscar a quién regalársela.° Para decirlo mejor, José Miguel no tenía novia.

Ni nunca la había tenido. Pero, eso sí,° no vaya a dársele a esta
10 actitud suya una interpretación beatífica...[3] Ahí está,° si no,° para desmentirla,° su «amigo de correrías°» como le llamaba a su automóvil, cómplice° suyo en más de una aventurilla galante y escabrosa.°

Sin embargo,° razón había para creer que aquella decisión suya
15 de comprar una sortija para su novia, le iba haciendo,° sin duda, desistir° de su inquietante° vida donjuanesca,[4] para darse° finalmente a una última aventura definitiva. Pero... y ¿dónde estaba la novia?

unemployed
= **fácil** / It would be enough
in a flash / jewelry store / distinguished / note that
it seemed
to obtain
a... someone to give it to
surely
There you have / otherwise
to contradict it (= your erroneous interpretation) / **amigo...** cohort in escapades
partner
risqué, daring
Nevertheless
le... was making him
give up / restless / to devote himself

En la joyería

Ya en la ciudad, José Miguel penetró° en «La Esmeralda°»,
20 tenida por° la más aristocrática joyería de la urbe.° Era la primera vez que visitaba un establecimiento de aquella índole,° pues muy a pesar de su posición envidiable,° las joyas nunca le habían llamado mucho la atención.

Mientras venían a atenderle,° José Miguel se complacía° en
25 mirar, sin admiración, la profusión de prendas° de diversas formas

= **entró** / Emerald
considered as / = **ciudad**
type
enviable
to wait on him / was content
jewels

[1] **«Una sortija para mi novia»** "An Engagement Ring for My Fiancée."

[2] **su «roadster»** an elegant American automobile of the 1920s with an open body, a single front seat, and a large trunk that converts into a rumble seat.

[3] **no vaya... beatífica...** Don't think he was a saint. Literally, don't give this disposition of his a beatific interpretation. (In Catholic theology, when souls arrive in heaven, they enjoy God's presence in a "Beatific Vision.")

[4] **donjuanesca** fond of women, like Don Juan, the hero of Tirso de Molina's *El Burlador de Sevilla* (1630), who was known for his amorous conquests.

y matices° que resaltaban° desde el fondo° de terciopelo° negro de los escaparates,° igual que una constelación de astros° en el fondo de terciopelo negro de la noche. En su curiosear° inconsciente y desinteresado, José Miguel llegó hasta hojear° un libro de ventas° que estaba sobre el cristal del mostrador.° Sobre la cubierta° estaba escrito un nombre de mujer.

—¿En qué puedo servirle, caballero?° —le preguntó de pronto una joven que, para decirlo de una vez, era la dependienta. Pero, ¡qué dependienta!°

—Deseo una sortija para mi novia —replicó° José Miguel, al mismo tiempo que se apresuraba° a dejar sobre la mesa el libro de ventas que distraídamente° había tomado del mostrador. Y luego, alargándolo° a la joven, medio turbado,° preguntó:

—¿Éste es su libro de ventas, verdad?

—Sí, y suyo, si le parece... °

—No, gracias, no lo necesito —dijo José Miguel sonriendo.

—¡Ah!, pues yo sí, —agregó° la joven con gracejo.° —En este libro de ventas está mi felicidad.

—¿Y cómo?

—Pues... cuanto más crecidas sean mis ventas,° mayores serán mis beneficios° —repuso° ella, no encontrando otra cosa que contestar.

Ambos se buscaron con los ojos° y rieron.

Escogiendo una sortija

—Y bien, volvamos a la sortija —dijo entonces la dependienta, que, ¿será preciso° decirlo?, ya a José Miguel se le había antojado bonita.°

—Sí, muéstreme usted algunas, si tiene la bondad.°

—¿Qué número° la busca usted?

—¡Ah, qué torpe° soy! No lo recuerdo —trató de disculparse° José Miguel.

—¿Tendrá su novia los dedos poco más o menos igual a los míos? —consultó la joven, mientras le mostraba su mano con ingenuidad.°

—Deje° ver —dijo entonces José Miguel, atreviéndose° a acariciar° levemente° aquellos dedos finos y largos, rematados en uñas punzantes y pulidas,° hechas sin duda (como lo estaban) para palpar° zafiros° y diamantes.

—¡Ah! Tiene usted unas manos peligrosísimas —dijo al cabo de un rato° José Miguel, mientras dejaba escapar suavemente los dedos de la joven.

—¿Sí? Y ¿por qué? —inquirió ella con interés.

—¡Ah! Porque serían capaces° de hacer enloquecer° a cualquiera acariciándolas.

—¿No me diga?

hues / stood out / background / velvet
glass cases / stars
browsing
llegó... went so far as to leaf through / sales
counter / cover
sir
what a clerk!
= **respondió**
he hurried
absentmindedly
handing it / embarrassed
if that seems (to be what you want)
added / (bantering) wit
cuanto... the greater my sales
commissions / = **respondió**
se buscaron... = **se miraron**
= **necesario**
se... he was already impressed by her beauty
si... = **por favor**
(ring) size
= **tonto** / to excuse himself
innocently
= **Déjeme** / daring
to caress / lightly
rematados... crowned with long, polished nails
to touch / sapphires
al... after a while
capable / to drive to distraction

Y volvieron a sonreír.

—Bueno, ¿y cree usted que de venirme bien° la sortija ha de quedarle ajustada° a su novia?

de... since it fits me well
ha... it will fit

—Sí, es muy probable.

5 Y la linda dependienta fue por el muestrario.° En tanto,° José Miguel estudiaba devotamente su figura maravillosamente modelada.

fue... went to get the case of sample rings / Meanwhile

—Aquí tiene usted a escoger... ¿No le parece que ésta es muy bonita? —dijo la joven, mostrándole una hermosa sortija de 10 brillantes.°

= diamantes

—Tiene que serlo, ya que a usted así le parece... Pruébesela° a ver...

Try it on

—Me viene como anillo al dedo[5] —agregó ella con picardía.[6]

—¿Y vale?° —consultó José Miguel.

How much?

15 —Mil doscientos dólares.

—Muy bien. Déjemela usted.°

I'll take it.

—Y ¿no desea grabarla?°

to engrave it

—¡Ah!, sí... se me olvidaba...

—¿Cuáles son las iniciales de su novia?

20 José Miguel volvió a mirar el libro de ventas que estaba sobre el mostrador. Luego dijo:

—R.M.E.

—Perfectamente —dijo la joven dependienta, mientras escribía aquellas tres iniciales en una tarjetita amarilla que luego 25 ató° a la sortija.

she tied

—¿Cuándo puedo venir a buscarla?[7] —inquirió José Miguel.

—La sortija... querrá usted decir°... —comentó ella intencionadamente.

you mean to say

—Pues, ¡claro! Es decir... si usted no decide otra cosa...

30 Rieron de nuevo.

—Puede usted venir esta tarde a las cinco.

—Muy bien. Entonces, hasta las cinco.

—Adiós y gracias.

* * *

A las seis

No había motivo para extrañarse° de que a las seis menos 35 cuarto José Miguel aún no se hubiera presentado° en la joyería a reclamar° su sortija. El reloj y la hora eran cosas que nunca le

to be surprised
no... had not appeared
to claim

[5]**Me viene... dedo.** It fits me like a glove. Literally, like a ring on the finger.

[6]**con picardía** mischievously. **La picardía** describes the playful craftiness of the **pícaro** or rogue. The first picaresque hero in Spanish literature was Lazarillo de Tormes in the anonymous *La vida de Lazarillo de Tormes* (1554).

[7]**¿Cuándo puedo venir a buscarla?** This question can mean "When may I come pick up the ring?" **(la = sortija)** or "When can I come pick you up?" **(la = usted).**

habían preocupado. Suerte a que° su «amigo de correrías» volaba° como un endemoniado.°

Ya estaban a punto de° cerrar el establecimiento cuando José Miguel penetró jadeante° en la joyería.

5 —Si se tarda usted un momento más no nos encuentra aquí —le dijo al verle llegar la bella dependienta que aquella mañana le había vendido el anillo. Y entregándole° el estuche° con la sortija, agregó:

—Tenga usted.° Estoy segura de que a «ella» le ha de agradar°

10 mucho.

—Gracias —respondió José Miguel, mientras guardaba° el estuche en el bolsillo del chaleco.°

Y viendo que la joven dependienta se disponía° también a abandonar° el establecimiento, José Miguel le preguntó:

15 —¿Me permite que la lleve en mi carro hasta su casa? Después de todo, será en recompensa° por haberme prestado° sus dedos para el número de la sortija...

—Si usted no tiene inconveniente°...

Y partieron.

It was lucky that / was flying *(speeding)*
like one possessed by the devil
about to
breathless
handing him / case
Here it is. / **le...** it will please her
he put
vest
was getting ready
= salir de
in return / for having lent me
Si... If it's not inconvenient for you . . .

Una novia incrédula

20 —Señorita, perdóneme que le diga a usted una cosa —le había dicho José Miguel a la linda dependienta, mientras el automóvil se deslizaba° muellemente° a lo largo° de la avenida.

—Con tal de que° su novia no vaya a oírlo... —repuso ella con graciosa° ironía.

25 —Rosa María, usted es una criatura sencillamente° adorable...

—Pero... ¿Cómo sabe usted mi nombre? —inquirió ella con extrañeza.°

—Rosa María Estades... ¿No se llama usted así?

—Justamente.° Pero, ¿cómo lo ha llegado a saber?°

30 —Lo leí esta mañana sobre la cubierta de su libro de ventas.

—¡Vaya que° es usted listo!° Pero tenga cuidado con sus piropos,° pues la sortija para su novia que le esta oyendo, bien podría revelárselos a ella,[8] y... ¡entonces sí que es verdad!...

—Rosa María, ¡por Dios! no se burle usted de mí.° A usted es a

35 quien únicamente quiero. No tengo ninguna otra novia.

—¡Ja! ¡Ja! ¡Ja! ¡Qué tonto! Y entonces, si no tiene usted ninguna otra novia, ¿cómo se explica lo de las iniciales en la sortija?

—Muy fácilmente. Verá usted.

40 Y esto diciendo, José Miguel buscó la sortija en el bolsillo del chaleco, y mostrándosela a la joven, añadió°:

was gliding / smoothly / along
Con... Provided that
witty
simply
= sorpresa
Exactly. / **¿cómo...** how did you find that out?
Well! / clever
compliments
no... don't make fun of me
he added

[8]**pues... a ella** since your fiancée's ring, which is hearing you, could easily reveal them **(los piropos)** to her.

—Esta sortija es para ti, Rosa María, R. M. E. Rosa María Estades... ¿Comprendes ahora lo de las iniciales?

Y Rosa María, haciendo todo lo posible por poder comprender, inquirió, todavía medio incrédula°:

5 —Pero... ¿será posible?

—Sí —respondió entonces José Miguel que sonreía de triunfo°— tan posible como la posibilidad de que se cumplan° los deseos que tengo de darte un beso.

Doy fe de° que se cumplieron, repetidas veces,° sus deseos...

10 Lo demás°... queda° a la imaginación casi siempre razonable del lector.

not believing

triumph / may be fulfilled

I bear witness / over and over again

The rest / is left

Comprensión

¿Qué pasó?

José Miguel

1. ¿Qué había decidido José Miguel?
2. ¿Cómo era el joven?
3. ¿A dónde iba a ir José Miguel?
4. ¿Para quién iba a ser la sortija?
5. José Miguel tenía un «amigo de correrías». ¿Quién era?
6. ¿Qué tipo de vida llevaba José Miguel?

En la joyería

7. ¿A qué establecimiento fue José Miguel? ¿Dónde?
8. Al principio, ¿qué hizo José Miguel en la joyería?
9. ¿Quién se acercó a atender al joven?
10. ¿Qué le devolvió José Miguel a la dependienta?
11. ¿Por qué contenía el libro de ventas la felicidad de la dependienta?

Escogiendo una sortija

12. ¿Cómo eran los dedos de ella?
13. ¿Qué pensaba José Miguel de los dedos de la dependienta?
14. ¿Cuánto valía la sortija que compró José Miguel?
15. ¿Con qué letras se grabó la sortija?
16. ¿A qué hora estaría lista la sortija?

A las seis

17. ¿Cuándo llegó José Miguel a buscar la sortija?
18. ¿Por qué no llegó más temprano el joven?
19. ¿Qué le preguntó José Miguel a la dependienta?

Una novia incrédula

20. ¿Qué le confesó José Miguel a la dependienta en el automóvil?
21. ¿Cómo se llamaba ella?
22. ¿Cómo había llegado a saber el nombre de ella?

23. ¿Qué hizo José Miguel con la sortija?
24. ¿Cuál era el deseo del joven?
25. ¿Tenía ella el mismo deseo?

Fuente de palabras

Cognados con cambio de consonante

Spanish-English cognates are often spelled somewhat differently. Note the following consonant patterns:

f ↔ ph	**el triunfo**	*triumph*
c ↔ ch	**rico**	*rich*
t ↔ th	**el teatro**	*theater*

Transformaciones

Complete las palabras en inglés con las letras apropiadas.

1. la foto	____ *oto*	7. la mercancía	*mer* ____ *andise*
2. el zafiro	*sap* ____ *ire*	8. el campeón	____ *ampion*
3. la física	____ *ysics*	9. el tema	____ *eme*
4. la fase	____ *ase*	10. la anestesia	*anes* ____ *esia*
5. el carácter	____ *aracter*	11. el mito	*my* ____
6. el encargado	*(person) in* ____ *arge*	12. auténtico	*au* ____ *entic*

Observación

El presente del subjuntivo

The present subjunctive[9] is much more frequently used in Spanish than in English. It is used in formal commands:

Deje ver...	***Let*** *me* ***see*** *. . .*
Muéstreme usted algunas...	***Show*** *me some . . .*
Pero **tenga** cuidado con sus piropos.	*But* ***be careful*** *with your compliments.*
No se burle usted de mí.	***Don't make fun*** *of me.*

It is also used after expressions of wish, doubt, emotion, and indirect commands.

... **perdóneme** que le **diga** a usted una cosa.	*. . . allow me to tell you something.*

[9]To review the forms of the subjunctive, see Appendix C, Verb Tables, pp. 193–206.

¡Otra vez!

Cambiando los infinitivos entre paréntesis al mandato o al tiempo presente del subjuntivo, vuelva a contar la historia.

1. ROSA MARÍA: ¿Quiere usted que yo le (mostrar) ___ alguna sortija?
2. JOSÉ MIGUEL: Por favor, (probarse) ___ usted esa sortija de brillantes. También (decirme) ___ usted cuánto vale.
3. ROSA MARÍA: Mil doscientos dólares. Me alegro que a usted le (gustar) ___ la sortija. ¿Desea usted que nosotros la (grabar) ___ con las iniciales de su novia?
4. JOSÉ MIGUEL: Sí, gracias. ¿A qué hora es preferible que yo (regresar) ___ para buscar la sortija?
5. ROSA MARÍA: (Volver) ___ usted a reclamarla a las cinco.

* * *

6. ROSA MARÍA: Aquí tiene usted la sortija. Espero que a su novia le (agradar) ___ mucho.
7. JOSÉ MIGUEL: ¿Me permite usted que yo la (llevar) ___ a su casa? Usted es adorable.
8. ROSA MARÍA: (Tener) ___ usted cuidado. No quiero que su novia (oír) ___ sus piropos.
9. JOSÉ MIGUEL: Rosa María, no (burlarse) ___ usted de mí. La adoro. Por favor, (besarme) ___ usted ahora.

Interpretación

Análisis

1. ¿Por qué quería comprar José Miguel una sortija para una novia que no tenía?
2. ¿Qué valores tiene José Miguel? Dé ejemplos concretos.
3. ¿Es coqueta la dependienta? ¿Por qué piensa usted así?
4. Este cuento se escribió hace más de cincuenta años. ¿Cree usted que esta historia es realista y podría pasar en nuestra época? ¿Con qué podría sustituirse hoy en día el «roadster» de José Miguel?
5. Describa cómo se imagina usted que acabó el cuento.

Composiciones dirigidas

1. Describa usted a José Miguel y lo que hace.

   PALABRAS CLAVES ser / joven / rico / desocupado / «roadster» / donjuanesco / comprar / sortija / novia / regalar / brillantes / deseo

2. ¿Cómo es la sortija que compró José Miguel?

PALABRAS CLAVES ser / joyería / aristocrática / sortija / brillantes / mil doscientos / grabar / inicial / estuche

Composiciones libres

1. Describa la vida del joven rico.
2. Imagínese que usted es Rosa María. Escríbale una carta a su prima contándole los hechos de ese día.

Dramatización en parejas

Rosa María y su madre están conversando. ¿Qué consejos le da la mamá? ¿Cómo le responde la hija?

Discusión en grupos

1. Si usted fuera José Miguel, y no tuviera mucho dinero, ¿qué haría para conocer a la dependienta?
2. ¿Cómo deben tratarse los novios?
3. Describa la vida de José Miguel y Rosa María quince años más tarde. ¿Se casaron? Explique.
4. ¿Qué significaba tener un auto en los años 20 cuando se escribió el cuento?
5. Explique las ventajas y desventajas de tener un automóvil hoy en día. ¿Cuál es el auto de sus sueños?
6. ¿Cuáles son sus joyas favoritas? ¿Qué simbolizan? ¿Son importantes para usted? ¿Por qué?

9

La camisa de Margarita

Ricardo Palma

Don Honorato: —Consiento en que le regale la camisa de novia, y nada más.

La camisa de Margarita

Ricardo Palma (1833–1919), writer, linguist, and politician, is one of Peru's best-known literary figures. He spent much of his lifetime collecting hundreds of historical anecdotes and legends, which he published in ten series of *Tradiciones peruanas*. In "La camisa de Margarita,"[1] Palma tells how his young heroine manages to bring a dowry to her husband, in spite of the formal objections of her fiancé's uncle.

Margarita y Luis

Las viejas de Lima,[2] cuando quieren protestar el alto precio de un artículo, dicen: «¡Qué! Si esto es° más caro° que la camisa de Margarita Pareja.» Yo tenía curiosidad de saber quién fue esa Margarita cuya° camisa era tan famosa, y en un periódico de
5 Madrid encontré un artículo que cuenta la historia que van ustedes a leer.

Margarita Pareja era, en 1765, la hija favorita de don Raimundo Pareja, colector general° del Callao.[3] La muchacha era una de esas limeñitas[4] que por su belleza cautivan al mismo diablo.°
10 Tenía un par de ojos negros que eran como dos torpedos cargados° con dinamita y que hacían explosión en el corazón de todos los jóvenes de Lima.

Llegó por entonces de España un arrogante joven, hijo de Madrid, llamado don Luis Alcázar, que tenía en Lima un tío
15 solterón° muy rico y todavía más orgulloso.° Por supuesto que, mientras le llegaba la ocasión de heredar° al tío, vivía nuestro don Luis tan pobre como una rata.

En una procesión conoció° Alcázar a la linda Margarita. La muchacha le llenó el ojo° y le flechó° el corazón. Él le echó flores,[5] y

This is / expensive

whose

tax collector

cautivan... captivate the devil himself

loaded

bachelor / proud

to inherit

met

le... dazzled him / pierced with an arrow

[1]**«La camisa de Margarita»** "Margarita's Nightgown." In the eighteenth century, a woman's **camisa** was a long cotton or linen undergarment. In the daytime it was worn under one's dress and in the evening it served as a nightgown. (Note that the expression **en camisa** is used to refer to a bride without a dowry, literally, one who brought to the marriage only the clothes she was wearing.)

[2]**Lima** capital of Peru, founded by Pizarro in 1535.

[3]**Callao** The port of Callao was established by Pizarro to serve the city of Lima, seven miles to the east. In Spanish colonial times, the area around Callao was one of the rich provinces of the Vice-Royalty of Peru.

[4]**las limeñitas** young women of Lima. (From **limeño, limeña** inhabitant of Lima.)

[5]**Él le echó flores.** He courted her. Literally, he strewed flowers (compliments) before her.

aunque ella no le contestó ni sí ni no, le dijo con sonrisas y demás armas del arsenal femenino[6] que le gustaba. Y la verdad es que se enamoraron locamente.°

they fell madly in love

La resistencia de don Raimundo

Como los amantes olvidan que existe la aritmética, creyó don
5 Luis que para casarse con Margarita su presente pobreza no sería obstáculo, y fue al padre y sin vacilar° le pidió la mano de su hija. A don Raimundo no le gustó mucho la idea y cortésmente° despidió° al joven, diciéndole que Margarita era aún muy joven para tener marido, pues a pesar de° sus dieciocho años todavía jugaba a las
10 muñecas.°

without hesitating
politely / dismissed
in spite of
dolls

Pero no era ésta la verdadera razón, sino que don Raimundo no quería ser suegro° de un pobre, y así lo decía en confianza a sus amigos, uno de los cuales fue con la historia° a don Honorato, que así se llamaba el tío aragonés.[7] Éste, que era más orgulloso que el
15 Cid,[8] se llenó de rabia° y dijo:

father-in-law
fue... went to tell the gossip
anger

—¡Qué! ¡Desairar° a mi sobrino!° A muchas limeñas les encantaría casarse con el muchacho. No hay mejor que él en todo Lima. ¡Qué insolencia! ¿Qué se cree ese maldito° colectorcillo?

Reject / nephew
damned

Margarita, que era muy nerviosa, gritó y se arrancó° el pelo,
20 perdía colores y carnes° y hablaba de meterse monja.°

pulled out
perdía... became pale and thin / **de...** of becoming a nun

—¡O de Luis o de Dios![9] —gritaba cada vez que se ponía nerviosa, lo que ocurría cada hora. El padre se alarmó, llamó varios médicos y todos declararon que la cosa era seria y que la única medicina salvadora° no se vendía en la botica.° O casarla con el
25 hombre que quería o enterrarla.° Tal° fue el ultimátum médico.

that would save her / = **farmacia**
bury her / Such

El consentimiento de don Honorato

Don Raimundo, olvidándose de capa y bastón,° corrió como loco a casa de don Honorato y le dijo:

olvidándose... forgetting to take his cape and cane

—Vengo a que consienta usted en° que mañana mismo se case su sobrino con Margarita, porque si no, la muchacha se nos va a
30 morir.

a... so that you will consent

—No puede ser —contestó fríamente el tío—. Mi sobrino es muy pobre, y lo que usted debe buscar para su hija es un rico.

El diálogo fue violento. Mientras más rogaba don Raimundo,

[6]**demás armas... femenino** other feminine guiles. Literally, other weapons of the feminine arsenal, in addition to the torpedos, dynamite, and arrows referred to earlier.

[7]**aragonés** from Aragón, a region in northeastern Spain.

[8]**el Cid** Rodrigo Díaz de Vivar (1043–1099), medieval Spanish hero who fought against the Moors. Known as El Cid (*Arabic:* Lord), he was subsequently immortalized in legend and literature.

[9]**¡O... Dios! = ¡Voy a casarme o con Luis o con Dios!**

más orgulloso y rabioso se ponía el aragonés.[10] El padre iba a retirarse° sin esperanzas cuando intervino° don Luis, diciendo:

—Pero tío, no es justo que matemos a quien no tiene la culpa.°

—¿Tú te das por satisfecho?°

5 —De todo corazón, tío.

—Pues bien, muchacho, consiento en darte gusto;° pero con una condición y es ésta: don Raimundo tiene que jurarme° que no regalará° un centavo a su hija ni le dejará un real[11] en la herencia.°

Aquí empezó nueva y más agitada discusión.

10 —Pero hombre —arguyó don Raimundo— mi hija tiene veinte mil duros[12] de dote.°

—Renunciamos a la dote. La niña vendrá a casa de su marido nada más que con la ropa que lleve puesta.°

—Concédame° usted entonces darle los muebles y el ajuar de 15 novia.°

—Ni un alfiler.° Si no consiente, vamos a dejarlo y que se muera la chica.°

—Sea° usted razonable, don Honorato. Mi hija necesita llevar siquiera° una camisa para reemplazar° la otra.

20 —Bien; consiento en eso para que no me acuse de obstinado.° Consiento en que le regale la camisa de novia,° y nada más.

to leave / intervened
no... is not to blame
¿Tú... Do you consent?
en... to please you
to swear to me
will give / inheritance
dowry
lleve... she is wearing
Allow me
ajuar... bridal trousseau
pin
let the girl die
Be
at least / to replace
of being stubborn
bridal nightgown

La camisa de la novia

Al día siguiente don Raimundo y don Honorato fueron muy temprano a la iglesia de San Francisco para oír misa° y, según el pacto,° dijo el padre de Margarita:

25 —Juro no dar a mi hija más que la camisa de novia. Que Dios me condene° si falto a mi palabra.°

Y don Raimundo Pareja cumplió literalmente su juramento,° porque ni en vida ni en muerte dio después a su hija un solo centavo. Pero los encajes° que adornaban la camisa de la novia 30 costaron dos mil setecientos duros. Además, el cordoncillo del cuello era una cadena de brillantes[13] que valía treinta mil duros.

Los recién casados hicieron creer al tío aragonés que la camisa no era cosa de gran valor;° porque don Honorato era tan testarudo° que al saber la verdad habría forzado al sobrino a divorciarse.

35 Debemos convenir° en que fue muy merecida° la fama que tuvo la camisa nupcial° de Margarita Pareja.

mass
agreement
condemn / **falto...** I fail to keep my word
oath
lace
value / stubborn
to agree / deserved
bridal

[10]**más rogaba... aragonés** the more Don Raimundo begged, the more proud and angry the Aragonese (Don Honorato) became.

[11]**un real** small silver coin.

[12]**un duro = un peso duro** silver coin, known in English as a "piece of eight" **(1 peso duro = 8 reales).** Basic currency used in Spanish colonial times.

[13]**el cordoncillo... brillantes** the ornamental embroidery around the neck of the dress included a stitched necklace of diamonds.

Comprensión

¿Qué pasó?

Margarita y Luis

1. ¿Quién era Margarita Pareja?
2. ¿Cuándo ocurrió la historia?
3. ¿En qué trabajaba el papá de Margarita?
4. ¿Dónde tuvo lugar el relato?
5. ¿Cómo era Margarita?
6. ¿Quién llegó de España?
7. ¿A quién venía a visitar este joven?
8. ¿Dónde conoció Luis a Margarita?
9. ¿Qué ocurrió entre ellos?

La resistencia de don Raimundo

10. ¿Qué hizo entonces Luis?
11. ¿Qué le dijo don Raimundo a Luis?
12. ¿Qué pensaba realmente don Raimundo de Luis?
13. ¿Cómo supo don Honorato lo que pensaba don Raimundo?
14. ¿Qué pasó entonces?
15. ¿Qué decidió hacer Margarita?
16. ¿A quiénes llamó don Raimundo? ¿Qué dijeron?

El consentimiento de don Honorato

17. Entonces, ¿qué hizo don Raimundo?
18. ¿Cómo reaccionó don Honorato?
19. Luis también participó en la discusión. ¿Qué dijo?
20. ¿Qué tenía que jurar don Raimundo?

La camisa de la novia

21. ¿A dónde fueron don Raimundo y don Honorato al día siguiente? ¿Por qué?
22. ¿Cómo era la camisa de novia de Margarita?
23. ¿Qué le hicieron creer a don Honorato los recién casados?

Fuente de palabras

Sustantivos derivados de adjetivos *(-ncia)*

In Spanish, nouns that end in **-ncia** are often derived from adjectives ending in **-nte.** Usually both the noun and the adjective have a close English cognate.

arrogante → la arrogancia *arrogant → arrogance*

Nouns ending in **-ncia** are feminine.

Transformaciones

Dé los sustantivos que corresponden a los siguientes adjetivos.

1. insolente
2. inconveniente
3. distante
4. evidente
5. importante
6. tolerante
7. permanente
8. excelente
9. presente
10. existente

Observación

El subjuntivo

The subjunctive in Spanish is almost always introduced by **que.** Usually the subjunctive clause follows a main clause in which will, doubt, feeling, or necessity is expressed.

... no es justo que **matemos** a quien no tiene la culpa.	. . . *it's not fair that* ***we kill*** *an innocent person.*
Consiento en que le **regale** la camisa de novia...	*I agree that* ***you may give*** *her a bridal nightgown . . .*

When a subjunctive clause stands alone, it often corresponds to an English construction with *may.*

Que Dios me **condene** si falto a mi palabra.	***May*** *God* ***condemn*** *me if I fail to keep my word.*

¡Otra vez!

Complete las frases con el presente del indicativo o del subjuntivo de los verbos entre paréntesis. ¡Preste atención!

1. Margarita y Luis (enamorarse) ____ locamente.
2. Luis le (pedir) ____ a don Raimundo que le (dar) ____ la mano de Margarita.
3. A don Raimundo no le (gustar) ____ nada la idea y (despedir) ____ al joven.
4. Margarita (ponerse) ____ enferma.
5. El padre de Margarita (alarmarse) ____ de que su hija (estar) ____ tan nerviosa.
6. El padre pide que los médicos (examinar) ____ a Margarita.
7. Es necesario que don Raimundo y don Honorato (discutir) ____ la boda.
8. Don Honorato (renunciar) ____ a la dote.
9. Don Raimundo y don Honorato (ir) ____ a la iglesia donde el padre de Margarita (jurar) ____ que su hija va a tener solamente la camisa de novia.
10. Margarita (llevar) ____ su camisa nueva de gran valor en la boda.

Interpretación

Análisis

1. ¿Cree usted que una historia como ésta puede ocurrir hoy en día? Explique.
2. Comente usted sobre por qué don Raimundo no quería un yerno *(son-in-law)* pobre.

3. ¿Por qué no quiso don Honorato que Margarita recibiera nada de su papá?
4. ¿Qué se puede inferir sobre la sociedad peruana de aquella época, cuando el honor era uno de los valores más importantes? ¿Cómo se refleja este concepto del honor en el comportamiento de don Honorato, don Raimundo, Luis y Margarita? Explique.
5. Con respecto al matrimonio, compare y contraste el papel de la autoridad de los padres durante la época de Margarita Pareja y en nuestros días.

Composición dirigida

Escriba usted una descripción de Margarita Pareja.

PALABRAS CLAVES fama / guapo / ojos / diez y ocho / muñecas / enamorado / nervioso / monja / camisa / boda

Composiciones libres

1. Imagínese que usted es don Luis. Escríbale una carta a su amigo que está en Madrid, describiéndole las cosas que le han pasado desde su llegada a Lima.
2. Compare y contraste los valores de don Raimundo y don Honorato.

Dramatización en parejas

¿Qué se comentan don Honorato y don Raimundo al nacer el primer hijo (o la primera hija) de Luis y Margarita?

Discusión en grupos

1. ¿Piensa usted casarse algún día? ¿Por qué? ¿Tendrá usted dote?
2. Entre novios, ¿es importante discutir el dinero antes de casarse? ¿Por qué?
3. Cuando usted se case, ¿piensa vivir independientemente o va a aceptar dinero de sus padres? ¿Por qué?
4. Imagínese que usted va a casarse. Describa la boda.
5. Si su hija quisiera casarse con un hombre de poco dinero, ¿cómo reaccionaría usted?
6. ¿Hay realmente una barrera generacional entre padres e hijos? Explique.
7. En cuanto al matrimonio, ¿qué cambios ha habido desde la época de Margarita Pareja?

Comparaciones y contrastes

A2 Compare y contraste las circunstancias socioeconómicas de Margarita en «La camisa de Margarita» y de Mariana en «La conciencia». (Cuentos 9 y 18)

Véase también los temas P6, S5, T14, T15 en Apéndice A.

10

El general Rueda

Nellie Campobello

Mamá no lloraba, dijo que no le tocaran a sus hijos, que hicieran lo que quisieran.

El general Rueda

Nellie Campobello (1913–) spent her early years in northern Mexico and after her mother's death moved to Mexico City, where she combined dance and literature in a double career. In *Cartucho* (1931), from which the story "El general Rueda" is drawn, she gives literary expression to her childhood memories of the Mexican Revolution. In this episode she focuses on three incidents: the day Rueda ransacked her home in Durango, the day two years later when she saw him in Chihuahua, and finally the day in Mexico City when she learned of his execution.

Durango

Era un hombre alto, tenía bigotes° güeros,° hablaba muy fuerte.° Había entrado con diez hombres en la casa, insultaba a mamá y le decía:

«¿Diga° que no es de la confianza° de Villa?[1] Aquí hay armas. Si 5 no nos las da junto con el dinero y el parque,° le quemo la casa°», —hablaba paseándose° enfrente de ella— Lauro Ruiz es el nombre de otro que lo acompañaba (este hombre era del pueblo de Balleza[2] y como no se murió en la bola,° seguramente todavía está allí). Todos nos daban empujones,° nos pisaban,° el hombre de los 10 bigotes güeros quería pegarla a mamá,° entonces dijo:

«Destripen° todo, busquen donde sea°» —picaban° todo con las bayonetas, echaron° a mis hermanitos hasta donde estaba mamá, pero él no nos dejó acercarnos,° yo me rebelé° y me puse junto a° ella, pero él me dió un empellón° y me caí. Mamá no lloraba, dijo 15 que no le tocaran a sus hijos, que hicieran lo que quisieran.° Ella ni con una ametralladora° hubiera podido° pelear° contra ellos, Mamá sabía disparar° todas las armas, muchas veces hizo huir hombres,° hoy no podía hacer nada. Los soldados pisaban a mis hermanitos, nos quebraron° todo. Como no encontraron armas, se llevaron° lo 20 que quisieron, el hombre güero dijo:

«Si se queja,° vengo y le quemo la casa.» Los ojos de mamá, hechos grandes de revolución, no lloraban, se habían endurecido° recargados° en el cañón° de un rifle.

Nunca se me ha borrado° mi madre, pegada° en la pared 25 hecha° un cuadro,° con los ojos puestos° en la mesa negra, oyendo los insultos. El hombre aquel güero, se me quedó grabado° para toda la vida.

moustache / blond / loud

(You) say / **no...** you are not on the side
ammunition / **le...** I will burn your home
pacing
battlefield
daban... were shoving / were stepping on
to hit Mother
Rip apart / everywhere / they were poking
they threw
to go near / rebelled / next to
hard push
hicieran... they could do whatever they wanted
machine gun / would have been able / = **luchar**
to fire / **hizo...** forced men to flee
they broke / took with them
you complain
had become hardened
resting / barrel
Nunca... I've never forgotten / glued
transformed into / portrait / focused
se... remained engraved *(in my mind)*

[1]**Villa** Pancho Villa (1878–1923) was a popular hero of the Mexican Revolution of 1910.

[2]**Balleza** town in Mexico.

Chihuahua

Dos años más tarde nos fuimos a vivir a Chihuahua,[3] lo vi subiendo los escalones° del Palacio Federal. Ya tenía el bigote más chico.° Ese día todo me salió mal, no pude estudiar, me pasé pensando en ser hombre, tener mi pistola y pegarle cien tiros.°

Otra vez estaba con otros en una de las ventanas del Palacio, se reía abriendo la boca y le temblaban° los bigotes. No quiero decir lo que le vi hacer° ni lo que decía, porque parecería exagerado, —volví a soñar con° una pistola.

stairs
small
shots
twitching
I saw him do
to dream of

Ciudad de México

Un día aquí, en México°, vi una fotografía en un periódico que tenía este pie:°

«El general Alfredo Rueda Quijano, en consejo de guerra sumarísimo°» (tenía el bigote más chiquito y venía a ser el mismo hombre güero de los bigotes). Mamá ya no estaba con nosotros, sin estar enferma cerró los ojos y se quedó dormida° allá en Chihuahua, —yo sé que mamá estaba cansada de oír los 30-30.[4]— Hoy lo fusilaban° aquí, la gente le compadecía,° lo admiraba, le habían hecho un gran escenario,° para que muriera,° para que gritara° alto,° así como le gritó a mamá la noche del asalto.°

Los soldados que dispararon° sobre él aprisionaban mi pistola[5] de cien tiros.

Toda la noche me estuve diciendo:

«Lo mataron porque ultrajó° a mamá, porque fue malo con ella.» Los ojos endurecidos de mamá, los tenía yo y le repetía a la noche:

«Él fue malo con mamá. Él fue malo con mamá. Por eso° lo fusilaron.»

Yo les mandé una sonrisa° de niña a los soldados que tuvieron en sus manos mi pistola de cien tiros, hecha carabinas° en la primera plana° de los periódicos capitalinos.°

= **Ciudad de México**
caption
on... in court martial
se quedó... = se murió
were shooting / were pitying
scene / would die
would scream / loud / assault
fired
he abused
For that reason
smile
rifles
front page / = **de la capital**

Comprensión

¿Qué pasó?

Durango

1. ¿Quiénes entraron en la casa?
2. ¿Qué querían los hombres?
3. ¿Qué les hicieron a los niños?

[3]**Chihuahua** state in northern Mexico.

[4]**los 30-30** .30 caliber rifles, which are fired with 30 grains of black powder.

[5]**aprisionaban mi pistola** were holding my pistol. Literally, **aprisionar** = to imprison.

4. ¿Cómo reaccionó la mamá?
5. ¿Encontraron los hombres lo que buscaban? ¿Qué hicieron al final?
6. ¿Qué le dijo el hombre güero a la mamá?
7. ¿Por qué no lloraba la mamá?
8. ¿Qué impresiones se le quedaron grabadas a la narradora para toda la vida?

Chihuahua

9. ¿Cuándo vio la narradora al hombre otra vez? ¿Dónde?
10. ¿En qué aspectos había cambiado?
11. ¿Qué deseó ser y hacer entonces la narradora?
12. ¿Dónde lo volvió a ver la narradora?
13. Qué hacía entonces el hombre?

Ciudad de México

14. ¿Por qué salió el hombre en el periódico?
15. ¿Cómo se llamaba aquel hombre?
16. ¿Qué creía la gente de él?
17. ¿Qué le había pasado a la mamá?
18. ¿Por qué razón creía la narradora que habían fusilado al general?
19. ¿Cómo estaban los ojos de la narradora?
20. ¿Qué hizo la narradora después de haber visto las fotos del fusilamiento?

Fuente de palabras

Familias de palabras

Longer Spanish words, which at first appear totally unfamiliar, are often built around a basic word or root that you may already know. Identifying the root makes it easier to guess the meaning of the new word.

endurecido (**duro** *hard*) *hardened*

Transformaciones

Dé la palabra básica que corresponde a la palabra inglesa entre paréntesis. Luego, dé el significado de la primera palabra.

1. la sonrisa ____ *(smile)*
2. aprisionar ____ *(prison)*
3. ensangrentado ____ *(blood)*
4. atardecer ____ *(afternoon)*
5. enamorado ____ *(love)*
6. malicioso ____ *(bad)*
7. la lejanía ____ *(far)*
8. anochecer ____ *(night)*
9. el aguacero ____ *(water)*
10. acercarse ____ *(near)*
11. adelgazar ____ *(thin)*
12. asegurar ____ *(sure)*

Observación

El imperfecto del subjuntivo (I)

The imperfect subjunctive is usually formed by replacing the **-ron** of the third-person plural (**ellos** form) of the preterite with the endings **-ra, -ras, -ra, -ramos, -rais, -ran.** When the verb in the main clause is in a past tense and expresses wish, emotion, or doubt, the verb in the subordinate clause is in the imperfect subjunctive.

... dijo que no le **tocaran** a sus hijos, que **hicieran** lo que **quisieran.**

*. . . she said that **they should** not **touch** her children, that **they could do** whatever (else) **they wanted.***

¡Otra vez!

Vuelva a narrar la historia, completando cada oración con el imperfecto del subjuntivo.

1. Los hombres habían entrado en la casa y el hombre de los bigotes le dijo a la mamá que ella les (dar) ____ el dinero y las armas. 2. El hombre les ordenó a los soldados que ellos (quebrar) ____ todo y que ellos (buscar) ____ donde (ser) ____ . 3. Le dolía a la mamá que los hombres (empujar) ____ a sus hijos. 4. Los soldados no dejaron que los niños (acercarse) ____ a la mamá. 5. Ella no lloraba, pero les dijo a los soldados que no (tocar) ____ a sus hijos y que (hacer) ____ lo que (querer) ____ . 6. El hombre güero amenazó a la mamá que no (quejarse) ____ o que ellos le quemarían la casa. 7. La narradora estaba contenta que los soldados (fusilar) ____ al general Rueda.

Interpretación

Análisis

1. ¿Qué infiere usted sobre los valores de la madre?
2. ¿Cómo era el general? ¿Por qué cree usted que el bigote se le iba poniendo más y más chico?
3. En su opinión, ¿cuántos años tenía la narradora cuando entraron esos hombres en su casa? Explique.
4. ¿Qué frustraciones experimentaba la narradora?
5. Comente sobre el tema de la violencia en este cuento.
6. ¿Cuál es el sentido de justicia de la autora? Explique.
7. La narradora nos dice, «Los ojos endurecidos de mamá los tenía yo.» Interprete esta frase con respecto a los hechos del cuento.
8. ¿Por qué quería convertirse en hombre la narradora? Analice sus pensamientos y sentimientos.
9. ¿Qué quería decir la narradora al contar que cuando fusilaron al general, los soldados tuvieron en sus manos la pistola de ella?

Composición dirigida

Describa a la mamá.

PALABRAS CLAVES no llorar / proteger / hijos / ojo / grande / endurecido / revolución / pegado / pared / resignado / cansado / morir

Composiciones libres

1. ¿Qué piensa y siente la narradora a través del cuento?
2. Imagínese que usted es el general. Cuente la historia desde la perspectiva suya.

Dramatización en parejas

La narradora tiene un sueño en que ella y su madre hablan del general después de su muerte. ¿Qué se dicen?

Discusión en grupos

1. Si algunos hombres entraran en su casa y amenazaran a su madre, ¿qué haría usted?
2. ¿Lee usted el periódico? ¿Por qué?
3. ¿Es importante soñar? ¿Con qué soñaba usted cuando era niño/niña?
4. ¿Lucharía usted por su país en una guerra? ¿Por qué?
5. Narre usted un incidente malo de su pasado que le ha quedado grabado en la memoria.

Comparaciones y contrastes

P7 Compare y contraste a las madres en «Cajas de cartón», en «El general Rueda» y en «El beso de la patria». (Cuentos 7, 10 y 14)

Véase también los temas P20, T2, T19 y A9 en Apéndice A.

Apocalipsis

Marco Denevi

Después los hombres empezaron a notar que ellos mismos iban desapareciendo paulatinamente y que en cambio las máquinas se multiplicaban.

Apocalipsis

Marco Denevi (1922–) was born in Buenos Aires, Argentina, the youngest in a family of seven children. Although he earned a law degree, his first interest was writing fiction. In 1955, he won the Premio Kraft, a literary prize, for his novel *Rosaura a las diez,* and two years later he won the National Literary Prize for his drama *Los expedientes.* "Apocalipsis"[1] is taken from *Cuentos y microcuentos* (1970). In this short tale, he imagines the extinction of the human race.

La extinción de la raza de los hombres se sitúa aproximadamente a fines del siglo° XXXII. La cosa ocurrió así: las máquinas habían alcanzado° tal perfección que los hombres ya no necesitaban comer ni dormir ni hablar ni leer ni escribir ni pensar ni hacer nada. Les bastaba° apretar° un botón y las máquinas lo hacían todo por ellos. Gradualmente fueron desapareciendo las mesas, las sillas, las rosas, los discos con las nueve sinfonías de Beethoven,[2] las tiendas de antigüedades,° los vinos de Burdeos,° las golondrinas,° los tapices flamencos,[3] todo Verdi,[4] el ajedrez,° los telescopios, las catedrales góticas, los estadios de fútbol, la Piedad de Miguel Ángel,[5] los mapas, las ruinas del Foro Trajano,[6] los automóviles, el arroz, las sequoias gigantes, el Partenón.[7] Sólo había máquinas. Después los hombres empezaron a notar que ellos mismos iban desapareciendo paulatinamente° y que en cambio las máquinas se multiplicaban. Bastó poco tiempo para que el número de los hombres quedase reducido a la mitad y el de las máquinas se duplicase. Las máquinas terminaron por ocupar todos los sitios disponibles.° No se podía dar un paso ni hacer un ademán° sin tropezarse con° una de ellas. Finalmente los hombres fueron eliminados. Como el último° se olvidó de desconectar las máquinas, desde entonces seguimos° funcionando.

century
attained
Les... It was sufficient for them / to press
antiques / Bordeaux / swallows
chess
= **gradualmente**
available
= **gesto / sin...** without bumping into
= **el último hombre**
= **continuamos**

[1]**«Apocalipsis»** "The Apocalypse," the last Biblical book of Revelation, which describes the end of the world.

[2]**Beethoven** Ludwig van Beethoven (1770–1827), German composer best known for his symphonies.

[3]**los tapices flamencos** Flemish tapestries. In the fifteenth and sixteenth centuries, the most beautiful European tapestries were made in Flanders, which is now southern Belgium and the northernmost part of France.

[4]**Verdi** Giuseppe Verdi (1813–1901), Italian composer best known for his operas such as *Rigoletto* (1855), *Aïda* (1871).

[5]**Miguel Ángel** Michelangelo (1475–1564), Italian artist and architect, sculpted the *Pietà* which depicts Mary holding the body of her crucified son Jesus.

[6]**el Foro Trajano** A Roman forum built by the Emperor Trajan (A.D. 53–117).

[7]**el Partenón** The Parthenon temple, built on the Acropolis in Athens, 447–432 B.C.

Comprensión

¿Qué pasó?

1. ¿En qué época se sitúa la extinción de la raza humana?
2. ¿Qué han alcanzado las máquinas? ¿Cuál es el resultado?
3. ¿Cómo funcionan las máquinas?
4. ¿Qué cosas van desapareciendo gradualmente?
5. ¿Quiénes más comienzan a desaparecer?
6. ¿Qué les pasa a las máquinas?
7. ¿A qué número se reducen los hombres? ¿Y a qué número aumentan las máquinas?
8. ¿Qué les ocurre finalmente a los hombres?
9. ¿Por qué siguen funcionando las máquinas?

Fuente de palabras

Sustantivos cognados (*-ción, -cción*)

Many Spanish nouns that end in **-ción** and **-cción** have English cognates ending in *-tion* and *-ction.* These nouns are feminine.

-ción ↔ *-tion*	**situación** ↔ *situation*
-ción ↔ *-ction*	**extinción** ↔ *extinction*
-cción ↔ *-ction*	**perfección** ↔ *perfection*

Transformaciones

Dé los cognados ingleses de las palabras siguientes.

1. la imaginación
2. la admiración
3. la determinación
4. la preocupación
5. la restauración
6. la conversación
7. la satisfacción
8. la convicción
9. la acción
10. la destrucción
11. la inspección
12. la abstracción

Observación

El imperfecto del subjuntivo

While speakers in most Spanish regions form the imperfect subjunctive by replacing the **-ron** of the third-person plural (**ellos** form) of the preterite with the endings **-ra, -ras, -ra, -ramos, -rais, -ran,** speakers in some regions substitute the endings **-se, -ses, -se, -semos, -seis, -sen.** The imperfect subjunctive is used after conjunctions such as **menos que, para que,** and **sin que** when the main verb is in the past tense.

Bastó poco tiempo **para que** el número de los hombres **quedase** reducido a la mitad y el de las máquinas **se duplicase.**	*It took a little time **for** the number of people **to be** reduced by half and that of machines **to be doubled.***

¡Otra vez!

Vuelva a contar la narración, cambiando los verbos en itálicas al futuro.

1. La extinción de los hombres *ocurre* en el siglo XXXII.
2. Las máquinas *alcanzan* tal perfección que los hombres ya no *tienen* que comer.
3. Los hombres no *necesitan* ni dormir, ni hablar, ni leer, ni escribir, ni pensar, ni hacer nada.
4. Los hombres *aprietan* un botón y las máquinas lo *hacen* todo para ellos.
5. Gradualmente *van* desapareciendo muchas cosas.
6. Sólo *quedan* las máquinas.
7. Los hombres *empiezan* a notar que ellos mismos *van* desapareciendo paulatinamente.
8. Las máquinas se *multiplican.*
9. El número de los hombres *queda* reducido a la mitad y el de las máquinas se *duplica.*
10. Las máquinas *terminan* por ocupar todos los sitios disponibles.
11. No se *puede* dar un paso sin tropezarse con una de ellas.
12. Finalmente, los hombres *son* eliminados.
13. El último se *olvida* de desconectar las máquinas.
14. Desde entonces *seguimos* funcionando.

Interpretación

Análisis

1. ¿Cómo define usted «Apocalipsis»? Le parece un buen título para este cuento? ¿Por qué? ¿Cuál sería otro título apropiado?
2. Analice los distintos tiempos verbales y los sujetos de las oraciones. ¿Qué efectos producen en el cuento?
3. ¿Quién narra este cuento? Vuelva a leer la última oración del cuento. ¿Qué significado tiene?
4. ¿Cómo se imagina usted las máquinas del cuento? Descríbalas.
5. En el cuento, las máquinas hacen todos los trabajos. ¿Qué tipo de cosas no pueden hacer las máquinas?
6. En su opinión, ¿cuál es el tema más importante de este cuento? Explique.

Composición dirigida

Describa el proceso de la extinción de la raza humana.

PALABRAS CLAVES máquina / perfección / desaparecer / mujeres / hombres / naturaleza / ciencia / música / desconectar

Composiciones libres

1. Trate de imaginar que se puede deshacer *(to get rid of)* gradualmente de las máquinas. ¿De qué máquinas cree usted que no se podría deshacer jamás? ¿Por qué? ¿Qué función sirven?
2. Escriba un cuento de ciencia-ficción.

Dramatización en parejas

Dos máquinas están imaginando un futuro sin hombres ni mujeres. ¿De qué problemas hablan? ¿Qué planes hacen?

Discusión en grupos

1. Categorice usted las cosas que desaparecen en el cuento. ¿Cuáles le llaman más la atención? ¿Por qué?
2. Describa una película o libro de ciencia-ficción que usted conoce. Compare sus temas con los de «Apocalipsis».
3. ¿Le parece a usted que las obras de ciencia-ficción tienden a ser apocalípticas? ¿Por qué?
4. ¿Cree usted que en un mundo regido por máquinas existiría la libertad humana? ¿Cómo?
5. Describa la vida en el siglo XXXII.

Comparaciones y contrastes

A13 Compare y contraste la personificación de las máquinas en «Apocalipsis» con la de la casa en «La vieja casona». (Cuentos 11 y 17)

Véase también los temas S3, T4 y T6 en Apéndice A.

El décimo

Emilia Pardo Bazán

Una chica del pueblo, muy mal vestida y en cuyo rostro se veía pintada el hambre, fue quien me vendió el décimo de billete de lotería, a la puerta de un café, a las altas horas de la noche.

El décimo

Emilia Pardo Bazán (1852–1921), born in La Coruña, is one of Spain's most prolific and polished short-story writers. She was influenced by the theories of French naturalism and tried in her work to create a faithful portrayal of reality. In "El décimo,"[1] which first appeared in *En tranvía*, Pardo Bazán recounts the story of a bachelor in Madrid who buys a winning lottery ticket and then misplaces it.

La compra del billete

¿La historia de mi boda? Óiganla ustedes; es bastante original.

Una chica del pueblo, muy mal vestida,° y en cuyo rostro° se veía pintada el hambre,° fue quien° me vendió el décimo de billete de lotería, a la puerta de un café, a las altas horas° de la noche. Le di por él° la enorme cantidad de un duro.[2] ¡Con qué humilde° y graciosa sonrisa respondió a mi generosidad!

—Se lleva usted la suerte,° señorito° —dijo ella con la exacta y clara pronunciación de las muchachas del pueblo de Madrid.

—¿Estás segura? —le pregunté en broma,° mientras yo metía° el décimo en el bolsillo del sobretodo° y me subía° el cuello° a fin de° protegerme del frío de diciembre.

—¡Claro que estoy segura! ¡Ya lo verá usted,° señorito! Si yo tuviera dinero no lo compraría usted[3]... El número es el 1.620; lo sé de memoria, los años que tengo,° diez y seis, y los días del mes que tengo sobre los años, veinte justos.° ¡Ya ve si lo compraría yo!

—Pues, hija —respondí queriendo ser generoso—, no te apures:° si el billete saca premio°... la mitad° será para ti.

Una alegría loca se pintó en los negros ojos de la chica, y con la fe más absoluta, cogiéndome° por un brazo, exclamó:

—¡Señorito! por° su padre y por su madre, deme° su nombre y las señas° de su casa. Yo sé que dentro de ocho días seremos° ricos.

Sin dar importancia a lo que la chica decía le di mi nombre y mis señas; y diez minutos después ni recordaba el incidente.

dressed / face
hunger / the one who
= **muy tarde**
= **el billete** / humble
Se... you are lucky / young man
jest / put
overcoat / raised / collar / in order to
Ya... You'll see
los... my age
exactly
no... don't worry / **saca...** wins the prize / half
holding
In the name of / give me
address / we will be

[1]**«El décimo»** "The Tenth." One-tenth share of a lottery ticket **(billete de lotería)**.

[2]**un duro** Spanish coin worth five pesetas.

[3]**Si... usted** If I had the money, it would not be you who would buy it. (If the girl had the money, she would have bought it herself.)

La pérdida del billete

Pasados cuatro días, estando en la cama, oí gritar° la lista de la lotería. Mandé que mi criado° la comprara, y cuando me la trajo, mis ojos tropezaron° inmediatamente con el número del premio gordo.[4] Creí que estaba soñando,° pero no, era la realidad. Allí, en 5 la lista, decía realmente 1.620... ¡Era mi décimo, la edad° de la muchacha, la suerte para ella y para mí! Eran muchos miles de duros lo que representaban aquellos cuatro números. Me sentía tan dominado por la emoción que me era imposible decir palabra y hasta° mover las piernas.° Aquella humilde y extraña criatura, a 10 quien nunca había visto antes, me había traído la suerte, había sido mi *mascota*[5]... Nada más justo que dividir la suerte con ella; además, así se lo había prometido.

Al punto deseé sentir en los dedos el contacto del mágico papelito. Me acordaba bien: lo había guardado en el bolsillo 15 exterior del sobretodo. ¿Dónde estaba el sobretodo? Colgado° allí en el armario[6]... A ver... toco[7] aquí, busco allá... pero nada, el décimo no aparece.

Llamo al criado con furia, y le pregunto si había sacudido° el sobretodo por la ventana... ¡Ya lo creo que lo había sacudido! Pero 20 no había visto caer nada de los bolsillos; nada absolutamente... En cinco años que hace que está a mi servicio no le he cogido nunca mintiendo.° Le miro a la cara; le he creído siempre, pero ahora, no sé qué pensar. Me desespero,° grito, insulto, pero todo es inútil. Me asusta° lo que me ocurre. Enciendo° una vela,° busco en los 25 rincones,° rompo armarios,[8] examino el cesto° de los papeles viejos... Nada, nada.

oí... I heard (them) call out
servant
came upon
dreaming
age
even / legs
Hung up
shaken
no... I have never caught him lying
I become desperate
frightens / I light / candle
corners / basket

La visita de la chica

A la tarde, cuando ya me había tendido° sobre la cama para ver si el sueño° me ayudaba a olvidarlo todo, suena° el timbre.° Oigo al mismo tiempo en la puerta ruido de discusión, voces de protesta de 30 alguien que se empeña° en entrar, y al punto veo ante° mí a la chica, que se arroja° en mis brazos gritando y con las lágrimas en los ojos.

—¡Señorito, señorito! ¿Ve usted cómo yo no me engañaba?° Hemos sacado el gordo.

stretched out
sleep / rings / bell
persists / before
throws herself
was not deceiving

[4]**el premio gordo** first prize. Literally, the fat prize. It is also called simply **el gordo. Sacar el gordo** = to win first prize.

[5]**mascota** good-luck charm. **Una mascota** can be a person, an animal, or an object that is thought to bring good luck.

[6]**el armario** free-standing wardrobe or "armoire" in which clothing is kept.

[7]The narrator suddenly switches to the present tense to indicate how anxious he was to find the winning lottery ticket, and how frantically he began looking for it.

[8]**rompo armarios** I throw the contents of the wardrobes all over the floor. Literally, I smash the wardrobes.

¡Infeliz de mí!° Creía haber pasado lo peor del disgusto,° y ahora tenía que hacer esta cruel confesión; tenía que decir, sin saber cómo, que había perdido el billete, que no lo encontraba en ninguna parte, y que por consiguiente° nada tenía que esperar de 5 mí la pobre muchacha, en cuyos ojos negros y vivos temía ver brillar la duda y la desconfianza.[9]

Pero me equivocaba,° pues cuando la chica oyó la triste noticia, alzó° los ojos, me miró con la honda° ternura° de quien siente la pena ajena° y encogiéndose de hombros° dijo:

10 —¡Vaya por la Virgen![10] Señorito... no nacimos ni usted ni yo para ser ricos.

Es verdad que nunca pude hallar° el décimo que me habría dado la riqueza, pero en cambio la hallé a ella, a la muchacha del pueblo a quien, después de proteger y educar,[11] di la mano de 15 esposo° y en quien he hallado más felicidad que la que hubiera podido comprar° con los millones del décimo.

= **¡Pobre de mí!** / misfortune

consequently

I was mistaken

she raised / deep / tenderness

someone else's sorrow / shrugging her shoulders

find

di... I married

I would have been able to buy

Comprensión

¿Qué pasó?

La compra del billete

1. ¿Sobre qué era la historia?
2. ¿Dónde tuvo lugar? ¿Cuándo?
3. ¿Quién le vendió el billete de lotería al señor?
4. ¿Qué es un décimo?
5. ¿Cuánto le dio el señor a la chica? ¿Cómo reaccionó ella?
6. ¿Dónde puso el señor el billete de lotería?
7. ¿Qué mes era?
8. ¿Qué número tenía el billete de lotería? ¿Qué significado especial tenía?
9. ¿Qué le prometió él a la chica si ganaba? ¿Cómo respondió ella?
10. ¿Qué le pidió la chica al señor?

La pérdida del billete

11. ¿Cuándo salió la lista de números premiados?
12. ¿Cuánto había ganado el señor?
13. ¿Qué le había traído la chica?
14. ¿Qué creía el señor que había hecho el criado con el sobretodo?
15. ¿Qué hizo el señor para encontrar el billete?

[9]**temía... desconfianza.** I was afraid I would see signs of doubt and distrust. Literally, I was afraid to see doubt and distrust glint (in her eyes).

[10]**¡Vaya... Virgen!** If that's what the Virgin Mary wants! This expression indicates an unquestioning acceptance of one's fate.

[11]**después... educar** after becoming her guardian and looking after her education.

La visita de la chica

16. ¿Quién llegó a la casa por la tarde? ¿Qué le dijo al señor?
17. Cuando el señor le explicó a la chica que había perdido el billete, ¿cómo le respondió ella?
18. Después de proteger y educar a la chica, ¿qué más hizo el señor? ¿Por qué?

Fuente de palabras

Sustantivos derivados de verbos

Some Spanish nouns are derived from verbs according to this pattern: infinitive stem + suffix. These nouns are masculine.

-or	**temer** *(to fear)*	→ **el temor** *(fear)*
-amiento (**-ar** verbs)	**pensar** *(to think)*	→ **el pensamiento** *(thought)*
-imiento (**-er**, **-ir** verbs)	**descubrir** *(to discover)*	→ **el descubrimiento** *(discovery)*

Transformaciones

Dé el sustantivo que corresponde al infinitivo. Luego, dé el significado del sustantivo y utilice cada sustantivo en una frase original.

-or

1. amar *(to love)*
2. doler *(to give pain)*
3. valer *(to be worth)*
4. temblar *(to tremble)*

-amiento

5. casarse *(to marry)*

-imiento

6. nacer *(to be born)*
7. remorderse *(to feel remorse)*
8. establecer *(to establish)*
9. consentir *(to consent)*
10. conocer *(to know)*
11. sentir *(to feel)*
12. mover *(to move)*
13. crecer *(to grow)*
14. acercarse *(to approach)*
15. comportarse *(to behave)*

Observación

El pluscuamperfecto

The pluperfect is formed with the imperfect tense of **haber** + past participle (**-ado** or **-ido** form of verb). It is used to describe completed events that occurred before another past event or point in past time.

... me **había traído** la suerte.	. . . ***she had brought*** *me luck.*
... se lo **había prometido.**	. . . ***I had promised*** *it to her.*

¡Otra vez!

Vuelva a contar la historia, cambiando los verbos en itálicas al pretérito, al imperfecto o al pluscuamperfecto.

1. El narrador *cuenta* la historia de su boda.
2. Una pobre chica del pueblo de Madrid le *vende* un décimo de billete de la lotería.
3. El señor le *da* un duro a la chica quien *responde* con una graciosa sonrisa.
4. La vendedora de billetes le *dice* al señor que se *lleva* la suerte.
5. El señor *mete* el billete en el bolsillo del sobretodo.
6. El señor le *asegura* que si el billete *saca* premio, *va* a darle la mitad.
7. La chica le *pide* su nombre y señas.
8. Cuatro días más tarde, *sale* la lista de números premiados.
9. El número del billete que *ha sacado* el premio gordo *es* el de su décimo.
10. Después de buscar el billete en todas partes, el señor no *puede* encontrarlo.
11. Cuando la chica *viene* a la casa, el señor *tiene* que confesarle que se le *ha perdido* el billete.
12. La chica le *contesta* con ternura que ni ella ni él *han nacido* para ser ricos.
13. El señor, aunque nunca *halla* el décimo, *ha conocido* a la chica.
14. Después de proteger y educar a la chica, el señor se *casa* con ella y *viven* felices.

Interpretación

Análisis

1. Comente usted sobre el estilo que emplea la autora en el primer párrafo. ¿Qué efecto inmediato produce en el lector?
2. ¿Cómo es el narrador? ¿Qué clase de vida lleva? ¿Cuántos años tendrá?
3. ¿Por qué le fue más fácil aceptar la pérdida a la vendedora de billetes que al señor?
4. Esta historia tiene lugar alrededor de 1900. ¿Qué impresión se lleva usted de la ciudad de Madrid de aquella época?
5. Después de proteger y educar a la chica, el señor se casa con ella. ¿Qué se puede inferir de este hecho con respecto a la personalidad del narrador?
6. Imagínese que el señorito encuentra el décimo. ¿Cambia la historia? Explique.

Composición dirigida

Haga un retrato de la vendedora de billetes.

PALABRAS CLAVES chica / pobre / mal / vestido / rostro / hambre / tener / diez y seis / ojo / negro / vender / lotería / señor / suerte / perder / felicidad

Composición libre

Cuente la historia desde el punto de vista de la vendedora de billetes.

Dramatización en parejas

Dos vecinos (o vecinas) del señorito discuten la historia de la boda. ¿Qué se dicen?

Discusión en grupos

1. Discuta los aspectos buenos y malos de jugar a la lotería. ¿Jugaría usted a la lotería? ¿Por qué? ¿Qué número cree usted que le traería suerte?
2. ¿Qué haría usted si hubiera comprado un billete de lotería premiado y lo hubiera perdido antes de cobrarlo?
3. Imagínese que usted y su amigo(a) compran un billete de lotería y sacan el gordo. Si su amigo(a) no le paga a usted su parte del premio, ¿qué hariá?
4. ¿Cree usted en la suerte? ¿Ha tenido usted buena o mala suerte? Explique.
5. El profesor Higgins de la comedia musical *My Fair Lady* trata de educar a una chica del pueblo. Compare esta historia con la de *El décimo.*
6. Describa usted la mascota de su escuela. ¿Por qué la eligieron como mascota? ¿Cuál es la historia?
7. ¿Qué hecho ha sido el más feliz de su vida hasta ahora?

Comparaciones y contrastes

S5 ¿Qué significación tiene el dinero en «Una sortija para mi novia», en «La camisa de Margarita» y en «El décimo». (Cuentos 8, 9 y 12)

Véase también los temas P5 y P8 en Apéndice A.

13

Bernardino

Ana María Matute

Bernardino tenía un perro que se llamaba «Chu». El perro debía de querer mucho a Bernardino, porque siempre le seguía saltando y moviendo su rabito blanco.

Bernardino

Ana María Matute (1926–) was born in Barcelona, Spain, and educated in Madrid. Like the narrator of this story, she would often be sent to spend summers in the Catalan hills with her grandparents. Her first novel *Los Abel,* written when she was twenty-two, was translated into Italian and French. Today she is probably best known for her short stories. "Bernardino" was published in *Historias de la Artámila* (1961). In this story, the narrator, who is a boy Bernardino's age, discovers how easy it is to fall prey to peer pressure and to prejudge others by outward appearances.

Primera parte

Un niño mimado

Siempre oímos decir en casa, al abuelo y a todas las personas mayores, que Bernardino era un niño mimado.° — pampered

Bernardino vivía con sus hermanas mayores, Engracia, Felicidad y Herminia, en «Los Lúpulos[1]», una casa grande, rodeada de
5 tierras de labranza° y de un hermoso jardín, con árboles viejos agrupados formando un diminuto bosque, en la parte lindante° con el río. La finca° se hallaba° en las afueras° del pueblo, y, como nuestra casa, cerca de los grandes bosques comunales. — **tierras...** farm lands / bordering / farm / was located / outskirts

Alguna vez, el abuelo nos llevaba a «Los Lúpulos», en la
10 pequeña tartana,° y, aunque el camino era bonito por la carretera antigua, entre castaños° y álamos,° bordeando el río, las tardes en aquella casa no nos atraían. Las hermanas de Bernardino eran unas mujeres altas, fuertes y muy morenas. Vestían a la moda antigua — habíamos visto mujeres vestidas como ellas en el álbum de foto-
15 grafías del abuelo — y se peinaban con moños° levantados, como roscas de azúcar,° en lo alto de la cabeza. Nos parecía extraño que un niño de nuestra edad tuviera hermanas que parecían tías, por lo menos. El abuelo nos dijo: — two-wheeled carriage / chestnuts / poplars / buns / **roscas...** sugar donuts

—Es que la madre de Bernardino no es la misma madre de sus
20 hermanas. Él nació del segundo matrimonio de su padre, muchos años después.

Esto nos armó° aún más confusión. Bernardino, para nosotros, seguía siendo° un ser extraño,° distinto. Las tardes que nos llevaban a «Los Lúpulos» nos vestían incómodamente, casi como en la — **nos...** created for us / **seguía...** continued to be / **un...** a strange being

[1] «Los Lúpulos» the name of the estate where Bernardino lives. **Los lúpulos** are *hops* which are used in medicines and in the brewing of beer and malt liquors.

ciudad, y debíamos jugar a juegos necios° y pesados,° que no nos divertían en absoluto. Se nos prohibía° bajar al río, descalzarnos° y subir a los árboles. Todo esto parecía tener una sola explicación para nosotros:

5 —Bernardino es un niño mimado —nos decíamos. Y no comentábamos nada más.

Bernardino era muy delgado, con la cabeza redonda y rubia. Iba peinado con un flequillo ralo,° sobre sus ojos de color pardo,° fijos y huecos,° como si fueran° de cristal. A pesar de vivir en el 10 campo, estaba pálido, y también vestía de un modo un tanto insólito.° Era muy callado,° y casi siempre tenía un aire entre asombrado° y receloso,° que resultaba molesto.° Acabábamos jugando por nuestra cuenta° y prescindiendo de él,° a pesar de comprender que eso era bastante incorrecto. Si alguna vez nos lo 15 reprochó el abuelo, mi hermano mayor decía:

—Ese chico mimado... No se puede contar con él.

Verdaderamente no creo que entonces supiéramos bien lo que quería decir estar mimado. En todo caso, no nos atraía, pensando en la vida que llevaba Bernardino. Jamás salía de «Los 20 Lúpulos» como no fuera acompañado° por sus hermanas. Acudía° a la misa o paseaba° con ellas por el campo, siempre muy seriecito° y apacible.°

foolish / tiresome

Se... It was prohibited for us / to take off our shoes

un... thin bangs / brown

empty / as it they were

unusual / **= silencioso**

astonished / suspicious / annoying

por... on our own / **y...** and leaving him out

como... unless accompanied / He attended

he strolled / quite serious

peaceful

Los chicos del pueblo

Los chicos del pueblo y los de las minas lo tenían atravesado.[2] Un día, Mariano Alborada, el hijo de un capataz,° que pescaba° con 25 nosotros en el río a las horas de la siesta, nos dijo:

—A ese Bernardino le vamos a armar una.[3]

—¿Qué cosa? —dijo mi hermano, que era el que mejor entendía el lenguaje de los chicos del pueblo.

—Ya veremos —dijo Mariano, sonriendo despacito—. Algo 30 bueno se nos presentará[4] un día, digo yo. Se la vamos a armar. Están ya en eso Lucas Amador, Gracianín y el Buque[5]... ¿Queréis vosotros?°

Mi hermano se puso colorado hasta las orejas:°

—No sé —dijo—. ¿Qué va a ser?

35 —Lo que se presente° —contestó Mariano, mientras sacudía° el agua de sus alpargatas,° golpeándolas contra la roca—. Se presentará, ya veréis.°

foreman / was fishing

Queréis... Do you want to join us?

se... turned completely red

Whatever comes up / he was shaking

rope-soled canvas shoes

ya... you'll see

[2]**lo...** could not stand him. Literally, looked at him cross-eyed.

[3]**A... una.** We are going to make trouble for that Bernardino kid.

[4]**Algo... presentará** We'll find a good opportunity. Literally, something good will present itself to us.

[5]**Están... Buque.** Lucas Amador, Gracianín, and el Buque ("the Boat") are already in on the plan.

Sí: se presentó. Claro que a nosotros nos cogió desprevenidos,° y la verdad es que fuimos bastante cobardes cuando llegó la ocasión. Nosotros no odiamos a Bernardino, pero no queríamos perder la amistad° con los de la aldea, entre otras cosas porque hubieran hecho llegar a oídos del abuelo andanzas que no deseábamos que conociera.[6] Por otra parte, las escapadas con los de la aldea eran una de las cosas más atractivas de la vida en las montañas.

a... it caught us off-guard

friendship

«Chu»

Bernardino tenía un perro que se llamaba «Chu». El perro debía de querer mucho a Bernardino, porque siempre le seguía saltando° y moviendo° su rabito° blanco. El nombre de «Chu» venía probablemente de Chucho,° pues el abuelo decía que era un perro sin raza[7] y que maldita la gracia que tenía.° Sin embargo, nosotros le encontrábamos mil, por lo inteligente y simpático que era. Seguía nuestros juegos con mucho tacto° y se hacía querer° en seguida.

—Ese Bernardino es un pez° —decía mi hermano—. No le da a «Chu» ni una palmada° en la cabeza. ¡No sé cómo «Chu» le quiere tanto! Ojalá que «Chu» fuera mío[8]...

A «Chu» le adorábamos todos, y confieso que alguna vez, con muy mala intención, al salir de «Los Lúpulos» intentamos atraerlo con pedazos° de pastel° o terrones° de azúcar, para ver si se venía con nosotros. Pero no: en el último momento «Chu» nos dejaba con un palmo de narices,° y se volvía saltando hacia su inexpresivo amito,° que le esperaba quieto, mirándonos con sus redondos ojos de vidrio amarillo.

—Ese pavo°... —decía mi hermano pequeño—. Vaya un pavo ése...[9]

Y, la verdad, a qué negarlo,° nos roía° la envidia.°

Una tarde en que mi abuelo nos llevó a «Los Lúpulos» encontramos a Bernardino raramente inquieto.

—No encuentro a «Chu» —nos dijo—. Se ha perdido, o alguien me lo ha quitado. En toda la mañana y en toda la tarde que no lo encuentro...

—¿Lo saben tus hermanas? —le preguntamos.

—No —dijo Bernardino—. No quiero que se enteren°...

Al decir esto último se puso algo colorado.° Mi hermano pareció sentirlo mucho más que él.

jumping / wagging / little tail
Hound
maldita... [the dog] had no charms

skill / **se...** made himself loved
fish
pat

pieces / cake / lumps

nos... he left us disappointed
beloved master

turkey

a... no use denying it / **nos...** was gnawing at us / envy

No... I don't want them to find out
= **rojo**

[6]**porque... conociera.** because the village boys would have let our grandfather hear about some escapades that we did not want him to know about.

[7]**un perro sin raza** a mongrel. Literally, a dog without a pedigree.

[8]**Ojalá... mío...** I wish Chu were my dog . . .

[9]**Vaya... ése...** He's a weirdo, that turkey is . . .

—Vamos a buscarlo —le dijo—. Vente° con nosotros, y ya verás como lo encontraremos.

—¿A dónde? —dijo Bernardino—. Ya he recorrido° toda la finca...

5 —Pues afuera —contestó mi hermano—. Vente por el otro lado del muro° y bajaremos al río... Luego, podemos ir hacia el bosque°... en fin, buscarlo. ¡En alguna parte estará!

Bernardino dudó un momento. Le estaba terminantemente° prohibido atravesar° el muro que cercaba° «Los Lúpulos», y nunca

10 lo hacía. Sin embargo, movió afirmativamente la cabeza.

Nos escapamos por el lado de la chopera,° donde el muro era más bajo. A Bernardino le costó saltarlo, y tuvimos que ayudarle, lo que me pareció que le humillaba un poco, porque era muy orgulloso.°

15 Recorrimos el borde del terraplén° y luego bajamos al río. Todo el rato íbamos llamando a «Chu», y Bernardino nos seguía, silbando° de cuando en cuando.° Pero no lo encontramos.

Ya... I have already gone over
wall
forest
strictly
to cross / surrounded
grove of poplar trees
proud
embankment
whistling / **de...** from time to time

Comprensión

¿Qué pasó?

Un niño mimado

1. ¿Qué decían las personas mayores sobre Bernardino?
2. ¿Con quiénes vivía Bernardino?
3. ¿Cómo se llamaba la casa? ¿Dónde se hallaba?
4. ¿Cómo eran las hermanas de Bernardino? ¿Parecían hermanas de Bernardino?
5. ¿Cuántas veces se había casado el padre de Bernardino?
6. ¿De qué matrimonio había nacido Bernardino?
7. ¿Por qué no se divertían los niños en «Los Lúpulos»?
8. ¿Cómo era físicamente Bernardino? ¿Cómo lo trataban los otros niños? ¿Por qué?

Los chicos del pueblo

9. ¿Quiénes planeaban algo contra Bernardino?
10. ¿Por qué el chico que narra el cuento planeaba colaborar con los chicos del pueblo?

«Chu»

11. ¿Cómo se llamaba el perro de Bernardino? ¿Cómo era el perro?
12. ¿Por qué le llamaban «pez» y «pavo» a Bernardino?
13. ¿Qué hacían los niños para atraer al perro?
14. ¿Qué le propusieron los niños a Bernardino cuando éste les contó que su perro se había perdido?

Fuente de palabras

Cognados parciales

Some Spanish words look like English words, but have a somewhat different meaning. Usually you can figure out their meaning from the context.

el matrimonio	*(matrimony)*	*wedding, marriage*
el cristal	*(crystal)*	*glass*

Transformaciones

Dé el significado en inglés de las palabras siguientes.

1. comprender
2. quieto
3. antiguo
4. redondo
5. sin raza
6. la gracia
7. armar

Observación

El uso del subjuntivo con *como si* y *como no*

In Spanish the imperfect subjunctive is used after the expression **como si** to express unreality.

... [sus ojos] fijos y huecos, **como si fueran** de cristal. — *. . . [his eyes] fixed and empty,* ***as if they were made*** *of glass.*

Note also the use of the subjunctive after the expression **como no.**

Jamás salía de «Los Lúpulos» **como no fuera acompañado** por sus hermanas. — *He never left «Los Lúpulos»* ***unless he was accompanied*** *by his sisters.*

¡Otra vez!

Utilizando el tiempo presente, vuelva a contar la historia del punto de vista de Bernardino.

1. Yo *(llamarse)* ____ Bernardino y yo *(ir)* ____ a contarles algunos hechos de mi vida.
2. Yo *(vivir)* ____ en «Los Lúpulos», una casa grande que *(estar)* ____ rodeada de un jardín.
3. Yo *(tener)* ____ tres hermanas mucho mayores que yo.
4. Ellas nacieron del primer matrimonio de mi papá, y *(parecer)* ____ ser mis tías.
5. Ellas *(vestir)* ____ a la moda antigua.

6. Yo *(ir)* ____ con ellas a la misa y yo *(pasear)* ____ con ellas por el campo.
7. Mi mejor amigo *(ser)* ____ mi perro, «Chu», y todos lo *(adorar)* ____ .
8. Algunos chicos del pueblo *(decir)* ____ que yo *(ser)* ____ un niño extraño y mimado.
9. Un día ellos *(decidir)* ____ engañarme.
10. Yo no *(poder)* ____ encontrar a «Chu» y ellos *(ofrecer)* ____ ayudarme a buscarlo.

Interpretación

Análisis

1. ¿Por qué piensan los chicos del pueblo que Bernardino es un ser extraño? Dé ejemplos específicos. ¿Está usted de acuerdo con ellos? ¿Querría usted ser amigo(a) de Bernardino? Explique.
2. ¿Qué clase de vida lleva «Chu»? Describa la relación entre Bernardino y su perro. ¿Es normal?
3. ¿Quién es el narrador del cuento? ¿Cuál es su actitud hacia Bernardino y hacia los otros chicos del pueblo?
4. ¿Cómo se caracteriza a la gente del pueblo en que vive Bernardino?
5. Discuta el tema de la envidia en la historia.

Composición dirigida

Retrate a Bernardino.

PALABRAS CLAVES ser / extraño / mimado / delgado / pálido / callado / vestir / aire / ir / misa / hermana / seriecito / ojo / hueco

Composiciones libres

1. Compare a la familia de Bernardino con la de usted.
2. Escriba un final para el cuento.

Dramatización en parejas

El narrador y su abuelo comentan la vida y las acciones de Bernardino. ¿Qué se dicen?

Discusión en grupos

1. ¿Qué opina usted de la gente que vive en el pueblo donde vive Bernardino? ¿Querría usted vivir en ese pueblo? Explique.
2. ¿Qué clases de andanzas se imagina usted que el narrador y sus hermanos hacían con los chicos de la aldea?
3. ¿Influye la edad de los padres en el carácter de un niño? ¿Cómo?

Segunda parte

El encuentro en el bosque

Íbamos ya a regresar, desolados y silenciosos, cuando nos llamó una voz, desde el caminillo° del bosque:

—¡Eh, tropa!...

Levantamos la cabeza y vimos a Mariano Alborada. Detrás de él 5 estaban Buque y Gracianín. Todos llevaban juncos° en la mano y sonreían de aquel modo suyo, tan especial. Ellos sólo sonreían cuando pensaban algo malo.

Mi hermano dijo:

—¿Habéis visto° a «Chu»?

10 Mariano asintió con la cabeza:°

—Sí, lo hemos visto. ¿Queréis venir?

Bernardino avanzó, esta vez delante de nosotros. Era extraño: de pronto parecía haber perdido su timidez.°

—¿Dónde está «Chu»? —dijo. Su voz sonó clara y firme.

15 Mariano y los otros echaron a° correr, con un trotecillo menudo, por el camino. Nosotros les seguimos, también corriendo. Primero que ninguno° iba Bernardino.

Efectivamente: ellos tenían a «Chu». Ya a la entrada del bosque vimos el humo° de una fogata,° y el corazón nos empezó a latir° 20 muy fuerte.

Habían atado° a «Chu» por las patas° traseras° y le habían arrollado una cuerda al cuello,° con un nudo corredizo.° Un escalofrío° nos recorrió: ya sabíamos lo que hacían los de la aldea con los perros sarnosos° y vagabundos. Bernardino se paró en seco,° y 25 «Chu» empezó a aullar,° tristemente. Pero sus aullidos° no llegaban a «Los Lúpulos». Habían elegido un buen lugar.

—Ahí tienes a «Chu», Bernardino —dijo Mariano—. Le vamos a dar *de veras*.°

Bernardino seguía quieto, como de piedra. Mi hermano, 30 entonces, avanzó hacia Mariano.

—¡Suelta al perro!° —le dijo—. ¡Lo sueltas o...!

—Tú, quieto —dijo Mariano, con el junco levantado como un látigo°—. A vosotros no os da vela nadie en esto°... ¡Como digáis una palabra voy a contarle a vuestro abuelo lo del huerto° de 35 Manuel el Negro!

Mi hermano retrocedió,° encarnado.° También yo noté un gran sofoco, pero me mordí° los labios. Mi hermano pequeño empezó a roerse° las uñas.°

La tortura

—Si nos das algo que nos guste —dijo Mariano— te devolve- 40 mos a «Chu».

—¿Qué queréis? —dijo Bernardino. Estaba plantado delante,

---

little path
reeds
Habéis... Have you seen
asintió... nodded yes
shyness
echaron... began
Primero... Ahead of everyone
smoke / bonfire / to beat
Habían... They had tied / paws / back
habían... they had wound a rope around his neck / slipknot / chill
mangy / **se...** stopped dead
to howl / cries
dar... to whip him
¡Suelta...! Let the dog go!
whip / **A...** You have no part in this . . .
orchard
moved back / red-faced
me... I bit
to gnaw / fingernails

con la cabeza levantada, como sin miedo. Le miramos extrañados.° No había temor° en su voz.

Mariano y Buque se miraron con malicia.

—Dineros —dijo Buque.

5 Bernardino contestó:

—No tengo dinero.

Mariano cuchicheó° con sus amigos, y se volvió a él:

—Bueno, por cosa que lo valga°...

Bernardino estuvo un momento pensativo. Luego se 10 desabrochó° la blusa y se desprendió° la medalla de oro. Se la dio.

De momento, Mariano y los otros se quedaron como sorprendidos. Le quitaron la medalla y la examinaron.

—¡Esto no! —dijo Mariano—. Luego nos la encuentran y... ¡Eres tú un mal bicho![1] ¿Sabes? ¡Un mal bicho!

15 De pronto, les vimos furiosos. Sí; se pusieron furiosos y seguían cuchicheando. Yo veía la vena que se le hinchaba° en la frente° a Mariano Alborada, como cuando su padre le apaleaba° por algo.

—No queremos tus dineros —dijo Mariano—. ¡Guárdate tu dinero y todo lo tuyo... ¡Ni eres hombre ni ná!°

20 Bernardino seguía quieto. Mariano le tiró° la medalla a la cara. Le miraba con ojos fijos y brillantes, llenos de cólera.° Al fin, dijo:

—Si te dejas dar *de veras* tú, en vez del Chucho... [2] Todos miramos a Bernardino, asustados.

—No... —dijo mi hermano.

25 Pero Mariano nos gritó:

—¡Vosotros a callar, o lo vais a sentir...! ¿Qué os va en esto? ¿Qué os va...?[3]

Fuimos cobardes y nos apiñamos° los tres juntos a un roble.° Sentí un sudor° frío en las palmas de las manos. Pero Bernardino 30 no cambió de cara. («Ese pez...», que decía mi hermano.) Contestó:

—Está bien. Dadme *de veras*.

Mariano le miró de reojo,° y por un momento nos pareció asustado. Pero en seguida dijo:

¡Hala,° Buque...!

35 Se le tiraron encima y le quitaron la blusa. La carne de Bernardino era pálida, amarillenta,° y se le marcaban mucho las costillas.° Se dejó hacer, quieto y flemático.° Buque le sujetó las manos a la espalda, y Mariano dijo:

—Empieza tú, Gracianín...

40 Gracianín tiró el junco al suelo y echó a correr, lo que enfureció más a Mariano. Rabioso,° levantó el junco y dio *de veras* a Bernardino; hasta que se cansó.

surprised
= **miedo**
whispered
por... something valuable
undid / took off
was swelling / forehead
was beating
= **nada**
threw
= **furia**
we crowded / oak tree
sweat
de... out of the corner of his eye
Hey
yellowish / ribs
unemotional
= **Furioso**

[1] **¡Eres... bicho!** You are a bugger! Literally, **un bicho** = a tiny beast or bug.

[2] **Si... Chucho...** If you let us whip you instead of Chucho . . .

[3] **¿Vosotros... va?** You be quiet or you'll get it too! How does this concern you?

A cada golpe° mis hermanos y yo sentimos una vergüenza° mayor. Oíamos los aullidos de «Chu» y veíamos sus ojos, redondos como ciruelas,° llenos de un fuego dulce y dolorido que nos hacía mucho daño. Bernardino, en cambio, cosa extraña, parecía no sentir el menor dolor. Seguía quieto, zarandeado° solamente por los golpes, con su media sonrisa fija y bien educada en la cara. También sus ojos seguían impávidos,° indiferentes. («Ese pez», «Ese pavo», sonaba en mis oídos.°)

Cuando brotó° la primera gota° de sangre,° Mariano se quedó con el mimbre° levantado. Luego vimos que se ponía muy pálido. Buque soltó° las manos de Bernardino, que no le ofrecía ninguna resistencia, y se lanzó cuesta abajo, como un rayo.°

Mariano miró de frente a Bernardino.

—Puerco° —le dijo—. Puerco.

Tiró el junco con rabia y se alejó,° más aprisa° de lo que hubiera deseado.

stroke / shame
plums
shaken
dauntless
ears
gushed / drop / blood
reed
untied
thunderbolt
Pig
= se fue / quickly

La reunión

Bernardino se acercó a «Chu». A pesar de las marcas del junco, que se inflamaban en su espalda, sus brazos y su pecho,° parecía inmune, tranquilo y altivo, como siempre. Lentamente desató° a «Chu», que se lanzó a lamerle la cara,° con aullidos que partían el alma.[4] Luego, Bernardino nos miró. No olvidaré nunca la transparencia hueca fija en sus ojos de color de miel. Se alejó despacio por el caminillo, seguido de los saltos y los aullidos entusiastas de «Chu». Ni siquiera recogió° su medalla. Se iba sosegado° y tranquilo, como siempre.

Sólo cuando desapareció nos atrevimos° a decir algo. Mi hermano recogió la medalla del suelo, que brillaba° contra la tierra.

—Vamos a devolvérsela —dijo.

Y aunque deseábamos retardar° el momento de verle de nuevo volvimos a «Los Lúpulos».

Estábamos ya llegando al muro cuando un ruido° nos paró en seco. Mi hermano mayor avanzó hacia los mimbres verdes del río. Le seguimos, procurando° no hacer ruido.

Echado boca abajo,° medio oculto° entre los mimbres, Bernardino lloraba desesperadamente, abrazado° a su perro.

chest
he untied
que... who hurled himself to lick his face
Ni... He didn't even pick up / calm
nos... we dared
was shining
to delay
noise
trying
Echado... Lying face down / hidden
hugging

[4]**que... alma** heartbreaking. Literally, which split the soul.

Comprensión

¿Qué pasó?

El encuentro en el bosque

1. ¿Con quiénes se encontraron los niños en el camino?
2. ¿Por qué sonreían los chicos del pueblo?
3. ¿Qué habían hecho los chicos del pueblo con «Chu»?
4. ¿Qué actitud adoptó Bernardino frente a los chicos?
5. ¿Quién intentó oponerse a los chicos del pueblo?
6. ¿Por qué no tuvo éxito?

La tortura

7. ¿Qué le pidió Mariano a Bernardino?
8. ¿Qué hizo Bernardino al oír la proposición de Mariano?
9. ¿Por qué se enojó Mariano?
10. ¿Qué nueva proposición le hizo Mariano?
11. ¿Quién golpeó a Bernardino?
12. ¿Por qué no intervinieron el niño que narra el cuento y sus hermanos?
13. ¿Cómo se comportó Bernardino durante su tortura?
14. ¿Cuándo dejó de pegarle Mariano?

La reunión

15. ¿Qué hizo «Chu» cuando su amo lo desató?
16. ¿Por qué iban a volver los niños a «Los Lúpulos»?
17. ¿Dónde encontraron a Bernardino y qué estaba haciendo éste?

Fuente de palabras

Cognados lejanos

Distant cognates are words in two languages which are related and yet have distinct spelling differences:

cobarde *coward*
enfurecer *to infuriate*

Transformaciones

Trate de adivinar el significado inglés de cada palabra.

1. agrupado
2. el lenguaje
3. el azúcar
4. avanzar
5. desaparecer
6. extraño

Observación

El uso de *vosotros*

In Spain, the pronoun **vosotros** is used as the plural of **tú.** These verb forms were used in the conversations among the village children.

¿**Queréis** venir?	***Do you want** to come?*
Se presentará, ya **veréis.**	*We'll get a chance,* ***you will see.***
¿**Habéis visto** a «Chu»?	***Have you seen** "Chu"?*
Dadme *de veras.*	***Whip me.***

¡Otra vez!

Utilizando el tiempo presente, vuelva a contar la historia.

1. Los niños me *(llevar)* ____ muy lejos de la casa al otro lado del muro y dentro del bosque que *(ir)* ____ al río.
2. Al llegar yo *(ver)* ____ que los chicos *(tener)* ____ a «Chu» atado por las patas traseras.
3. Al verme «Chu» *(empezar)* ____ a aullar.
4. *(Haber)* ____ muchos chicos pero yo *(estar)* ____ sin miedo.
5. Yo les *(preguntar)* ____ qué *(querer)* ____ y ellos me *(pedir)* ____ dinero.
6. Como no *(tener)* ____ dinero, yo les *(dar)* ____ mi medalla de oro.
7. Ellos *(quedarse)* ____ sorprendidos y furiosos.
8. Ciertos chicos me *(empezar)* ____ a dar golpes llamándome «pez» y «pavo».
9. Yo no les *(mostrar)* ____ el menor dolor.
10. Sin recoger mi medalla, yo *(desatar)* ____ a «Chu» y nosotros *(salir)* ____ para el muro, donde yo, abrazando a mi perro, *(llorar)* ____ desesperadamente.

Interpretación

Análisis

1. ¿Qué valores exhiben los niños del pueblo? ¿Son malos? Explique.
2. Analice el carácter de Mariano.
3. ¿Es Bernardino cobarde? ¿Cambia usted su opinión de él al terminar el cuento? ¿Por qué?
4. ¿Qué representa el llanto de Bernardino al final del cuento? Explique.
5. El odio y el amor son dos temas centrales en este cuento. Dé ejemplos concretos de cómo se revelan estas emociones en la historia.

Composición dirigida

Describa la situación de «Chu» en el bosque.

PALABRAS CLAVES Mariano / chicos / tener / junco / atar / pata / cuerda / aullar / triste / ojo / Bernardino / golpe

Composiciones libres

1. Imagínese que usted estaba presente cuando le dieron los golpes a Bernardino. Escríbale una carta a un(a) amigo(a), contándole lo que usted vio y sintió.
2. Imagínese que un año más tarde, Bernardino y Mariano se encuentran. Esta vez, Bernardino está en una situación de ventaja. Invente la escena y describa las reacciones de los dos chicos.
3. Póngase en el lugar de Mariano. Explíqueles al narrador, a sus hermanos y a los otros chicos de la aldea lo que le van a hacer a Bernardino. Utilice la forma de vosotros.

Dramatización en parejas

Una hora después del episodio en el bosque, el narrador va a la casa de Bernardino para devolverle la medalla de oro. ¿Qué se comentan sobre los motivos y las acciones de Mariano?

Discusión en grupos

1. Según la historia, «Gracianín tiró el junco y echó a correr». ¿Por qué? ¿Qué haría usted en la misma situación?
2. Comente usted la influencia social *(peer pressure)* entre los jóvenes del pueblo de usted. ¿Cómo le afecta a usted, sus costumbres y sus acciones?
3. Describa un episodio de cobardía y otro de valentía que usted ha observado.

Comparaciones y contrastes

T17 Discuta el tema de la valentía en «Un oso y un amor» y en «Bernardino». (Cuentos 5 y 13)

Véase también los temas P17, P18, T7 y A12 en Apéndice A.

14

El Beso de la Patria

Sonia Rivera-Valdés

Al ver mis pies, una de las maestras me dijo: «Tú sabes que sin zapatos negros no puedes llevar el estandarte...»

El Beso de la Patria

Sonia Rivera-Valdés (1942–) was born in Güines, Cuba. A professor and a scholar of Puerto Rican literature, she has made the United States her home. Her short stories have appeared in *Punto de vista* and *Arieto*. "El Beso de la Patria"[1] was published in 1986 in *Nosotras*, an anthology of Latina literature. It is the poignant tale of a prize-winning fourth grader whose moment of glory is suddenly shattered.

Santa Fe

Nos mudamos° para Santa Fe[2] cuando yo tenía ocho años. Aunque estábamos muy cerca de La Habana, era otro mundo. El cambio representó un poco de calma porque mi papá y mi mamá no peleaban° tanto allí. Era un pueblecito de fuertes contrastes, verde y arenoso,° con el mar de la costa norte de La Habana de un lado y las montañas de Tahoro del otro. De los manantiales° que hay en esas montañas venía el agua que tomábamos, a tres centavos la lata:° después subió a cinco. La lata de agua era inmensa; no sé cuántos litros tenía, pero llenaba una tinaja° grande.

Como playa, Santa Fe no valía mucho, demasiadas rocas y poca arena, pero el agua era tan cristalina que yo nadaba despacito por la superficie y veía los peces° negros, amarillos, plateados,° de todos los colores, paseando por debajo de mí. Uno de mis entretenimientos° favoritos era sacar erizos° de las rocas del fondo° del mar con un palo° largo, que generalmente venía de una escoba° vieja, al que le ponía un clavo° grande en la punta para enganchar° los erizos. Me metía en el agua y con la mano derecha sujetaba° el palo mientras con la izquierda me apoyaba° en un cubilete° de madera° que tenía el fondo de cristal, para ver adentro del mar, y servía de flotador. Pasaba largas horas en la playa con Rita, la hija de Goyo el pescador,° a quien conocí recién mudada° al pueblo y nos hicimos grandes amigas. Cuando no estábamos jugando o hablando, me sentaba sobre las rocas a la orilla° de la playa, sola, a soñar con el día en que se me rizara° el pelo, o en cuando me sacara la lotería para pagar las deudas° que mi papá había contraído° jugando al póker. El sueño del pelo era el mejor; un día iba a aparecer un hada que me daría una loción mágica, un champú milagroso° que me rizaría el pelo para siempre. No me gustaba mi pelo, lacio° y fino; quería uno de aquellos con muchos bucles° que veía en el cine de

Nos... We moved
no... didn't fight
sandy
springs
can
large earthen jar
fish / silver
pastimes
sea urchins / bottom
stick / broom
nail / hook
I would hold
I would lean / box / wood
fisherman / **recién...** when I had just moved
shore
curl
debts / contracted
miraculous
straight
curls

[1]**«El Beso de la Patria»** "The Kiss of the Homeland": the name given to annual prizes awarded in every school in Cuba to the best student in each grade.

[2]**Santa Fe** small Cuban town near Havana located on the coast.

Hollywood; mi preferido era el de Viveca Lindfors en una película en que hacía de gitana.°

En invierno el mar rompía con tanta fuerza contra las rocas que una señora que estaba de visita un fin de semana preguntó si había alguna fábrica° cerca, cuyas maquinarias producía la gente que venía de vacaciones, como una gran bandada° de pájaros que se iba al llegar septiembre. Para julio o agosto armaban° el parque de diversiones,° venían unos hombres, desyerbaban° un terreno° grande en alguno de los lugares más céntricos, generalmente un solar° vacío° de los que bordeaban la carretera° de Santa Fe a Punta Brava,[3] e instalaban los caballitos,° la estrella,° las sillas voladoras,° el kiosco del algodón de azúcar,° los puestos° de frituras° y refrescos,° los de vender cerveza° y los de juegos de azar,° en los que se podía ganar un muñeco de peluche,° una taza con su plato, o una polvera° de cristal que tenía en la tapa° una gallina echada°... ésas eran lindas. Instalaban centenares de bombillos;° el día de la inauguración, para los que vivíamos permanentemente en la playa, acostumbrados a largos meses de calles silenciosas y semiapagadas,° era el deslumbramiento;° el movimiento y la iluminación nos maravillaban; recibíamos el parque con tanto entusiasmo que se llenaba todas las noches durante el tiempo que permanecía. Después, cuando comenzaba a oscurecer° más temprano y a amanecer° más tarde, y el mar empezaba a oírse desde la casa por las noches, un día veíamos con melancolía cómo los hombres que desyerbaron el terreno desarmaban° los aparatos y desmontaban° el parque. Al poco tiempo sobre la tierra apisonada° por los pies de la gente volvía a crecer° la yerba.°

El Beso de la Patria

Rita y yo íbamos juntas a la escuela pública.[4] Su mamá, Julia, era la conserje° y como ella era quien preparaba y repartía la merienda,° siempre me daba mucha. Daban leche condensada con gofio° en la sesión de la tarde a la que asistíamos porque los varones° iban por la mañana. Aunque se suponía que la merienda fuera sólo para las niñas más necesitadas° y yo no lo era, porque las había que° no comían en su casa, mi amistad con Rita garantizaba mi parte, lo que me ponía muy contenta.

Yo estaba en cuarto grado. Fue el primero que hice completo en una misma escuela, ya que anteriormente debido a las mudadas° constantes y a que a mi mamá no le gustaba levantarse temprano para mandarme a las clases, cambiaba tres o cuatro veces de escuela durante un curso escolar,° y a veces faltaba meses completos. Esa

gypsy
factory
flock
they would set up
amusement / they weeded / plot of land
plot / empty / highway
the carousel / ferris wheel / flying chairs
el... the cotton-candy stand / stands / fritters
nonalcoholic drinks / beer / chance
muñeco... stuffed animal
powder box / cover / sitting hen
light bulbs
extinguished / dazzle
to grow dark
to dawn
took apart / dismantled
trampled
to grow / grass
caretaker
snack
cornmeal
males
needy
las... there were those who
moves
un... a school year

[3]**Punta Brava** Cuban town near Havana.

[4]**la escuela pública** Only the poorer families send their children to public school. Those whose families can afford a modest tuition are enrolled in private schools.

fue, también, la primera vez que tomé exámenes para pasar de grado. Por las mañanas, sentada en el piso de mosaicos rojos y blancos del portal de la casita de madera en que vivíamos, que se mantenían fríos aunque hubiera un sol que rajaba° las piedras, memorizaba cuanto había escrito en los cuadernos el día anterior. Era la experiencia más grata° que había tenido en mi vida. Leyendo sobre las guerras de independencia de Cuba en el siglo XIX,[5] o aprendiendo cuáles eran los ríos más caudalosos° de Europa, o qué animales tenían sangre° caliente y cuáles la tenían fría, o cuántos huesos° tenía el cuerpo humano, olvidaba un rato los llantos° de mi mamá encerrada° en el baño, por razones que yo sólo medio entendía, y la falta° de dinero de la que mi papá hablaba constantemente. Mientras leía, sentía el fresco del piso° en mis muslos° y piernas,° oía cantar los pájaros y miraba, cada vez que interrumpía la lectura,° las vicarias[6] blancas y rojas y las madamas[7] sembradas° en el jardincito frente al portal, del cual mi papá y todos nosotros habíamos sacado las piedras y latas vacías que tenía cuando nos mudamos allí y habíamos sembrado flores. Pensaba en lo maravillosas que eran las flores de la vicaria blanca, capaces de curar enfermedades de los ojos, y en lo curiosas que eran las vainitas° en que se formaban las semillas° de la madama.

would crack / pleasant / large / blood / bones / crying spells / locked up / lack / floor / thighs / legs / reading / planted / little pods / seeds

Nunca tuve espíritu de competencia porque no tenía por qué desarrollarlo.° Mi mamá no me exigía° nada en ese sentido, y con tantos cambios ni siquiera sabía que existían premios si se tenían buenas notas. Aquel año gané el Beso de la Patria, premio que daban al mejor alumno de cada grado. Me sorprendí muchísimo cuando lo recibí porque no lo esperaba, pero me dio una gran alegría. Debido a este premio fui elegida° para llevar° el estandarte° de la escuela en el natalicio de Martí[8] del próximo año. Era un reconocimiento a mi excelente trabajo académico.

to develop it / demand / elected / carry / banner

La parada

Para conmemorar el veintiocho de enero se organizaban enormes paradas. Los colegios privados hacían un despliegue° de lujo° con uniformes de gala y bandas de música en que los niños iban vestidos de satín rojo, azul pavo,° azul prusia,° verde brillante, amarillo canario, y los trajes estaban adornados con galones° de colores contrastantes; en la cabeza llevaban sombreros altos con penachos

display / luxury / peacock / Prussian / braids

[5]**las guerras... XIX** the Cuban wars of independence in the nineteenth century. Cuba finally won its independence from Spain in 1898.

[6]**las vicarias** flowering plant of the periwinkle family.

[7]**las madamas** tropical flowers.

[8]**el natalicio de Martí = el 28 de enero** the birthday of José Martí (1853–1895), Cuban poet, essayist, and liberator who died fighting for his country's independence from Spain. The date is a national holiday in Cuba.

de plumas;° competían a ver cuál colegio iba más elegante. Las escuelas públicas, iban aparte; trataban de que los niños se vistieran lo mejor posible y ponían algunas restricciones para poder asistir; había que usar cierta ropa que muchos no tenían: ésos no podían
5 participar en el acto patriótico; un requisito° era tener el uniforme de la escuela: la mayoría de los alumnos iba a las clases sin uniforme; los maestros, generalmente, no lo exigían porque sabían que si los niños no lo compraban era porque no tenían dinero para hacerlo. Cuando me nombraron para llevar el estandarte, lo que
10 era un gran honor, me advirtieron° que era necesario ir uniformada° y llevar zapatos de piel° o charol° negro. Yo tenía un uniforme que alguien me había regalado usado; mi mamá lo había teñido° para que recuperara° el color original y lucía° muy bien, pero mis únicos zapatos eran unos tenis. Cuando me dijeron lo de los zapatos no me
15 atreví° a decir que no los tendría porque me daba mucha pena y dije que sí, que iba a tenerlos. No pensé en otra cosa por un mes y pico,° hasta que llegó el día: no se me olvidaba ni cuando estudiaba por la mañana en el portal; no conseguía alegrarme° ni escuchando el canto° de los pájaros, ni aunque los mosaicos estuvieran fríos
20 como siempre, ni aunque las semillas de las madamas hubieran hecho su trabajo de fecundidad con tal constancia que había muchas maticas° nuevas: lloraba todos los días donde no me vieran° y no dije nada en mi casa porque sabía que no iba a haber zapatos negros. Finalmente llegó el día, y después de pensarlo mucho
25 decidí ir; me arreglé lo mejor que pude, muy bañadita° y peinada, con lazos° grandes en las trenzas,° medias blancas, y lavé los tenis. Al presentarme, en medio de la confusión de la organización de la parada, no notaron nada, pero al prepararnos para empezar la marcha yo iba sola delante de los otros estudiantes. Al ver mis pies,
30 una de las maestras,° una señora vieja que decían que era poeta, me llamó aparte y me dijo: «Tú sabes que sin zapatos negros no puedes llevar el estandarte. Nosotros entendemos que no los tienes y por eso no los has traído, pero la parada tiene que quedar bonita. Mira, lo que vamos a hacer es que entre todos los maestros vamos a
35 reunir° dinero para comprarte unos zapatos para la próxima vez. Ahora, Noemí llevará el estandarte.» Noemí que era brutísima° y sacaba malísimas notas, tenía zapatos de charol con unos lacitos de faya.° Lloré disimuladamente° toda la parada. Lo que más me dolía era lo que dijo la maestra de que iban a regalarme unos zapatos. Me
40 pareció todo terriblemente injusto, que yo estaba pagando culpas° que no había cometido. Sufría calladamente° cada vez que entraba a la escuela en los días posteriores a la parada, pensando en el momento en que me fueran a dar los benditos° zapatos. Pero mis angustias° estaban de más,° porque jamás reunieron ningún dinero
45 ni me compraron ningunos zapatos.

penachos... feather plumes
requirement
warned / wearing a uniform
leather / patent leather
dyed
regained / looked
no... I didn't dare
a little
no... I was unable to feel happy
singing
little plants / **no...** they couldn't see me
well bathed
bows / braids
= **profesoras**
= **juntar**
= **muy tonta**
lacitos... silk laces / secretly
sins
silently
darned
anguish / for nothing

Comprensión

¿Qué pasó?

Santa Fe

1. ¿A dónde se mudó la familia de la protagonista?
2. ¿Cómo era el pueblecito de Santa Fe?
3. ¿Qué representó el cambio para la narradora?
4. ¿Cuál era uno de sus entretenimientos favoritos?
5. ¿Quién era su mejor amiga?
6. ¿Con qué soñaba la protagonista del cuento?
7. ¿Cuándo armaban el parque de diversiones?
8. ¿Qué tipo de juegos había en el parque?

El Beso de la Patria

9. ¿Quién era la madre de Rita y qué le daba a la narradora?
10. ¿Por qué anteriormente la niña cambiaba de escuela tres o cuatro veces durante el curso escolar?
11. ¿Qué materias *(subjects)* estudiaba en el cuarto grado?
12. ¿Por qué era tan feliz cuando estaba estudiando?
13. ¿Por qué no tenía espíritu de competencia?
14. ¿Qué premio ganó y por qué?
15. ¿Cuál fue su reacción al recibirlo?

La parada

16. ¿Cómo conmemoraban el natalicio de Martí? ¿Quiénes participaban?
17. ¿Tenían uniformes los alumnos de las escuelas públicas?
18. ¿Qué le exigieron a la niña para participar en la parada?
19. A partir de ese momento, ¿estudiaba con la misma alegría que antes?
20. ¿Cómo se presentó para la parada?
21. ¿Quién advirtió que no llevaba zapatos negros?
22. ¿Qué le dijo la maestra?
23. ¿Quién llevó el estandarte? ¿Cómo era ella?
24. ¿Qué es lo que más le dolió a la protagonista? ¿Por qué?
25. ¿Cumplió su promesa la maestra?

Fuente de palabras

Adjetivos que terminan en *-ísimo*

The suffix **-ísimo** is added to adjectives to form the absolute superlative. It is used to describe exceptional qualities or to denote a high degree of the quality described.

bruto *(stupid)* → **brutísimo** *(very stupid)*
grande *(large)* → **grandísimo** *(very large)*

Note the following spelling changes:

-co → -quísimo	**rico → riquísimo**
-go → -guísimo	**largo → larguísimo**
-z → -císimo	**feliz → felicísimo**

Transformaciones

Cambie cada adjetivo al superlativo absoluto.

1. malo
2. inteligente
3. bueno
4. difícil
5. caro
6. lento
7. mucho
8. importante

Observación

El imperfecto

One of the common uses of the imperfect tense is to describe actions or events that occurred regularly in the past. Consequently, the imperfect frequently appears in the opening paragraphs of a story where the scene is being set.

Pasaba largas horas en la playa con Rita.	***I would spend*** *long hours on the beach with Rita.*
Rita y yo **íbamos** juntas a la escuela pública.	*Rita and I* ***used to go*** *together to the public school.*
Competían a ver cuál colegio iba más elegante.	***They would compete*** *to see which school paraded most elegantly.*

¡Otra vez!

Vuelva a contar la historia, cambiando los infinitivos al tiempo imperfecto.

1. Nos mudamos cuando yo *(tener)* ____ ocho años.
2. Santa Fe *(estar)* ____ cerca de La Habana.
3. En ese pueblecito, mis padres no *(pelearse)* ____ tanto.
4. Mi mejor amiga *(llamarse)* ____ Rita.
5. Ella *(ser)* ____ la hija de Goyo el pescador y de Julia la conserje de la escuela.
6. Rita y yo *(pasar)* ____ mucho tiempo en la playa.
7. Nosotras *(jugar)* ____ y *(hablar)* ____ largas horas.
8. Generalmente yo *(soñar)* ____ con rizarme el pelo y sacar la lotería.
9. Durante los veranos unos hombres *(venir)* ____ e *(instalar)* ____ un parque de diversiones.
10. Frecuentemente, nosotras *(divertirse)* ____ mucho.
11. Rita y yo siempre *(ir)* ____ juntas a la escuela.

12. Antes, como nos habíamos mudado tanto, yo no *(tener)* ____ interés en las competencias.
13. Ahora yo *(estar)* ____ completando el cuarto grado y me *(gustar)* ____ mis estudios.
14. Mientras yo *(leer)* ____ y *(estudiar)* ____, yo *(estar)* ____ muy contenta.
15. Recibí el Beso de la Patria, un premio que los profesores *(dar)* ____ al mejor alumno de cada grado.
16. También me nombraron para llevar el estandarte, lo cual *(significar)* ____ que yo *(tener)* ____ que llevar uniforme y zapatos negros.
17. Pero mis únicos zapatos *(ser)* ____ unos tenis que llevé el día de la parada.
18. Una maestra no me dejó llevar el estandarte, prometiéndome que los profesores *(ir)* ____ a reunir dinero para comprarme los zapatos apropiados para la próxima vez.
19. Yo *(estar)* ____ triste y dolida.
20. Yo *(sufrir)* ____ aún más porque Noemí, una estudiante mala, *(llevar)* ____ el estandarte.

Interpretación

Análisis

1. Describa la personalidad de la narradora.
2. ¿Cómo era su vida familiar? ¿Cómo cree usted que la afectaba a ella?
3. ¿Qué le significaba a ella el estudio antes de recibir el premio? ¿Qué le significaba después de recibirlo? ¿Y al final del cuento?
4. ¿Qué relación hay en este cuento entre la inocencia y la experiencia? Señale los pasajes que ilustran su respuesta.
5. ¿Por qué emplea la narradora tantos detalles al describir la naturaleza? ¿Cuál es el papel de la naturaleza en este cuento?
6. Haga una lista de los comentarios que la narradora ofrece sobre las diferencias entre las clases sociales. ¿Qué indican de la sociedad cubana de aquella época?
7. Analice el siguiente comentario que hace la narradora: «me pareció todo terriblemente injusto, que yo estaba pagando culpas que no había cometido.»
8. El premio que recibió se llamaba «El Beso de la Patria», que es también el título del cuento. ¿Tiene más de un significado esta expresión en el cuento? Explique.

Composición dirigida

Describa el pueblecito de Santa Fe.

PALABRAS CLAVES La Habana / mar / costa / montañas / pescar / agua / cristalina / playa / erizos

Composiciones libres

1. Describa alguna parada que usted ha visto o en la cual ha participado.
2. Describa sus experiencias en un parque de diversiones.

Dramatización en parejas

La narradora y la maestra que le había prometido los zapatos se encuentran quince años más tarde. ¿Qué se dicen?

Discusión en grupos

1. Hay una marcada diferencia social entre las escuelas públicas y las escuelas privadas en este cuento. ¿Ocurre lo mismo en el lugar donde usted vive? Explique. ¿Qué opina usted de la educación pública? ¿y de la privada? ¿Es una realmente mejor que la otra?
2. ¿Por qué la humilla tanto a la narradora saber que le van a regalar zapatos? ¿Cómo se sentiría usted en esta situación?
3. ¿Qué premio le gustaría obtener a usted? ¿Por qué?
4. Todos tienen ídolos del cine a los cuales les gustaría parecerse. ¿Quién es su ídolo? ¿Por qué lo es?

Comparaciones y contrastes

P9 Panchito en «Cajas de cartón» y la narradora en «El Beso de la Patria» tienen experiencias en la escuela que los impresionan mucho. Discuta las actitudes y acciones de sus profesores y cómo los afectan a Panchito y a la narradora. (Cuentos 7 y 14)

Véase también los temas P7, P18, T1, T5, T7 y A4 en Apéndice A.

La pared

Vicente Blasco Ibáñez

Dentro, en aquel infierno que rugía buscando expansión, estaba el abuelo, el pobre tío Rabosa, inmóvil en su sillón.

La pared

Vicente Blasco Ibáñez (1867–1928) was born in Valencia, Spain. As a young lawyer and politician, he supported the cause of the Cuban revolutionists and was exiled in 1896 to Italy where he began his literary career. With the publication of his 1918 novel *Los cuatro jinetes del Apocalipsis (The Four Horsemen of the Apocalypse)*, he attained international acclaim. "La pared,"[1] the story presented here, was written in 1896. From the opening paragraph, it appears to be a classic tale of two families who have been feuding violently for generations. Unexpectedly, however, a fire sparks new relationships.

Las dos familias

Siempre que los nietos del tío Rabosa se encontraban con los hijos de la viuda° de Casporra en las sendas° de la huerta° o en las calles de Campanar,[2] todo el vecindario° comentaba el suceso.° ¡Se habían mirado! ¡Se insultaban con el gesto! Aquello acabaría mal, y 5 el día menos pensado el pueblo sufriría un nuevo disgusto.

El alcalde° con los vecinos más notables predicaban° paz° a los mocetones° de las dos familias enemigas, y allá iba el cura, un vejete° de Dios, de una casa a otra, recomendando el olvido de las ofensas.

10 Treinta años que los odios° de los Rabosas y Casporras traían alborotado° a Campanar. Casi en las puertas de Valencia,[3] en el risueño° pueblecito que desde la orilla° del río miraba a la ciudad con los redondos° ventanales° de su agudo° campanario,° repetían aquellos bárbaros° la historia de luchas y violencias de las grandes 15 familias italianas en la Edad Media.° Habían sido grandes amigos en otro tiempo; sus casas, aunque situadas en distinta calle, lindaban° por los corrales,° separadas únicamente por una tapia° baja. Una noche, por cuestiones de riego,° un Casporra tendió en la huerta de un escopetazo° a un hijo del tío Rabosa, y el hijo menor 20 de éste, para que no se dijera que en la familia no quedaban hombres, consiguió,° después de un mes de acecho,° colocarle una bala entre las cejas° al matador.° Desde entonces las dos familias vivieron para exterminarse, pensando más en aprovechar los descuidos° del vecino que en el cultivo de las tierras. Escopetazos° en medio de 25 la calle; tiros° que al anochecer° relampagueaban° desde el fondo°

widow / paths / orchard
neighborhood / = **evento**
mayor / would preach / peace
= **jóvenes robustos**
eccentric old man
hatreds
traían... agitated
cheerful / bank
round / windows / pointed / bell tower
savages
Edad... Middle Ages
were joined / barnyards / = **pared**
irrigation
tendió... shot in the orchard
managed / lying in wait
colocarle... shoot between the eyes / killer
en... to take advantage of the carelessness
Gunshots
shots / dusk / would flash / bottom

[1]**«La pared»** "The Wall."

[2]**Campanar** a small village on the outskirts of Valencia, Spain.

[3]**Valencia** Spanish seaport on the Mediterranean and capital of the province of the same name, a rich agricultural area.

de una acequia° o tras los cañares° o ribazos° cuando el odiado enemigo regresaba del campo; alguna vez un Rabosa o un Casporra camino del cementerio con una onza de plomo° dentro del pellejo,° y la sed de venganza° sin extinguirse, antes bien, extremándose° con las nuevas generaciones, pues parecía que en las dos casas los chiquitines° salían ya del vientre° de sus madres tendiendo las manos a la escopeta° para matar° a los vecinos.

Después de treinta años de lucha, en casa de los Casporras sólo quedaban una viuda con tres hijos mocetones que parecían torres de músculos. En la otra estaba el tío Rabosa, con sus ochenta años, inmóvil en un sillón de esparto,° con las piernas muertas por la parálisis, como un arrugado° ídolo de la venganza, ante el cual juraban sus nietos defender el prestigio de la familia.

Pero los tiempos eran otros. Ya no era posible ir a tiros° como sus padres en plena plaza° a la salida de la misa mayor.[4] La Guardia Civil[5] no les perdía de vista; los vecinos les vigilaban, y bastaba que uno de ellos se detuviera algunos minutos en una senda o en una esquina, para verse al momento rodeado° de gente que le aconsejaba° la paz. Cansados de esta vigilancia que degeneraba en persecución y se interponía entre ellos como infranqueable° obstáculo, Casporras y Rabosas acabaron por no buscarse, y hasta se huían cuando la casualidad les ponía frente a frente.

irrigation ditch / cane fields / embankments
lead / skin
revenge / getting worse
= **niños** / womb
shotgun / to kill
wicker, cane
wrinkled
ir... to start shooting
en... in the middle of the square
surrounded
were advising
insurmountable

La pared

Tal fue su deseo de aislarse° y no verse, que les pareció baja la pared que separaba sus corrales. Las gallinas° de unos y otros, escalando los montones de leña,° fraternizaban en lo alto de las bardas;° las mujeres de las dos casas cambiaban desde las ventanas gestos de desprecio.° Aquello no podía resistirse: era como vivir en familia; la viuda de Casporra hizo que sus hijos levantaran la pared una vara.[6] Los vecinos se apresuraron° a manifestar su desprecio con piedra y argamasa,° y añadieron algunos palmos[7] más a la pared. Y así, en esta muda° y repetida manifestación de odio la pared fue subiendo y subiendo. Ya no se veían las ventanas; poco después no se veían los tejados;° las pobres aves° del corral estremecíanse° en la lúgubre sombra de aquel paredón que les ocultaba° parte del cielo, y sus cacareos° sonaban tristes y apagados° a través de aquel muro,° monumento de odio, que parecía amasado con los huesos° y la sangre de las víctimas.

to remain isolated
hens
firewood / brambles on top of the wall
disdain
hastened
mortar
= **silenciosa**
roofs / = **gallinas** / trembled
hid
clucking / faded / = **pared**
bones

[4]**a la salida de la misa mayor** as people were leaving [the cathedral] after High Mass [on Sunday morning].

[5]**la Guardia Civil** the "Civil Guard" or Spanish national police force.

[6]**una vara** a measure of length somewhat shorter than a yard (about 33 inches).

[7]**algunos palmos** The "palm" or "span" is an old Spanish measure of length representing the spread from thumb to little finger (about 9 inches).

Así transcurrió° el tiempo para las dos familias, sin agredirse° como en otra época, pero sin aproximarse; inmóviles y cristalizadas en su odio.

passed / attacking one another

El incendio

Una tarde sonaron a rebato° las campanas° del pueblo. Ardía° la casa del tío Rabosa. Los nietos estaban en la huerta; la mujer de uno de éstos en el lavadero,° y por las rendijas° de puertas y ventanas salía un humo° denso de paja° quemada.° Dentro, en aquel infierno que rugía° buscando expansión, estaba el abuelo, el pobre tío Rabosa, inmóvil en su sillón. La nieta se mesaba° los cabellos,° acusándose como autora de todo por su descuido;° la gente arremolinábase° en la calle, asustada° por la fuerza° del incendio. Algunos, más valientes, abrieron la puerta, pero fue para retroceder° ante la bocanada° de denso humo cargada de chispas° que se esparció° por la calle. ¡El pobre agüelo![8]

—¡El agüelo! —gritaba la° de los Rabosas volviendo en vano la mirada en busca de un salvador.

Los asustados vecinos experimentaron° el mismo asombro° que si hubieran visto el campanario marchando hacia ellos. Tres mocetones entraban corriendo en la casa incendiada. Eran los Casporras. Se habían mirado cambiando un guiño de inteligencia,[9] y sin más palabras se arrojaron° como salamandras en el enorme brasero.° La multitud les aplaudió al verles reaparecer llevando en alto como a un santo en sus andas[10] al tío Rabosa en su sillón de esparto. Abandonaron al viejo sin mirarle siquiera, y otra vez adentro.

—¡No, no! —gritaba la gente.

Pero ellos sonreían siguiendo adelante. Iban a salvar algo de los intereses de sus enemigos. Si los nietos del tío Rabosa estuvieran allí, ni se habrían movido ellos de casa. Pero sólo se trataba de un pobre viejo, al que debían proteger como hombres de corazón.° Y la gente les veía tan pronto en la calle como dentro de la casa, buceando° en el humo, sacudiéndose° las chispas como inquietos demonios, arrojando muebles y sacos para volver a meterse entre las llamas.°

Lanzó un grito la multitud al ver a los dos hermanos mayores sacando al menor en brazos. Un madero,° al caer, le había roto una pierna.

—¡Pronto, una silla!

La gente, en su precipitación, arrancó° al viejo Rabosa de su sillón de esparto° para sentar al herido.°

sonaron... rang out the alarm / bells / was burning
laundry shed / cracks
smoke / straw / burned
was roaring
was tearing out / = **pelo**
carelessness
were milling around / frightened / force
to back away / huge puff / sparks
scattered
= **la nieta**
felt / astonishment
threw themselves
brazier
hombres... kind-hearted men
diving / shaking
flames
beam, plank
pulled
sillón... cane armchair / injured man

[8]**agüelo = abuelo** (in local dialect).

[9]**cambiando... inteligencia** exchanging a signal of understanding (**un guiño =** wink).

[10]**como... andas** like [the statue of] a saint [carried in a procession] on its platform.

El muchacho, con el pelo chamuscado° y la cara ahumada,° sonreía, ocultando° los agudos dolores que le hacían fruncir° los labios. Sintió que unas manos trémulas, ásperas;° con las escamas° de la vejez, oprimían° las suyas.

5 —¡Fill meu! ¡Fill meu![11] —gemía° la voz del tío Rabosa, quien se arrastraba° hacia él.

Y antes que el pobre muchacho pudiera evitarlo, el paralítico buscó con su boca desdentada° y profunda las manos que tenía y las besó un sinnúmero de veces, bañándolas con lágrimas.°

scorched / smoky
hiding / pucker
rough / scaly skin
were pressing
moaned
was dragging
toothless
tears

***

10 Ardió toda la casa. Y cuando los albañiles° fueron llamados para construir otra, los nietos del tío Rabosa no les dejaron comenzar por la limpia del terreno, cubierto de negros escombros.° Antes tenían que hacer un trabajo más urgente: derribar° la pared maldita.° Y empuñado° el pico,° ellos dieron los primeros golpes.°

masons
rubble
to tear down
cursed / clutching / pickax / blows

Comprensión

¿Qué pasó?

Las dos familias

1. ¿Cómo se llamaban las familias rivales?
2. ¿Por qué comentaba el vecindario los encuentros entre las dos familias?
3. ¿Qué hacían el alcalde, los vecinos más notables y el cura del pueblecito?
4. ¿Cómo se llamaba el pueblecito? ¿Dónde quedaba?
5. ¿Cuántos años hacía que luchaban las dos familias?
6. ¿Por qué comenzó la lucha?
7. ¿Quién fue el primero que mató a su vecino?
8. ¿Cuántos hijos tenía la viuda de Casporra?
9. ¿Por qué estaba siempre el tío Rabosa en su silla de esparto?
10. ¿Por que los Casporras y los Rabosas terminaron por huirse mutuamente?

La pared

11. ¿Por qué levantaron aun más la pared que separaba sus corrales?
12. ¿Quiénes fueron los primeros en levantar la pared?

El incendio

13. ¿Cuál de las dos casas se quemó?
14. ¿Quién quedó dentro de la casa en llamas?
15. ¿Por qué los vecinos se asombraron tanto?
16. ¿Qué hizo la multitud cuando les vio salir con el tío Rabosa en alto?

[11] **¡Fill meu! = ¡Hijo mío!** (in local dialect).

17. ¿Habrían hecho lo mismo los Casporras si los nietos del tío Rabosa hubieran estado atrapados en la casa?
18. ¿Por qué los Casporras volvieron a entrar en la casa que se quemaba?
19. ¿Qué le ocurrió al menor de los Casporras?
20. ¿Qué dijo y qué hizo en ese momento el tío Rabosa?
21. ¿Cuál fue el primer trabajo cuando llegó el momento de reconstruir la casa?
22. ¿Quiénes hicieron ese trabajo?

Fuente de palabras

Sufijos aumentativos

Augmentative suffixes are less frequent than diminutives. They are used to indicate an increase in size. Sometimes they have a negative connotation.

-ón **el mozo** *(young man)* **el mocetón** *(robust young man)*
-ona **la casa** *(house)* **la casona** *(large rambling house)*

Sometimes, however, the suffix indicates a decrease in size.

el montón *(pile)* **el monte** *(mountain)*

Transformaciones

Dé la palabra que corresponde a la expresión entre paréntesis.

1. un pared *(wall)* un ____ *(large, high wall)*
2. una silla *(chair)* un ____ *(armchair)*
3. un soltero *(unmarried man)* un ____ *(old bachelor)*
4. una soltera *(unmarried woman)* una ____ *(old maid)*
5. una camisa *(shirt)* un ____ *(nightgown)*
6. una caja *(box)* un ____ *(chest)*

Excepción

7. la rata *(rat)* el ____ *(mouse)*

Observación

Los tiempos compuestos

Spanish, like English, has many compound tenses. Usually the meaning of these tenses is readily understood. In the text you encountered the following:

Pluperfect

Habían sido grandes amigos en otro tiempo. ***They had been*** *great friends in times gone by.*

Pluperfect Subjunctive

... experimentaron el mismo asombro que si **hubieran visto** el campanario marchando hacia ellos.

. . . they experienced the same fear as if ***they had seen*** *the bell tower walking toward them.*

Conditional Perfect

Si los nietos del tío Rabosa estuvieran allí, **ni se habrían movido** ellos de casa.

If the grandsons of Uncle Rabosa had been there, they [the Casporras] ***would not have moved*** *from their house.*

¡Otra vez!

Vuelva a contar la historia cambiando los verbos al tiempo pasado apropiado.

1. Las familias Casporra y Rabosa *son* enemigas.
2. *Empiezan* a luchar por cuestiones de riego.
3. Los miembros de las dos familias se *están* matando.
4. Les *motiva* la venganza.
5. La lucha *dura* treinta años y sólo *quedan* la viuda Casporra con tres hijos, el tío Rabosa, que *tiene* ochenta años y sus nietos.
6. Los vecinos *vigilan* la situación.
7. Las familias *construyen* una pared para no verse.
8. Una tarde *hay* un incendio.
9. Se *quema* la casa del tío Rabosa.
10. Los hijos de la viuda Casporra *entran* a la casa y *salvan* al tío.
11. El pobre viejo *está* muy contento y *llora* mucho.
12. Antes de permitir la construcción de una nueva casa, los nietos del tío paralítico *dan* los primeros golpes para derribar la pared maldita.

Interpretación

Análisis

1. Describa el conflicto entre las familias Casporra y Rabosa.
2. ¿Conoce usted otras obras literarias en las cuales el odio entre familias es un asunto principal? Compárelas con «La pared».
3. ¿Quiénes le ponen fin a la lucha entre las dos familias y por qué?
4. Discuta los elementos de la venganza y la justicia en esta narración. Desde un punto de vista social, ¿qué diferencia hay entre la venganza y la justicia?
5. La pared es un factor muy importante en este cuento. ¿Qué representa?
6. ¿Qué papel juega el fuego en este cuento? Lea con atención el tercer párrafo, la escena del incendio y el párrafo final.

Composición dirigida

Cuente la historia del conflicto entre los Rabosas y los Casporras.

PALABRAS CLAVES familia / enemigo / 30 años / riego / matar / hijo / venganza / pared / incendio / tío / reconstruir

Composiciones libres

1. Relate usted la escena del incendio desde el punto de vista de la viuda.
2. Describa el pueblo tal como usted se lo imagina.

Dramatización en parejas

El alcalde y el cura del pueblo comentan sobre la historia de la pared y las dos familias. ¿Qué se dicen?

Discusión en grupos

1. ¿Cuál podría ser un equivalente moderno de la situación narrada en el cuento?
2. Suponga que usted vive en un edificio y tiene problemas con sus vecinos. ¿Qué haría usted para no aislarse de ellos? Como lo más probable es que esta situación resulte intolerable, ¿qué haría usted para reconciliarse con esos vecinos?

Comparaciones y contrastes

T19 Compare y contraste el tema de la venganza en «El general Rueda» y en «La pared». (Cuentos 10 y 15)

Véase también los temas T15 y A12 en Apéndice A.

16
Un día de estos

Gabriel García Márquez

Mientras hervían los instrumentos, el alcalde apoyó el cráneo en el cabezal de la silla y se sintió mejor.

Un día de estos

Gabriel García Márquez (1928–), a Colombian writer who resided in Mexico, saw his literary works honored in 1982 with the Nobel Prize. His best-known and widely translated novel *Cien años de soledad* (1967) traces the history of the Buendía family in the mythical Latin-American setting of Macondo. In "Un día de estos," published in 1962, García Márquez touches on one of his recurrent themes: the effects of civil strife on a country's inhabitants. On this particular day, painful necessity forces the mayor of a small Colombian town to request the services of the village dentist, who also happens to be his political opponent.

El dentista

El lunes amaneció° tibio° y sin lluvia. Don Aurelio Escovar, dentista sin título° y buen madrugador,° abrió su gabinete° a las seis. Sacó de la vidriera° una dentadura° postiza° montada° aún en el molde de yeso° y puso sobre la mesa un puñado° de instrumentos que ordenó de mayor a menor, como en una exposición. Llevaba una camisa a rayas,° sin cuello,° cerrada arriba con un botón dorado, y los pantalones sostenidos° con cargadores° elásticos. Era rígido, enjuto,° con una mirada que raras veces correspondía a la situación, como la mirada de los sordos.°

dawned / warmish
diploma / very early riser / office
glass case / set of teeth / false / mounted
plaster / handful
striped / collar
held up / suspenders / = **delgado**
deaf people

Cuando tuvo las cosas dispuestas° sobre la mesa rodó° la fresa° hacia el sillón de resortes° y se sentó a pulir° la dentadura postiza. Parecía no pensar en lo que hacía, pero trabajaba con obstinación, pedaleando en la fresa[1] incluso° cuando no se servía de ella.°

arranged / he rolled / drill
sillón... dentist's chair / polish
even / **no...** he wasn't using it

La llegada del alcalde

Después de las ocho hizo una pausa para mirar el cielo por la ventana y vio dos gallinazos° pensativos que se secaban° al sol en el caballete° de la casa vecina. Siguió trabajando con la idea de que antes del almuerzo volvería a llover. La voz destemplada° de su hijo de once años lo sacó de su abstracción.°

buzzards / were drying themselves
ridge of the roof
shrill
concentration

—Papá.

—Qué.

—Dice el alcalde° que si le sacas° una muela.°

—Dile que no estoy aquí.

mayor / pull / tooth

[1]**pedaleando en la fresa** pedaling the drill. Since there is no electricity, the dentist uses a set of foot pedals to mechanically power the drill with which he polishes the false teeth.

Estaba puliendo un diente de oro. Lo retiró° a la distancia del brazo y lo examinó con los ojos a medio cerrar.° El la salita de espera volvió a gritar su hijo.

—Dice que sí estás porque te está oyendo.

El dentista siguió examinando el diente. Sólo cuando lo puso en la mesa con los trabajos terminados, dijo:

—Mejor.°

Volvió a operar la fresa. De una cajita de cartón° donde guardaba las cosas por hacer, sacó un puente° de varias piezas° y empezó a pulir el oro.

—Papá.

—Qué.

Aún no había cambiado de expresión.

—Dice que si no le sacas la muela te pega un tiro.°

Sin apresurarse,° con un movimiento extremadamente° tranquilo, dejó de pedalear en la fresa, la retiró del sillón y abrió por completo la gaveta° inferior° de la mesa. Allí estaba el revólver.

—Bueno —dijo—. Dile que venga a pegármelo.°

Hizo girar° el sillón hasta quedar de frente a° la puerta, la mano apoyada° en el borde° de la gaveta. El alcalde apareció en el umbral.° Se había afeitado la mejilla° izquierda, pero en la otra, hinchada° y dolorida,° tenía una barba de cinco días. El dentista vio en sus ojos marchitos° muchas noches de desesperación. Cerró la gaveta con la punta de los dedos° y dijo suavemente:°

—Siéntese.

—Buenos días —dijo el alcalde.

—Buenos —dijo el dentista.

Mientras hervían° los instrumentos, el alcalde apoyó el cráneo° en el cabezal° de la silla y se sintió° mejor. Respiraba un olor glacial.[2] Era un gabinete pobre: una vieja silla de madera, la fresa de pedal, y una vidriera con pomos de loza.° Frente a la silla, una ventana con un cancel de tela° hasta la altura de un hombre. Cuando sintió que el dentista se acercaba,° el alcalde afirmó los talones° y abrió la boca.

La extracción de la muela

Don Aurelio Escovar le movió la cara hacia la luz. Después de observar la muela dañada,° ajustó° la mandíbula° con una cautelosa° presión° de los dedos.

—Tiene que ser sin anestesia —dijo.

—¿Por qué?

- he held
- **a...** half-closed
- All the better.
- **cajita...** small cardboard box
- (dental) bridge / pieces
- **te...** he will shoot you
- hurrying / extremely
- drawer / bottom
- to shoot me
- He rolled / **hasta...** until it was opposite
- leaning on / edge
- doorway / cheek
- swollen / in pain
- tired
- **punta...** fingertips / softly
- were boiling / head
- headrest / he felt
- **pomos...** porcelain flasks
- **cancel...** cloth curtain
- was approaching
- **afirmó...** braced his heels
- infected / he adjusted / jaw / careful
- pressure

[2]**Respiraba un olor glacial.** His breath was cold *(with fright)*. Literally, he was breathing out icy air.

—Porque tiene un absceso.[3]

El alcalde lo miró en los ojos.

—Está bien —dijo, y trató de sonreír. El dentista no le correspondió.° Llevó a la mesa de trabajo la cacerola° con los instrumentos hervidos° y los sacó del agua con unas pinzas° frías, todavía sin apresurarse. Después rodó la escupidera° con la punta del zapato y fue a lavarse las manos en el aguamanil.° Hizo todo sin mirar al alcalde. Pero el alcalde no lo perdió de vista.°

Era una cordal inferior.° El dentista abrió las piernas y apretó° la muela con el gatillo° caliente. El alcalde se aferró° a las barras° de la silla, descargó toda su fuerza en los pies° y sintió un vacío helado en los riñones,[4] pero no soltó un suspiro. El dentista sólo movió la muñeca.° Sin rencor,° más bien con una amarga° ternura,° dijo:

—Aquí nos paga veinte muertos,° teniente.[5]

El alcalde sintió un crujido° de huesos° en la mandíbula y sus ojos se llenaron de lágrimas.° Pero no suspiró hasta que no sintió salir la muela. Entonces la vio a través de las lágrimas. Le pareció° tan extraña° a su dolor, que no pudo entender la tortura de sus cinco noches anteriores. Inclinado° sobre la escupidera, sudoroso, jadeante,° se desabotonó° la guerrera° y buscó a tientas° el pañuelo en el bolsillo del pantalón. El dentista le dio un trapo° limpio.

—Séquese° las lágrimas —dijo.

El alcalde lo hizo. Estaba temblando. Mientras el dentista se lavaba las manos, vio el cielorraso° desfondado° y una telaraña° polvorienta° con huevos de araña° e insectos muertos. El dentista regresó secándose las manos. «Acuéstese —dijo— y haga buches° de agua de sal.» El alcalde se puso de pie,° se despidió con un displicente° saludo° militar, y se dirigió a la puerta estirando° las piernas, sin abotonarse la guerrera.

—Me pasa° la cuenta —dijo.

—¿A usted o al municipio?°

El alcalde no lo miró. Cerró la puerta, y dijo, a través de la red° metálica.

—Es la misma vaina.[6]

didn't return the smile / pot
sterilized / tongs
spittoon
washbasin
no... didn't take his eyes off him
lower wisdom tooth / grasped
dental forceps / seized / arms
descargó... braced his feet with all his strength
wrist / rancor / bitter / tenderness
Aquí... Now you are paying for 20 of our men who died
crunch / bones
tears
it (the tooth) seemed
unrelated
Leaning
panting / unbuttoned / tunic / **buscó...** groped for
rag
Dry
= **cielo raso** flat ceiling / crumbling / spider web
dusty / spider
haga... gargle
stood up
indifferent / salute / stretching
send
city hall
screen

[3]**un absceso** an abscess. Because of the pus and inflammation, the dentist says he is afraid to give an injection of Novocain.

[4]**sintió... riñones.** He had a sinking feeling in the pit of his stomach. Literally, he felt an icy emptiness in his kidneys. For Spanish speakers, the kidneys, rather than the stomach or the heart, symbolize the center of the body.

[5]**teniente** lieutenant. The mayor is part of the military junta, which the dentist opposes.

[6]**Es la misma vaina.** It's one and the same thing. That is, whether the bill goes directly to the mayor or to city hall, it is the municipality that will pay. Literally, **la vaina** is a pod.

Comprensión

¿Qué pasó?

El dentista

1. ¿Cuál es la profesión de don Aurelio Escovar?
2. ¿A qué hora abrió el dentista el gabinete?
3. ¿Qué estaba haciendo don Aurelio esa madrugada?
4. ¿Cómo estaba vestido esa mañana?
5. ¿Qué estaba puliendo?

La llegada del alcalde

6. ¿Qué lo distrajo?
7. ¿Qué vino a decirle su hijo?
8. ¿De qué manera reaccionó a lo que le dijo su hijo?
9. ¿Cómo amenazó el alcalde al dentista?
10. ¿Qué tenía don Aurelio en la gaveta inferior de la mesa?
11. ¿Parecía tener miedo el dentista?
12. ¿Qué observó el dentista en los ojos del alcalde?

La extracción de la muela

13. ¿Por qué no usó anestesia el dentista?
14. ¿Cómo se preparó el dentista para la extracción?
15. ¿Qué diente tenía que sacar el dentista?
16. ¿Cómo trató el dentista al alcalde?
17. ¿Cuánto tiempo había sufrido el alcalde con ese diente?
18. ¿Cómo salió el alcalde de la operación?
19. ¿Qué le recomendó el dentista al alcalde?
20. Cuando el alcalde pidió a don Aurelio que le pasara la cuenta, ¿qué le preguntó el dentista?
21. ¿Cómo respondió el alcalde?

Fuente de palabras

Familias de palabras

In nouns derived from stem-changing verbs, the same vowel shift occurs when the syllable containing that vowel is accented.

contar *(to count)* → **la cuenta** *(bill, account)*

BUT:

la contabilidad *(accounting)* → **el contador** *(accountant)*

Transformaciones

Dé los verbos que corresponden a cada sustantivo. Luego, dé el significado del sustantivo y utilice cada sustantivo en una frase original.

1. el almuerzo ____ ar *(to have lunch)*
2. la prueba ____ ar *(to prove)*
3. el comienzo ____ ar *(to begin)*
4. el recuerdo ____ ar *(to remember)*
5. el sueño ____ ar *(to dream)*
6. la fuerza ____ ar *(to force)*
7. el encuentro ____ ar *(to meet)*
8. el juego ____ ar *(to play)*
9. la muerte ____ ir *(to die)*
10. el pueblo ____ ar *(to populate)*

Observación

Las acciones progresivas

In Spanish, actions in progress for a specific period of time can be expressed by the constructions **estar** or **seguir** + present participle (**-ando** or **-iendo** form of the verb).

Estaba puliendo un diente de oro.	*He **was** (in the act of) **polishing** a gold tooth.*
Estaba temblando.	***He was trembling.***
Siguió trabajando...	***He kept on working . . .***
... **siguió examinando** el diente.	*. . . **he continued examining** the tooth.*

¡Otra vez!

Cambiando los verbos en itálicas al presente, vuelva usted a contar la narración.

1. El dentista *abrió* su gabinete a las seis.
2. *Llevaba* una camisa a rayas.
3. *Era* un hombre rígido y enjuto.
4. El dentista *estaba* ordenando los instrumentos de mayor a menor sobre la mesa.
5. Se *sentó* y *empezó* a trabajar.
6. *Siguió* puliendo una dentadura postiza.
7. Después de las ocho, *hizo* una pausa.
8. *Estaba* mirando al cielo por la ventana.
9. Su hijo *llamó* para informarle de la llegada del alcalde.
10. El dentista no *quería* sacarle la muela al alcalde.
11. El alcalde *siguió* insistiendo y *amenazó* al dentista.
12. El dentista *estaba* abriendo la gaveta inferior de la mesa donde *tenía* el revólver.
13. El dentista *decidió* no sacar el revólver de la gaveta y *dejó* entrar al alcalde.
14. El alcalde, que *estaba* sufriendo de un absceso en un diente, *sintió* un crujido de huesos en la mandíbula porque el dentista le *sacó* la muela.
15. El alcalde, que todavía *estaba* temblando, se *secó* las lágrimas, se *puso* de pie y se *despidió* sin pagar.

Interpretación

Análisis

1. ¿Cómo es el alcalde? ¿Por qué trató tan fríamente el dentista al alcalde?
2. ¿Por qué amenazó el alcalde al dentista? ¿Por qué estaba el dentista preparado a responder a la amenaza de la misma manera?
3. ¿Por qué le dijo el dentista al alcalde, «Aquí nos paga veinte muertos, teniente»?
4. ¿Por qué no hay diferencia entre el municipio y el alcalde?
5. ¿Cómo interpreta usted el título del cuento «Un día de estos»?
6. Describa la actitud que tiene el autor hacia el dentista y hacia el alcalde.
7. ¿Cómo cambian los papeles de los dos hombres en el cuento?
8. ¿Qué predomina en este cuento: la acción, el diálogo o la descripción?
9. ¿Cómo produce el autor el efecto de tensión en el cuento?
10. ¿Piensa usted que la justicia tiene un papel importante en este cuento? Explique.
11. Discuta el tema de la violencia.

Composiciones dirigidas

1. Describa a don Aurelio Escovar.

   PALABRAS CLAVES dentista / título / madrugada / hijo / camisa / pantalones / ser / rígido / enjuto / corresponder / pensar / obstinación

2. Describa usted el consultorio del dentista.

   PALABRAS CLAVES ser / viejo / polvoriento / madera / tener / silla / haber / gaveta / revólver / tela / puerta / fresa / instrumentos

Composiciones libres

1. Imagínese que usted es el alcalde. ¿Qué pensamientos tiene antes de ir al consultorio del dentista? ¿Y después?
2. Imagínese que el hijo del dentista estaba observando el encuentro entre su padre y el alcalde. ¿Cuáles eran los pensamientos y los sentimientos del niño?

Dramatización en parejas

El hijo del dentista quiere una explicación de lo que pasó en la oficina con el alcalde. Le hace una serie de preguntas a su papá. ¿Cómo le responde el papá?

Discusión en grupos

1. ¿Cree usted que el dentista realmente no podía usar anestesia? Explique.
2. ¿Qué sensación le produjo a usted la escena en la que el dentista le sacó la muela al alcalde?
3. ¿Con quién simpatiza usted en el relato, con el alcalde o con el dentista? ¿Por qué?

4. Describa su última visita al dentista. ¿Le tiene miedo al dentista? ¿Por qué?
5. Explique cómo debe ser la relación entre el gobierno y el pueblo de este cuento.
6. ¿Qué opina usted sobre el gobierno de su ciudad?

Comparaciones y contrastes

T2 Describa el tema del poder en «El general Rueda» y en «Un día de estos». (Cuentos 10 y 16)

Véase también los temas P14, P20, T12 y A10 en Apéndice A.

La vieja casona

Julieta Pinto

Y soy ahora la madre. Me toca desempeñar este papel y no lo he aprendido todavía.

La vieja casona

Julieta Pinto (1921–) was born in San José, Costa Rica, and is currently Professor and Director of the School of Languages and Literatures at the National University in Heredia. For her literary work, she was awarded the "Premio Nacional de Cuento" in 1970. "La vieja casona"[1] was published in her collection entitled *Si se oyera el silencio* (1967). In the story, the reader eavesdrops on the thoughts of the old abandoned house and on the fears and dreams of the young mother who has come back to live there.

La vieja casona

Los murciélagos° que por tantos años habitaron los cuartos desiertos salieron chillando° al entrar el sol por las ventanas. Nubes de corpúsculos° diminutos° de polvo iniciaron un baile fantástico en los rayos de luz, y la casona crujió° con sus puertas. Su sonido no era el quejido° cansado de un gozne° o de una cerradura,° sino un sonido alegre, como el gorjear° de un niño cuando se despierta en las mañanas.

Era efectivamente un despertar. No se sabía cuántos años habían permanecido sus puertas cerradas, cuánto tiempo había sido habitada sólo por arañas° y ratones.

Hacía mucho que sus paredes no escuchaban voces ni sus pisos° sentían el roce° de unos pasos.° Sola y abandonada, el polvo la invadía, las goteras° se infiltraban entre las tejas° desacomodadas° por el viento del verano, y sus brazos se cansaban de sostener una armazón° que no daba abrigo a nadie. Cuando se creía ya inservible, que iba a recogerse para el sueño, una mañana la luz penetró de nuevo y pasos ligeros recorrieron las habitaciones. Sintió el agua correr por los pisos de ladrillos,° la escoba° y el trapo° por los de madera.° Las paredes fueron sacudidas° y los muebles desenterrados° de una capa° oscura y fina de polvo. Sus entrañas° se conmovieron al oír el vagido° de un recién nacido, y su esqueleto se enderezó° como el de un abuelo ante la figura erguida° de su nieto.

bats
screeching
flecks / = **pequeños**
creaked
groan / hinge / lock
gurgling
spiders
floors
touch / steps
leaks / tiles / disarranged
frame, skeleton
bricks / broom / rag
wood / dusted / unburied
film / guts
wail / straightened out
straight

Pensando en el futuro

La joven agotada° se dejó caer en un sillón. Su cara roja por el ejercicio estaba húmeda de sudor° y una sonrisa de satisfacción jugueteaba en sus labios. La casa estaba habitable de nuevo. Contempló al pequeño que dormía en su canasta,° ajeno al ajetreo° que se desarrollaba a su alrededor. Sus facciones° se ensombrecieron.°

= **cansada**
sweat
cradle / **ajeno...** unaware of the bustle
facial features / darkened

[1]**«La vieja casona»** "The Large Old House."

«Yo soy ahora la madre. Me toca desempeñar° este papel° y no lo he aprendido todavía. Ha sido fácil ser hija. Vivir ajena a lo que significa responsabilidad. Recibir sin saber qué se recibe, como algo natural, casi una obligación. Esta casona fue el marco° de mi niñez, mi crecimiento° angustioso,° el descubrimiento de la muerte cuando mi padre nos dejó para siempre. Voy a vivir bajo las mismas paredes que mis padres, que mis abuelos. Recorreré con mi hijo las mismas etapas° que ellos recorrieron, imitaré sus gestos y sus palabras. Oiré la lluvia caer sobre las tejas y su espesa° cortina borrará el paisaje que veo desde el corredor. Soñaré los mismos sueños que mi madre cuando se quedaba pensativa con la aguja° enhebrada° y los ojos perdidos en el borde celeste de las montañas. Sentiré la impaciencia de mis hijos tirándome de la falda, y mis ojos tendrán esa mirada perdida que tanto me impacientaba.

«Recorreré la finca° observando las nuevas siembras.° Tan antiguas como la tierra misma, cuando las hierbas° crecían° cada invierno y morían cada verano. Hoy son los cultivos, pero el ciclo de las estaciones continúa y el verano precede al invierno como mis padres me precedieron a mí. Las voces de mi madre y de mi abuela están confundidas en estas paredes, son una sóla que se une a la mía para darle más resonancia.

«Los juguetes° sacudidos del polvo de los años recobrarán la vida después de soñar tan largo tiempo; el caballo de madera galopará con mi hijo mayor, y la muñeca° de porcelana con un brazo postizo° contará la historia de su desgracia,° mientras una hija mía de ojos oscuros la mece° en la pequeña poltrona° de brazos roídos° por el comején.°»

to play / role
setting
growing up / anguished
stages
thick
needle / threaded
farm / sown fields
grass / would grow
toys
doll
false / misfortune
rocks / easy chair / gnawed
termite

Pensando en el pasado

Se sobresaltó° al ver las sombras absorbiendo la luz. Había comenzado la lucha de la que siempre salían vencedoras. Sintió rebullirse° al pequeño y supo que tenía hambre. Se acercó a la cocina para calentarle la leche. No había notado lo tarde que era.

«Creo que va a ser difícil aprender que los niños comen a horas fijas, que debo tener presente el reloj y no permitirme vagar en el tiempo como lo he hecho todos estos años. Aún recuerdo la sorpresa cuando la sirvienta me decía que hacía rato me llamaba a comer. ¿A comer?, repetía asombrada; pero si el sol está alto todavía. La sonrisa de malicia me hacía mirar hacia el poniente:° nubes de colores luchaban por sostener el disco rojo que se les escapaba descendiendo cada vez más. Me apresuraba a acercarme a la mesa iluminada por la misma luz que teñía° las nubes y pedía disculpas° por llegar tarde. La voz severa de mi padre repetía: «Recuerda que me gusta terminar la comida antes de que oscurezca.° Detesto la luz de las bombillas° que destiñen° los alimentos y

Se... She was startled
to stir
west
was coloring
excuses
gets dark
light bulbs / discolor

el sonido de los murciélagos gritando en la oscuridad.» Rápidamente sorbía° mi sopa de celajes.°

«Ahora soy yo la que debe cuidar que la comida se sirva a sus horas, que el sol no se acueste sin que yo lo sepa° y que mi hijo
5 tenga la leche lista al despertar. El baño diario, sus alimentos regidos por un reloj que debo cuidar y vigilar cada hora, sin permitir que salte° el tiempo o se quede estancado° como a veces me sucede.°»

Llevó la leche al niño que la pedía con su única arma: un llanto°
10 impaciente, colérico,° que al no ser atendido prontamente se convertía en un vagido angustioso. Su vocecita° denotaba el terror del abandono que ronda las cunas° de los recién nacidos.

«Vagamente veo mi figura recostada° en vez de la del niño y mi madre con la botella de leche mientras me acariciaba° suavemente.
15 Mil palabras cariñosas salían de sus labios. Aunque no las entendía, su tono me daba una sensación tan reconfortante como la leche que sorbía. Era la certeza,° la seguridad de que había alguien que me cuidaría siempre y mis ojos se cerraban tranquilos.

I sipped, drank / colored clouds

no... does not set without me knowing

flies by / suspended

me... it happens to me

cry

angry

little voice

cradles

reclining

caressed

certainty

Pensando en el presente

«Ahora contemplo las paredes gruesas° y un estremecimiento°
20 me recorre. Siento como si estuviera presa,° como si el reloj y la casa fueran verjas de hierro° que no me dejarán salir jamás. Una sensación de angustia° me invade. No soy libre, lo dejé de ser en el momento que nació mi hijo, desde el día en que su boca golosa° se prendió° de mis pechos° y sus labios hicieron salir hilos° de leche.
25 La responsabilidad me aterra,° yo no soy como mi madre ni como mi abuela. Soy diferente. Deseo estar sola y dejar volar mis pensamientos por regiones desconocidas donde el tiempo y el espacio se unen en una sola línea continua sin escollos° ni quiebres.° Me gusta sentarme a la orilla° de un río; hacer un largo viaje en el corazón de
30 una hoja que tuvo la suerte de caer en sus aguas. Juntas recorrer distancias inmensas y por fin sumergirnos en un agua clara, sin fronteras y donde se desconoce el tiempo.

«A veces la tierra me cansa y mi pensamiento se va en una nube buscando alturas,° estrellas, mundos nuevos, que se pueden ver
35 también a través de los árboles cuando reposo de espaldas a la tierra° y las hojas forman un encaje° que aleja° aún más el cuadrado° azul del cielo. Los minutos, las horas y los días se confunden en un segundo de eternidad.»

El niño se quejó° y ella lo miró sorprendida. Había terminado
40 de tomar la leche sin que se diera cuenta° y la miraba con una interrogación en sus ojos azules. Se sobresaltó al ver que no dormía. Parecía que había estado leyendo sus pensamientos y en sus ojos se leía el temor. Un impulso la hizo abrazarlo° y, acunándolo,°

= **gordas** / shudder

Siento... I feel as if I were a prisoner

verjas... iron grills

anguish, distress

hungry

took hold of / breasts / squirts

terrifies

difficulties / failures

shore

heights

reposo... I rest on the ground on my back / lace pattern / pushes away

square

complained

sin... without his mother realizing it

to hug him / rocking his cradle

comenzó a susurrarle° las mil palabras de cariño° que sólo una madre conoce. No sabía dónde las había aprendido ni cómo salían de sus labios. Minutos después el niño dormía tranquilamente mientras un hilito° de leche se escurría° por sus mejillas.°

5 Un suspiro° largo, tenue, se escapó del corazón de la vieja casona. Ya no temía al tiempo. Se sintió que aún tenía el olor° del bosque,° el color de las hojas tiernas,° y sus brazos fuertes sostuvieron° con orgullo las paredes desteñidas.°

to whisper to him / love
small trickle / was running / cheeks
sigh
smell
forest / tender
held / faded

Comprensión

¿Qué pasó?

La vieja casona

1. ¿En qué condiciones está la casa al comenzar el cuento?
2. ¿Por qué se dice en el segundo párrafo que era «un despertar»?

Pensando en el futuro

3. ¿Quién se dejó caer en un sillón? ¿Por qué sonreía ella?
4. ¿Por qué se preocupa tanto la narradora al ver al pequeño en su canasta?
5. ¿Quién se murió cuando ella era niña?
6. ¿Qué cosas menciona ella al evocar su infancia?

Pensando en el pasado

7. ¿Cómo era su padre?
8. ¿Qué necesita el niño diariamente?
9. Cuando la narradora era niña, ¿cómo la trataba su madre?

Pensando en el presente

10. ¿Por qué invade una sensación de angustia a la narradora?
11. ¿Por qué a ella le aterra la responsabilidad de ser madre?
12. ¿En qué aspecto se siente diferente la narradora?
13. Cuando se queja el niño, ¿qué hace la mamá?
14. ¿Cuál es la reacción de la casona al terminar el cuento?

Fuente de palabras

Familias de palabras

Some Spanish nouns and **-ar** verbs are closely related to one another.

suspirar *(to sigh)* — **el suspiro** *(sigh)*
viajar *(to travel)* — **el viaje** *(trip)*
disculpar *(to excuse)* — **la disculpa** *(apology)*

Transformaciones

Dé el sustantivo relacionado con el verbo y también dé su significado en inglés.

1. abrigar *(to shelter)* el ____ o (____)
2. sobresaltar *(to stand out)* el ____ o (____)
3. impulsar *(to urge)* el ____ o (____)
4. olvidar *(to forget)* el ____ o (____)
5. odiar *(to hate)* el ____ o (____)
6. trabajar *(to work)* el ____ o (____)
7. bailar *(to dance)* el ____ e (____)
8. estrellar *(to star)* la ____ a (____)
9. luchar *(to struggle)* la ____ a (____)

Observación

La voz pasiva

The passive voice in Spanish is formed with **ser** and the past participle.

Las paredes **fueron sacudidas.**	*The walls **were dusted.***
No se sabía... cuánto tiempo **había sido habitada** sólo por arañas y ratones.	*[The house] did not know . . . how long **it had been inhabited** only by spiders and mice.*

More commonly Spanish uses an impersonal construction with **se** to express a passive construction.

... debe cuidar que la comida **se sirva** a sus horas.	*. . . one must make sure that meals **are served** at the right time.*

¡Otra vez!

Vuelva a contar la historia cambiando los infinitivos al tiempo imperfecto o pretérito.

1. Nadie *(vivir)* ____ en la casona por muchos años con la excepción de los murciélagos.
2. La casona *(sentirse)* ____ sola y abandonada.
3. Entonces, una madre joven *(llegar)* ____ a la casona con su niño.
4. La casa *(estar)* ____ habitable de nuevo.
5. Ella *(ir)* ____ a vivir en la misma casa de su niñez.
6. La narradora *(tener)* ____ miedo de la responsabilidad de ser madre.
7. Ella *(recordar)* ____ con nostalgia cómo *(ser)* ____ su vida en esa casa.
8. El niño *(quejarse)* ____ y ella *(saber)* ____ que el bebé *(tener)* ____ hambre.
9. Ella *(pensar)* ____ en su severo padre.
10. A la narradora *(preocuparle)* ____ la responsabilidad de cuidar a un niño.
11. La memoria del cariño de su madre le *(dar)* ____ una sensación reconfortante a la narradora.
12. La narradora *(desear)* ____ estar sola y libre.

13. Ella *(estar)* ____ soñando cuando el niño la *(sorprender)* ____ .
14. Como buena madre, la narradora *(abrazar)* ____ a su niño.
15. Minutos después, el niño *(dormir)* ____ tranquilamente.
16. La vieja casona *(dar)* ____ un suspiro largo.

Interpretación

Análisis

1. Describa a la joven madre. ¿Qué ambivalencias tiene? ¿Cuáles son sus conflictos? ¿y sus esperanzas?
2. ¿Qué relación hay entre la joven madre y la vieja casona? Desarrolle su respuesta refiriéndose al texto del cuento.
3. ¿Cómo es la casona? ¿Qué relación ve usted entre el tercer párrafo y el último párrafo del cuento? ¿Qué efecto produce la autora al personificar la casona?
4. ¿Cuáles son los sueños de la narradora? ¿Cuántos años cree Ud. que tiene?
5. ¿Cómo percibe usted la maternidad en este cuento? Fíjese especialmente en el penúltimo párrafo.
6. Según la narradora, ¿qué es la libertad? ¿Cómo se define?
7. Comente la relación de la narradora con la naturaleza.
8. ¿Qué función tiene la memoria en este cuento?

Composición dirigida

Describa la vieja casona antes de la llegada de la madre y su niño.

PALABRAS CLAVES murciélago / habitar / puerta / solo / polvo / invadir / arañas / ratones

Composiciones libres

1. Imagínese que la vieja casona les pertenecía a los padres del marido de la mujer y no a los padres de ella. En este caso, ¿cuáles serían los pensamientos y los sentimientos de la madre al fin del día?
2. Imagínese que el marido de la mujer del cuento regresa del campo, donde ha trabajado todo el día. ¿Qué pensamientos tiene al ver la vieja casona?

Dramatización en parejas

La vieja casona y los murciélagos hablan animadamente sobre la presencia de la madre y su hijo. ¿Cuáles son sus observaciones?

Discusión en grupos

1. ¿Qué cambios ocurren en la vida de una persona al tener hijos?
2. Describa las características de una buena madre y un buen padre.

3. ¿Cuáles son algunos recuerdos nostálgicos de su niñez?
4. ¿Siempre ha vivido usted en la misma casa o el mismo apartamento? ¿Qué es lo bueno y lo malo de donde vive ahora?
5. Si usted tiene hijos en el futuro, ¿piensa vivir en la ciudad o en el campo? ¿Por qué?

Comparaciones y contrastes

P1 Compare y contraste a las dos madres en «El tiempo borra» y en «La vieja casona». (Cuentos 3 y 17)

Véase también los temas P10, S1, T10, A4 y A13 en Apéndice A.

La conciencia

Ana María Matute

El hombre, viejo y andrajoso, estaba allí, con el sombrero en la mano, en actitud de mendigar.

La conciencia

Ana María Matute (1926–) is well known for her novels and short stories. In "La conciencia," which appeared in her anthology *Historias de la Artámila* (1961), she shows how readily we can become victims of our own feelings of guilt. For Mariana, the innkeeper, the arrival of an old vagabond on Ash Wednesday sets into motion a host of conflicting sentiments.

Primera parte

La llegada del vagabundo

Ya no podía más.° Estaba convencida de que no podría resistir más tiempo la presencia de aquel odioso° vagabundo. Estaba decidida a terminar. Acabar° de una vez,° por malo que fuera,° antes que soportar° su tiranía.

5 Llevaba cerca de quince días en aquella lucha.[1] Lo que no comprendía era la tolerancia de Antonio para con° aquel hombre. No: verdaderamente, era extraño.

El vagabundo pidió hospitalidad por una noche: la noche del Miércoles de ceniza,[2] exactamente, cuando se batía° el viento 10 arrastrando° un polvo negruzco,° arremolinado,° que azotaba° los vidrios° de las ventanas con un crujido° reseco.° Luego, el viento cesó.° Llegó una calma extraña a la tierra, y ella pensó, mientras cerraba y ajustaba los postigos.°

—No me gusta esta calma.

15 Efectivamente, no había echado° aún el pasador° de la puerta cuando llegó aquel hombre. Oyó su llamada sonando atrás,° en la puertecilla de la cocina:

—Posadera[3]...

Mariana tuvo un sobresalto.° El hombre, viejo y andrajoso,° 20 estaba allí, con el sombrero en la mano, en actitud de mendigar.°

—Dios le ampare°... —empezó a decir. Pero los ojillos del vagabundo le miraban de un modo extraño. De un modo° que le cortó las palabras.

Ya... She couldn't take it any longer.
hateful
To end it / **de...** once and for all / **por...** no matter how bad it might be
antes... rather than put up with
toward
was blowing violently
dragging along / blackish / whirling / whipped
panes / creaking / dry
stopped
shutters
thrown / bolt
in back
tuvo... was startled / ragged
en... in a begging posture
protect you
In such a way

[1]**Llevaba... lucha.** She had been struggling [with the situation] for about two weeks.

[2]**Miércoles de ceniza** Ash Wednesday, the first day of Lent, a period of forty days of penance before Easter.

[3]**Posadera** (Madam) Innkeeper. The vagabond uses this title as a polite form of address.

Muchos hombres como él pedían la gracia del techo,° en las noches de invierno. Pero algo había en aquel hombre que la atemorizó° sin motivo.

> **gracia...** shelter / frightened

El vagabundo empezó a recitar su cantinela:[4] «Por una noche, que le dejaran° dormir en la cuadra; un pedazo de pan y la cuadra: no pedía más. Se anunciaba la tormenta...»

> you might allow him

En efecto, allá afuera, Mariana oyó el redoble° de la lluvia contra los maderos° de la puerta. Una lluvia sorda, gruesa,° anuncio de la tormenta próxima.

> beating / boards / heavy

—Estoy sola —dijo Mariana secamente°—. Quiero decir... cuando mi marido está por los caminos° no quiero gente desconocida° en casa. Vete,° y que Dios te ampare.

> dryly / on the road / unknown / Go away

Pero el vagabundo se estaba quieto, mirándola. Lentamente, se puso su sombrero, y dijo:

—Soy un pobre viejo, posadera. Nunca hice mal a nadie. Pido bien poco: un pedazo de pan...

En aquel momento las dos criadas, Marcelina y Salomé, entraron corriendo. Venían de la huerta,[5] con los delantales° sobre la cabeza, gritando y riendo. Mariana sintió un raro alivio° al verlas.

> aprons / relief

—Bueno —dijo—. Está bien... Pero sólo por esta noche. Que mañana cuando me levante no te encuentre aquí...

El viejo se inclinó,° sonriendo, y dijo un extraño romance° de gracias.

> bowed / ballad

Mariana subió la escalera y fue a acostarse. Durante la noche la tormenta azotó° las ventanas de la alcoba y tuvo un mal dormir.°

> lashed at / **tuvo...** she didn't sleep well

En la cocina

A la mañana siguiente, al bajar a la cocina, daban° las ocho en el reloj de sobre° la cómoda.° Sólo entrar se quedó sorprendida e irritada. Sentado a la mesa, tranquilo y reposado,° el vagabundo desayunaba opíparamente:° huevos fritos, un gran trozo° de pan tierno,° vino... Mariana sintió un coletazo de ira,° tal vez entremezclado° de temor,° y se encaró con° Salomé, que, tranquilamente se afanaba° en el hogar:°

> it was striking / on top of / bureau / rested / splendidly / piece / soft, fresh / **coletazo...** flash of anger / mixed / fear / confronted / was working / hearth

—¡Salomé! —dijo, y su voz le sonó áspera,° dura—. ¿Quién te ordenó dar a este hombre... y cómo no se ha marchado° al alba?°

> rough / left / dawn

Sus palabras se cortaban, se enredaban,° por la rabia° que la iba° dominando. Salomé se quedó boquiabierta,° con la espumadera° en alto,° que goteaba° contra el suelo.

> got mixed up / rage / = **estaba** / open-mouthed / skimmer / in the air / was dripping

[4]**cantinela** story. Una **cantinela** (or **cantilena**) is a ballad with a repeated refrain. Here, the vagabond always repeats the same phrases as he asks for a place to sleep (*in the stable* **la cuadra**) and food (*a piece of bread* **un pedazo de pan**).

[5]**la huerta** large kitchen garden, primarily for vegetables. **El huerto** usually contains fruit trees. Here, **la huerta** refers to the vegetable garden, while **el huerto** refers to the orchard that surrounds the inn.

—Pero yo... —dijo—. Él me dijo...

El vagabundo se había levantado y con lentitud se limpiaba los labios contra la manga.° — sleeve

—Señora —dijo—, señora, usted no recuerda... usted dijo anoche: «Que le den al pobre viejo una cama en el altillo,° y que le den de comer cuanto pida.°» ¿No lo dijo anoche la señora posadera? Yo lo oía bien claro... ¿O está arrepentida° ahora? — attic / **cuanto...** as much as he wants / sorry

Mariana quiso decir algo, pero de pronto se le había helado la voz. El viejo la miraba intensamente, con sus ojillos negros y penetrantes. Dio media vuelta,° y desasosegada° salió por la puerta de la cocina, hacia el huerto. — **Dio...** She turned around / disturbed

En el huerto

El día amaneció gris, pero la lluvia había cesado.° Mariana se estremeció° de frío. La hierba estaba empapada,° y allá lejos la carretera° se borraba° en una neblina° sutil. Oyó detrás de ella la voz del viejo, y sin querer, apretó° las manos una contra otra. — stopped / shivered / wet / highway / disappeared / fog / she pressed

—Quisiera° hablarle algo, señora posadera... Algo sin importancia. — I would like

Mariana siguió inmóvil, mirando hacia la carretera.

—Yo soy un viejo vagabundo... pero a veces, los viejos vagabundos se enteran° de las cosas. Sí: yo estaba *allí. Yo lo vi,* señora posadera. *Lo vi con estos ojos...* — find out

Mariana abrió la boca. Pero no pudo decir nada.

—¿Qué estás hablando ahí, perro? —dijo—. ¡Te advierto° que mi marido llegará con el carro a las diez, y no aguanta° bromas° de nadie! — I warn / he doesn't tolerate / jokes

—¡Ya lo sé, ya lo sé que no aguanta bromas de nadie! —dijo el vagabundo—. Por eso, no querrá que sepa nada°... nada de lo que *yo vi* aquel día. ¿No es verdad? — **no...** you don't want him to know anything

Mariana se volvió° rápidamente. La ira había desaparecido. Su corazón latía,° confuso. «¿Qué dice? ¿Qué es lo que sabe...? ¿Qué es lo que vio?» Pero ató su lengua.[6] Se limitó a mirarle, llena de odio y de miedo. El viejo sonreía con sus encías° sucias y peladas.° — turned around / was beating / gums / bald (i.e., toothless)

—Me quedaré aquí un tiempo, buena posadera: sí, un tiempo, para reponer° fuerzas,° hasta que vuelva el sol. Porque ya soy viejo y tengo las piernas muy cansadas. Muy cansadas... — to regain / strength

Mariana echó a° correr. El viento, fino, le daba° en la cara. Cuando llegó al borde del pozo° se paró. El corazón parecía salírsele del pecho.° — began / hit her / well / **salírsele...** to leap out of her chest

[6] **Pero ató su lengua.** But she said nothing. Literally, she tied her tongue.

Comprensión

¿Qué pasó?

La llegada del vagabundo

1. ¿Cómo se llamaba la protagonista?
2. Al comienzo del cuento, ¿qué era lo que ya no soportaba más la señora?
3. ¿Cuánto tiempo hacía desde que el vagabundo había entrado en la casa?
4. ¿Qué pidió el vagabundo?
5. ¿Qué tiempo hacía cuando llegó el vagabundo?
6. ¿Cómo era el hombre?
7. ¿Qué sintió Mariana al verlo?
8. ¿Qué cantinela empezó a recitar el vagabundo?
9. ¿Qué le dijo Mariana al vagabundo para que no se quedara en la casa?
10. ¿Cómo le contestó el vagabundo?
11. ¿Quiénes entraron en la casa corriendo?
12. ¿Qué le dijo entonces Mariana al vagabundo?

En la cocina

13. ¿A quién encontró Mariana al bajar a la cocina a la mañana siguiente?
14. ¿Qué estaba haciendo el hombre? ¿Cómo reaccionó Mariana?
15. ¿Cómo le explicó su presencia a Mariana?

En el huerto

16. ¿Qué más le dijo el vagabundo a Mariana?
17. ¿Quién llegaría a las diez?
18. ¿Cómo le afectaron a Mariana las amenazas del vagabundo?
19. ¿Qué indicó el vagabundo que haría?
20. ¿Qué hizo Mariana?

Fuente de palabras

Adjetivos derivados de sustantivos *(-oso)*

Spanish adjectives in **-oso** are frequently derived from nouns. Many of these adjectives have English cognates in *-ous*.

el odio *(hate)* → **odioso** *(odious, hateful)*

Transformaciones

Dé el adjetivo que corresponde al sustantivo.

1. la maravilla → ____ *(marvelous)*
2. el precio *(price)* → ____ *(precious)*
3. la fama → ____ *(famous)*
4. la armonía → ____ *(harmonious)*

5. la montaña → ____ *(mountainous)*
6. el misterio → ____ *(mysterious)*
7. la gloria → ____ *(glorious)*
8. el número → ____ *(numerous)*
9. la religión → ____ *(religious)*
10. la rabia *(rage, fury)* → ____ *(rabid, furious)*
11. el silencio → ____ *(silent)*
12. el temblor *(tremor)* → ____ *(trembling)*

Observación

El uso del artículo con las partes del cuerpo

In Spanish the definite article is used with parts of the body (and articles of clothing) when it is obvious who the possessor is.

(el vagabundo):

«Tengo **las** piernas muy cansadas.» — *"My feet are tired."*

(las criadas):

... con los delantales sobre **la** cabeza — *. . . with aprons over their heads*

(el vagabundo):

... **el** sombrero en **la** mano — *. . . his hat in his hand*

When the part of the body is a direct object, a reflexive verb is often used to stress the involvement of the subject.

(el vagabundo):

... se limpiaba **los** labios — *. . . cleaned his lips*

(Mariana):

... se le había helado **la** voz — *. . . her voice had frozen*

Observe that if the possessor does not seem obvious from the context, the possessive adjective may be used.

El viejo la miraba con **sus** ojillos negros. — *The old man was looking at her with **his** little black eyes.*

¡Otra vez!

Cambiando los infinitivos entre paréntesis al tiempo pretérito o imperfecto, vuelva a contar la primera parte de la historia.

1. El vagabundo (llevar) ____ quince días en la casa.
2. La señora (creer) ____ que el vagabundo (ser) ____ odioso.
3. Cuando (llegar) ____ el vagabundo, (acercarse) ____ a la casa una tormenta.

4. Los ojos del vagabundo le (dar) ____ un aspecto extraño.
5. Aparte de techo, el hombre (pedir) ____ pan.
6. Mariana dijo que el vagabundo (poder) ____ quedarse por una noche.
7. A la mañana siguiente Mariana (encontrar) ____ al hombre en la cocina donde él (acabar) ____ de desayunar bien.
8. El vagabundo (limpiarse) ____ la boca con lentitud.
9. El hombre le (decir) ____ a Mariana que había visto algo aquel día.
10. Mariana (limitarse) ____ a mirarlo llena de odio y de miedo.
11. El viejo (sonreír) ____ con sus encías sucias y peladas.
12. El vagabundo dijo que él (quedarse) ____.
13. Mariana (correr) ____ hasta el borde del pozo.
14. El corazón de la protagonista (parecer) ____ salírsele del pecho.

Interpretación

Análisis

1. ¿Qué impresión se lleva usted del vagabundo? ¿y de Mariana? ¿A quién de los dos le tiene más simpatía? ¿Por qué?
2. ¿Cómo traduce usted al inglés la frase que dice el vagabundo, «yo lo vi»? ¿Qué cree usted que ha visto el vagabundo? ¿Ha hecho algo malo Mariana?
3. En su opinión, ¿por qué se atemorizó tanto la protagonista?
4. ¿Cree usted que, al llegar el vagabundo a la casa al comienzo de la historia, el tono del cuento y la tormenta se complementan? Explique.
5. Para los católicos el Miércoles de ceniza es el principio de la cuaresma *(Lent)*, tiempo de sacrificio y reflexión. Relacione con este día la llegada del vagabundo a la casa de Mariana.
6. Comente usted sobre el estilo del primer párrafo de la narración. ¿Qué efecto produce la autora con su vocabulario, expresiones y frases cortas? Explique.

Composiciones dirigidas

1. Describa usted al vagabundo.

   PALABRAS CLAVES odioso / extraño / viejo / mendigar / ojos / penetrante / atemorizar / sonreír / limpiar / manga / encía / sucio / pelado

2. ¿Cómo es el clima en el cuento?

   PALABRAS CLAVES viento / batirse / calma / extraño / invierno / lluvia / grueso / tormenta / azotar / frío / gris / hierba / neblina

Composiciones libres

1. Después de haber leído la primera parte del cuento, ¿qué consejos le daría usted a Mariana antes de la llegada de su marido? ¿Por qué?
2. Describa la relación entre el inclemente clima y la acción del cuento.

Dramatización en parejas

Las dos criadas, Salomé y Marcelina, comentan entre ellas los eventos desde la llegada del vagabundo a la casa de Mariana. ¿Qué se dicen?

Discusión en grupos

1. ¿Qué reacción le provocaron a usted los sentimientos de Mariana?
2. Si hubiera una tormenta y un vagabundo le pidiera posada, ¿qué haría usted? ¿Por qué?
3. ¿Cómo se imagina usted la vida de un vagabundo?
4. ¿Cómo le afecta a usted el clima? Describa su estación favorita.

Segunda parte

El regreso de Antonio

Aquél fue el primer día. Luego, llegó Antonio con el carro.° Antonio subía° mercancías° de Palomar,[1] cada semana. Además de posaderos,° tenían el único comercio de la aldea.° Su casa, ancha y grande, rodeada por el huerto, estaba a la entrada del pueblo. Vivían con desahogo,° y en el pueblo Antonio tenía fama de rico.° «Fama de rico», pensaba Mariana, desazonada.° Desde la llegada del odioso vagabundo, estaba pálida, desganada.° «Y si no lo fuera,° ¿me habría casado con él, acaso?°» No. No era difícil comprender por qué se había casado con aquel hombre brutal, que tenía catorce años más que ella. Un hombre hosco° y temido,° solitario. Ella era guapa. Sí: todo el pueblo lo sabía y decía que era guapa. También Constantino, que estaba enamorado de ella. Pero Constantino era un simple aparcero,° como ella. Y ella estaba harta de pasar hambre,° y trabajos, y tristezas. Sí; estaba harta. Por eso se casó con Antonio.

Mariana sentía un temblor° extraño. Hacía cerca de quince días que el viejo entró en la posada.° Dormía, comía y se despiojaba° descaradamente° al sol, en los ratos en que éste lucía,° junto a la puerta del huerto. El primer día Antonio preguntó:

—¿Y ése, qué pinta ahí?[2]

—Me dio lástima —dijo ella, apretando° entre los dedos los flecos° de su chal°—. Es tan viejo... y hace tan mal tiempo...

(mule) wagon
would bring / merchandise
In addition to being innkeepers / village
comfortably / reputation of being rich
upset
listless / if he weren't (rich)
by any chance
sullen / feared
sharecropper
harta... fed up with being hungry
trembling
inn / cleaned himself of lice
impudently / was to be seen
squeezing
fringe / shawl

La inquietud de Mariana

Antonio no dijo nada. Le pareció que se iba hacia el viejo como para echarle° de allí. Y ella corrió escaleras arriba.° Tenía miedo. Sí: tenía mucho miedo... «Si el viejo vio a Constantino subir al castaño,° bajo la ventana. Si le vio saltar a° la habitación,° las noches que iba Antonio con el carro, de camino°... ¿Qué podía querer decir, si no, con aquello de *lo vi todo, sí, lo vi con estos ojos?*»

Ya no podía más. No: ya no podía más. El viejo no se limitaba a vivir en la casa. Pedía dinero, ya. Había empezado a pedir dinero, también. Y lo extraño es que Antonio no volvió a hablar de él. Se limitaba a ignorarle. Sólo que, de cuando en cuando, la miraba a ella. Mariana sentía la fijeza° de sus ojos grandes, negros y lucientes,° y temblaba.°

Aquella tarde Antonio se marchaba a Palomar. Estaba terminando de uncir° los mulos al carro, y oía las voces del mozo

to throw him out / upstairs
chestnut tree / jump into / bedroom
on the road
steady gaze
bright / trembled
to harness

[1]**Palomar** small town in Spain.

[2]**¿Y ése, qué pinta ahí?** What is *he* doing around here? Literally, what is he painting?

mezcladas° a las° de Salomé, que le ayudaba. Mariana sentía frío. «No puedo más. Ya no puedo más. Vivir así es imposible. Le° diré que se marche, que se vaya.° La vida no es vida con esta amenaza°.» Se sentía enferma. Enferma de miedo. Lo de Constantino, por su miedo, había cesado. Ya no podía verlo. La sola idea le hacía castañetear[3] los dientes. Sabía que Antonio la mataría. Estaba segura de que la mataría. Le conocía bien.

mixed / = **las voces**
= **al vagabundo**
go away / threat

Cuando vio el carro perdiéndose por la carretera, Mariana bajó a la cocina. El viejo dormitaba° junto al fuego.° Le contempló, y se dijo: «Si tuviera valor° le mataría.» Allí estaban las tenazas° de hierro,° a su alcance.° Pero no lo haría. Sabía que no podía hacerlo. «Soy cobarde. Soy una gran cobarde y tengo amor a la vida.» Esto la perdía: «Este amor a la vida... »

was dozing / fire
courage / tongs
iron / within her reach

La decisión

—Viejo —exclamó. Aunque habló en voz queda,° el vagabundo abrió uno de sus ojillos maliciosos. «No dormía», se dijo Mariana. «No dormía. Es un viejo zorro.°»

—Ven conmigo —le dijo—. Te he de hablar.°

quiet
fox
Te... I must talk to you.

El viejo la siguió hasta el pozo. Allí Mariana se volvió a mirarle.

—Puedes hacer lo que quieras, perro. Puedes decirlo todo a mi marido, si quieres. Pero tú te marchas. Te vas de esta casa, en seguida...

El viejo calló° unos segundos. Luego, sonrió.

—¿Cuándo vuelve el señor posadero?

Mariana estaba blanca. El viejo observó su rostro° hermoso, sus ojeras.° Había adelgazado.°

was silent
face
rings under her eyes / She had lost weight.

—Vete —dijo Mariana—. Vete en seguida.

Estaba decidida. Sí: en sus ojos lo leía° el vagabundo. Estaba decidida y desesperada.° Él tenía experiencia y conocía esos ojos. «Ya no hay nada que hacer», se dijo, con filosofía. «Ha terminado el buen tiempo. Acabaron las comidas sustanciosas,° el colchón,° el abrigo.° Adelante, viejo perro, adelante. Hay que seguir.°»

—Está bien —dijo—. Me iré. Pero él° lo sabrá todo...

read
desperate
substantial / mattress
shelter / **Hay...** You have to move on.
= **Antonio**

Mariana seguía en silencio. Quizás estaba aún más pálida. De pronto, el viejo tuvo un ligero temor: «Ésta es capaz de hacer algo gordo.° Sí: es de esa clase de gente que se cuelga° de un árbol o cosa así». Sintió piedad.° Era° joven, aún, y hermosa.

rash / hang themselves
He felt pity. / She was

—Bueno —dijo—. Ha ganado la señora posadera.[4] Me voy... ¿qué le vamos a hacer? La verdad, nunca me hice demasiadas ilusiones... Claro que pasé muy buen tiempo aquí. No olvidaré los

[3]**castañetear** to chatter or clack (*like castanets:* **las castañuelas**).

[4]**Ha ganado la señora posadera. = La señora posadera ha ganado.** Madame Innkeeper has won out.

guisos° de Salomé ni el vinito° del señor posadero... No lo olvidaré. Me voy.

—Ahora mismo° —dijo ella, de prisa—. Ahora mismo, vete°... ¡Y ya puedes correr, si quieres alcanzarle a él!° Ya puedes correr, con tus cuentos sucios, viejo perro...

stews / nice wine
Right now / get out
alcanzarle... to reach him (*Antonio*)

El consejo

El vagabundo sonrió con dulzura.° Recogió° su cayado° y su zurrón.° Iba a salir, pero, ya en la empalizada,° se volvió:

—Naturalmente, señora posadera, *yo no vi nada.* Vamos: ni siquiera sé si había algo que ver. Pero llevo muchos años de camino, ¡tantos años de camino! Nadie hay en el mundo con la conciencia pura, ni siquiera° los niños. No: ni los niños siquiera, hermosa posadera. Mira a un niño a los ojos, y dile:° «¡Lo sé todo! Anda con cuidado...» Y el niño temblará. Temblará como tú, hermosa posadera.

Mariana sintió algo extraño, como un crujido,° en el corazón. No sabía si era amargo,° o lleno de una violenta alegría. No lo sabía. Movió los labios y fue a decir algo. Pero el viejo vagabundo cerró la puerta de la empalizada tras° él, y se volvió a mirarla. Su risa° era maligna,° al decir:

—Un consejo,° posadera: vigila° a tu Antonio. Sí: el señor posadero también tiene motivos para permitir la holganza° en su casa a los viejos pordioseros.[5] ¡Motivos muy buenos, juraría° yo, por el modo° como me miró!

La niebla,° por el camino, se espesaba,° se hacía baja.° Mariana le vio partir, hasta perderse en la lejanía.°

gentleness / He picked up / walking stick
bag / at the fence
not even
tell him
cracking
bitter
behind / laugh
malicious
advice / watch over
freeloading
would swear
judging from the way
fog / became thicker / was closing in
distance

Comprensión

¿Qué pasó?

El regreso de Antonio

1. ¿Quién llegó a la casa al día siguiente? ¿De dónde vino?
2. ¿De qué tenía fama Antonio? ¿Cómo era su personalidad?
3. ¿Por qué se casó Mariana con Antonio?
4. ¿Quién era Constantino? ¿Qué pensaba él de Mariana?
5. ¿Qué hacía el vagabundo durante el día?

La inquietud de Mariana

6. ¿Qué creía Mariana que había visto el viejo?
7. ¿Qué había empezado a pedir el vagabundo?

[5]**pordioseros** beggars (who request alms "for the love of God": **por Dios**).

8. Cuando Antonio se marchó a Palomar, ¿qué pensamientos y sentimientos tenía Mariana?
9. ¿Por qué no podía matar Mariana al vagabundo?

La decisión

10. ¿Qué le ordenó Mariana al viejo?
11. ¿Cómo sabía el vagabundo que la señora estaba decidida?

El consejo

12. ¿Qué le confesó el viejo a Mariana antes de irse?
13. ¿Cómo reaccionó ella? ¿Qué sintió?
14. ¿Qué consejos le dio el vagabundo a Mariana con respecto a su marido?

Fuente de palabras

Familias de palabras

Spanish nouns derived from the feminine form of the past participle describe the result of the action of the verb.

entrar *(to enter)* → **la entrada** *(entrance)*
salir *(to leave)* → **la salida** *(exit)*

Transformaciones

Complete el sustantivo en español y dé el significado en inglés.

1. llegar *(to arrive)*	la ll ____	(a ____)
2. sacudir *(to shake)*	la s ____	(s ____)
3. herir *(to wound, injure)*	la h ____	(w ____)
4. mirar *(to look at)*	la m ____	(g ____)
5. ir *(to go)*	la i ____	(g ____)
6. volver *(to return)*	la v ____	(r ____)
7. venir *(to come)*	la v ____	(c ____)
8. correr *(to run [the bulls])*	la c ____	(b ____)

Observación

El imperfecto

In Spanish, habitual past actions and conditions are described in the imperfect. In English, these actions are described by the constructions *used to* + infinitive or *would* + infinitive.

Antonio **subía** mercancías de Palomar cada semana.	*Every week Antonio* ***would bring*** *merchandise* ***up*** *from Palomar.*
... las noches que **iba** Antonio con el carro, de camino...	*. . . the nights when Antonio* ***used to go*** *on the road with his wagon . . .*

¡Otra vez!

Cambiando los infinitivos al tiempo imperfecto, vuelva a contar la historia.

1. Todas las semanas el marido (ir) ____ a Palomar para conseguir mercancías. 2. Antonio (ser) ____ un hombre temido en el pueblo y él (tener) ____ fama de rico. 3. Mariana no (llevar) ____ una vida muy feliz con él. 4. Ella realmente (querer) ____ a Constantino. 5. Mariana (creer) ____ que su esposo (saber) ____ la verdad, pero (parecer) ____ que ella estaba equivocada. 6. Antonio (ignorar) ____ al vagabundo. 7. El viejo (comer) ____ y (dormir) ____ mucho. 8. También el vagabundo le (pedir) ____ dinero a Mariana, que (ponerse) ____ enferma de tanto miedo. 9. Un día Mariana le dijo al vagabundo que él (tener) ____ que irse. 10. El viejo (ver) ____ en los ojos de la mujer que ella (estar) ____ decidida. 11. Antes de salir el viejo afirmó que no (haber) ____ visto a nadie en el mundo con la conciencia pura. 12. El vagabundo le advirtió también que vigilara a Antonio porque éste (deber) ____ de tener motivos para sentirse culpable.

Interpretación

Análisis

1. ¿Por qué se casó Mariana con alguien que realmente no quería? ¿Valió la pena?
2. En su opinión, ¿cuántos años tenía Mariana cuando llegó el vagabundo a la casa? ¿Era una mujer reprimida o liberada? Explique.
3. ¿Es normal el sentimiento de culpa de la señora? ¿Por qué no se ha divorciado Mariana de su marido?
4. En su opinión, ¿qué significa «este amor a la vida» de la señora?
5. ¿Mariana le habla al vagabundo de «tú» o de «usted»? ¿Por qué? Al principio el vagabundo le habla a Mariana de «usted» y después el viejo cambia al «tú». ¿Por qué?
6. ¿Cree usted que Antonio le ha sido fiel a su esposa? Explique.
7. ¿Qué le sugiere a usted el nombre Constantino? ¿Cree que la autora usó ese nombre intencionalmente?
8. ¿Cómo interpreta usted la oración repetida de Mariana, «Ya no podía más?» Explique.
9. Póngase en el lugar de Mariana. ¿Qué haría usted?
10. ¿Con quién cree usted que simpatiza la autora? ¿Por qué?
11. Comente usted sobre el título del cuento. ¿Es apropiado?

Composiciones dirigidas

1. Describa a Antonio.

PALABRAS CLAVES marido / subir / mercancías / fama / rico / hosco / temido / solitario / brutal / puro / tener / motivos / conciencia

2. Describa a Mariana.

PALABRAS CLAVES ser / guapo / harto / hambre / enamorado / Constantino / miedo / solo / enfermo / infeliz / desesperado / amor

Composiciones libres

1. Compare y contraste usted su impresión del vagabundo en la primera parte con la de la segunda parte.
2. Imagínese que Mariana y su esposo van a tener una conversación sobre los hechos recientes. ¿Qué se dirán?

Dramatización en parejas

Dos semanas más tarde, Mariana y Constantino se encuentran a la entrada del pueblo. ¿Qué se dicen?

Discusión en grupos

1. El vagabundo dijo, «Nadie hay en el mundo con la conciencia pura, ni siquiera los niños.» ¿Es verdad? ¿Por qué?
2. ¿Opina usted que la mayoría de la gente tiene algún sentimiento de culpabilidad? ¿Por qué?
3. ¿Cambiaría usted el final de este cuento? ¿Por qué?
4. ¿Cuáles son los componentes de un buen matrimonio? ¿Se casaría con una persona que tuviera catorce años más o menos que usted? Explique.

Comparaciones y contrastes

T16 Discuta el tema del amor en «La conciencia» y en «Continuidad de los parques». (Cuentos 18 y 22)

Véase también los temas P5, P16, P21, S2, T13 y A2 en Apéndice A.

19

No oyes ladrar los perros

Juan Rulfo

Allí estaba la luna. Enfrente de ellos. Una luna grande y colorada que les llenaba de luz los ojos y que estiraba y oscurecía más su sombra sobre la tierra.

No oyes ladrar los perros

Juan Rulfo (1918–1986), born in a small village in the state of Jalisco, Mexico, was orphaned as a young boy and educated first in Guadalajara and then in Mexico City. In 1953 he gained recognition as an accomplished stylist with the publication of *El llano en llamas,* a collection of fifteen stories describing the difficult life of the *campesinos.* In "No oyes ladrar los perros,"[1] Rulfo explores the theme of *mala sangre* — the child who has gone astray — and the complexity of family relationships. As the story opens, the old father is carrying his injured son to the nearest village for medical attention.

En el camino

—Tú que vas allá arriba, Ignacio, dime si no oyes alguna señal de algo o si ves alguna luz en alguna parte.[2]

—No se ve nada.

—Ya debemos estar cerca.

5 —Sí, pero no se oye nada.

—Mira bien.

—No se ve nada.

—Pobre de ti,° Ignacio.

La sombra° larga y negra de los hombres siguió° moviéndose 10 de arriba abajo,° trepándose° a las piedras, disminuyendo y creciendo según° avanzaba por la orilla° del arroyo.° Era una sola sombra, tambaleante.°

La luna venía saliendo° de la tierra, como una llamada° redonda.

15 —Ya debemos estar llegando a ese pueblo, Ignacio. Tú que llevas las orejas de fuera,[3] fíjate° a ver si no oyes ladrar° los perros. Acuérdate° que nos dijeron que Tonaya estaba detrasito° del monte. Y desde qué horas que hemos dejado el monte. Acuérdate, Ignacio.

20 —Sí, pero no veo rastro° de nada.

—Me estoy cansando.

—Bájame.

You poor thing
shadow / continued
up and down / climbing
as / bank / stream
wavering
venía... was rising / flare
notice / to bark
Remember / right behind
trace

[1]**«No oyes ladrar los perros»** "You Can't Hear the Dogs Barking."

[2]As the story opens, the father asks his son whether he sees any lights or hears any sign (**señal**), such as the barking of dogs, which would indicate that they are finally approaching the village of Tonaya.

[3]**Tú... fuera** You, who can hear well. Literally, you who have your ears in the open. The son is being carried on the father's shoulders, and his legs are hugging the father's ears, thus making it hard for the father to hear.

El viejo se fue reculando° hasta encontrarse con el paredón° y se recargó° allí, sin soltar° la carga° de sus hombros. Aunque se le doblaban° las piernas, no quería sentarse, porque después no hubiera podido levantar el cuerpo de su hijo, al que allá atrás, horas antes, le habían ayudado a echárselo° a la espalda. Y así lo había traído desde entonces.

—¿Cómo te sientes?

—Mal.

Hablaba poco. Cada vez menos. En ratos° parecía dormir. En ratos parecía tener frío. Temblaba. Sabía cuándo le agarraba a su hijo el temblor[4] por las sacudidas° que le daba, y porque los pies se le encajaban en° los ijares° como espuelas.° Luego las manos del hijo, que traía trabadas en° su pescuezo,° le zarandeaban° la cabeza como si fuera° una sonaja.°

Él apretaba° los dientes para no morderse la lengua° y cuando acababa aquello le preguntaba:

—¿Te duele mucho?

—Algo —contestaba él.

Primero le había dicho: «Apéame° aquí... Déjame aquí... Vete tú° solo. Yo te alcanzaré° mañana o en cuando me reponga° un poco.» Se lo había dicho como cincuenta veces. Ahora ni siquiera° eso decía.

Allí estaba la luna. Enfrente de ellos. Una luna grande y colorada° que les llenaba de luz los ojos y que estiraba° y oscurecía° más su sombra sobre la tierra.

—No veo ya por dónde voy —decía él.

Pero nadie le contestaba.

El otro iba allá arriba, todo iluminado por la luna, con su cara descolorida,° sin sangre,° reflejando una luz opaca. Y él acá abajo.

—¿Me oíste, Ignacio? Te digo que no veo bien.

Y el otro se quedaba callado.°

Siguió caminando, a tropezones.° Encogía el cuerpo° y luego se enderezaba° para volver a tropezar° de nuevo.

—Éste no es ningún camino. Nos dijeron que detrás del cerro° estaba Tonaya. Ya hemos pasado el cerro. Y Tonaya no se ve, ni se oye ningún ruido que nos diga que está cerca. ¿Por qué no quieres decirme qué ves, tú que vas allá arriba, Ignacio?

—Bájame, padre.

—¿Te sientes mal?

—Sí.

—Te llevaré a Tonaya a como dé lugar.° Allí encontraré quien te cuide.° Dicen que allí hay un doctor. Yo te llevaré con él. Te he

se... backed up / thick wall
leaned / setting down / load (= **Ignacio**)
were buckling
load him on
At times
shakes
would stick into / sides / spurs
traía... were grabbing / neck / would shake
as if it were / rattle
would clench / to bite his tongue
Let me down
You go / will catch up / I get my strength back
not even
reddish / was stretching / was darkening
pale / blood
silent
stumbling / He would hunch over
he would straighten himself up / to stumble
hill
a como... somehow
someone who can take care of you

[4]**cuándo... temblor** when his son would start to have a seizure. Literally, when a seizure would come upon (overpower) his son.

traído cargando desde hace horas y no te dejaré tirado° aquí para que acaben contigo quienes sean.°

Se tambaleó° un poco. Dio dos o tres pasos de lado y volvió a enderezarse.°

—Te llevaré a Tonaya.

—Bájame.

Su voz se hizo quedita,° apenas° murmurada:°

—Quiero acostarme un rato.

—Duérmete allí arriba.° Al cabo° te llevo bien agarrado.°

La luna iba subiendo, casi azul, sobre un cielo claro. La cara del viejo, mojada° en sudor,° se llenó de luz. Escondió los ojos para no mirar de frente, ya que no podía agachar° la cabeza agarrotada° entre las manos de su hijo.

Los pecados del hijo

—Todo esto que hago, no lo hago por usted.[5] Lo hago por su difunta° madre. Porque usted fue su hijo. Por eso lo hago. Ella me reconvendría° si yo lo hubiera dejado tirado allí, donde lo encontré, y no lo hubiera recogido° para llevarlo a que lo curen,° como estoy haciéndolo. Es ella la que me da ánimos,° no usted. Comenzando porque a usted no le debo más que puras dificultades, puras mortificaciones, puras vergüenzas.°

Sudaba al hablar. Pero el viento de la noche le secaba° el sudor. Y sobre el sudor seco, volvía a sudar.°

—Me derrengaré,° pero llegaré con usted a Tonaya, para que le alivien° esas heridas° que le han hecho. Y estoy seguro de que, en cuanto° se sienta usted bien, volverá a sus malos pasos.° Eso ya no me importa. Con tal que° se vaya lejos, donde yo no vuelva a saber de usted.° Con tal de eso... Porque para mí usted ya no es mi hijo. He maldecido° la sangre que usted tiene de mí. La parte que a mí me toca° la he maldecido. He dicho: «¡Que se le pudra en los riñones la sangre que yo le di!»[6] Lo dije desde que supe que usted andaba trajinando° por los caminos, viviendo del robo y matando gente... Y gente buena. Y si no,° allí está mi compadre° Tranquilino. El que lo bautizó° a usted. El que le dio su nombre. A él también le tocó la mala suerte de encontrarse con usted.[7] Desde entonces dije: «Ése no puede ser mi hijo».

—Mira a ver si ya ves algo. O si oyes algo. Tú que puedes hacerlo desde allá arriba, porque yo me siento sordo.

abandoned
acaben... whoever comes by can finish you off
He swayed
volvió... straightened up again

became muffled / barely / whispering

up there [on my shoulders] / At least / **te...** I am holding you very tightly
wet / with sweat
lower / caught

= muerta
would reprimand
picked up / **a...** to people who can make you well
courage

shame
was drying
he started sweating again
I will break my back
they cure / wounds
as soon as / bad ways
Provided that
yo... I won't hear about you again
cursed
que... that is my share

going here and there
if you don't believe me / friend
baptized

[5]Here the father is reprimanding his son and he switches from **tú** to **usted.** This shift in form of address is common when a parent scolds a child or a loved one.

[6]**¡Que... di!** May the blood I gave you rot in your heart. Literally, in your kidneys, that is, in the center of the body.

[7]**A él... usted.** He, too, had the bad luck of meeting you. Literally, the bad luck befell him of meeting you. (The father implies that the son attacked his own godfather on the highway.)

—No veo nada.
—Peor para ti, Ignacio.
—Tengo sed.
—¡Aguántate!° Ya debemos estar cerca. Lo que pasa es que ya es muy noche° y han de haber apagado° la luz en el pueblo. Pero al menos° debías de oír si ladran los perros. Haz por oír.°
—Dame agua.
—Aquí no hay agua. No hay más que piedras. Aguántate. Y aunque la hubiera,° no te bajaría a tomar agua. Nadie me ayudaría a subirte° otra vez y yo solo no puedo.
—Tengo mucha sed y mucho sueño.
—Me acuerdo cuando naciste. Así eras entonces. Despertabas con hambre y comías para volver a dormirte. Y tu madre te daba agua, porque ya te habías acabado° la leche de ella. No tenías llenadero.° Y eras muy rabioso.° Nunca pensé que con el tiempo se te fuera a subir aquella rabia a la cabeza...[8] Pero así fue. Tu madre, que descanse° en paz, quería que te criaras° fuerte. Creía que cuando te crecieras° irías a ser su sostén.° No te tuvo más que a ti.° El otro hijo que iba a tener la mató.[9] Y tú la hubieras° matado otra vez si ella estuviera viva° a estas alturas.°

Sintió que el hombre aquel que llevaba sobre sus hombros dejó de apretar las rodillas° y comenzó a soltar° los pies, balanceándolos° de un lado para otro.° Y le pareció que la cabeza, allá arriba, se sacudía° como si sollozara.°

Sobre su cabello° sintió que caían gruesas° gotas, como de lágrimas.

—¿Lloras, Ignacio? Lo hace llorar a usted el recuerdo de su madre, ¿verdad? Pero nunca hizo usted nada por ella. Nos pagó siempre mal. Parece que, en lugar de cariño, le hubiéramos retacado el cuerpo° de maldad.° ¿Y ya ve? Ahora lo han herido.° ¿Qué pasó con sus amigos? Los mataron a todos. Pero ellos no tenían a nadie. Ellos bien hubieran podido decir:° «No tenemos a quien darle nuestra lástima°». ¿Pero usted, Ignacio?

Bear it!
very dark / **han...** they must have turned off
at least / Try to hear.
even if there were some
to lift you up
finished
You couldn't be filled. / bad-tempered
may she rest / you grow
grew up / support / **No...** She had nobody but you.
would have
were alive / now
dejó... stopped holding on with his knees / to relax / swinging them
de... from side to side
was shaking / he were sobbing
hair / big
le... we filled your body / wickedness / wounded
could have said
sorrow

La llegada al pueblo

Allí estaba ya el pueblo. Vio brillar los tejados° bajo la luz de la luna. Tuvo la impresión de que lo aplastaba° el peso° de su hijo al sentir que las corvas° se le doblaban° en el último esfuerzo.° Al llegar al primer tejabán° se recostó° sobre el pretil de

roofs
was crushing / weight
backs of his knees / were buckling under
effort / roofed house / he leaned

[8]**Nunca... cabeza...** I never thought that, as you grew older, such a crazy rage would take hold of your mind. . . . Literally, I never thought that with (the passage of) time such a rage would go to your head. (The father is referring to the fact that his son has become a highway robber and murderer.)

[9]**El otro... mató.** The other son she was going to have killed her. (The mother died in childbirth, as did the second son.)

la acera[10] y soltó el cuerpo, flojo,° como si lo hubieran descoyuntado.° — limp / disjointed

Destrabó° difícilmente los dedos con que su hijo había venido sosteniéndose° de su cuello y, al quedar libre, oyó cómo por todas partes ladraban perros. — He unfastened / holding himself

5 —¿Y tú no los oías, Ignacio? —dijo. No me ayudaste ni siquiera con esta esperanza.

Comprensión

¿Qué pasó?

En el camino

1. ¿Quiénes son los dos personajes principales?
2. ¿Qué se oye? ¿Qué se ve?
3. ¿Por qué hay una sola sombra larga y negra de los dos hombres?
4. ¿Dónde están?
5. ¿Cómo es el camino?
6. ¿Qué hora es?
7. ¿A dónde van los dos hombres?
8. ¿Qué esperan oír ellos? ¿Por qué?
9. ¿Dónde está Tonaya?
10. ¿Quién carga a quién? ¿Cómo?
11. ¿Cómo está el padre?
12. ¿Qué le dice Ignacio a su padre?
13. ¿Qué le pregunta el padre a Ignacio?
14. ¿Por qué lleva a su hijo a Tonaya?

Los pecados del hijo

15. ¿Cuál es la razón por la cual el padre hace todo esto?
16. ¿Por qué ha maldicido el padre al hijo?
17. ¿Qué le pasó al compadre Tranquilino?
18. ¿Cómo era Ignacio de niño?
19. ¿Qué creía su madre que Ignacio sería cuando creciera?
20. ¿De qué murió la madre?
21. ¿Cómo reacciona el hijo a lo que le dice el padre?
22. ¿Qué les ocurrió a los amigos de Ignacio? ¿y a Ignacio?

La llegada al pueblo

23. ¿Qué oye el padre al llegar al pueblo?
24. ¿Qué le dice entonces al hijo?

[10]**el pretil de la acera** the stone wall along the walk. In Mexican villages, especially those built against a hillside, there are often retaining walls at the edge of the footpaths.

Fuente de palabras

Palabras con cambio de vocal

Spanish words with **ie** or **ue** in the stressed syllable are often related to English words with **e** or **o**. Knowing this relationship often lets you guess the meaning of the Spanish word.

ie ↔ **e**	la t**ie**rra	[t**e**rrain]	*earth, ground*
ue ↔ **o**	el c**ue**rpo	[c**o**rpse]	*body*

Transformaciones

Complete cada palabra de la columna B con la vocal correcta. Entonces para cada palabra de la columna A, dé el significado inglés indicado en la columna C.

	A	B	C
1.	el diente	d __ ntist	t ____
2.	el viento	v __ ntilator	w ____
3.	ciento	c __ nt	h ____
4.	la serpiente	serp __ nt	s ____
5.	la puerta	p __ rtal	d ____
6.	la muerte	m __ rtuary	d ____
7.	fuerte	f __ rceful	s ____
8.	la muela	m __ lar	t ____
9.	el cuello	c __ llar	n ____

Observación

El verbo reflexivo impersonal

With inanimate subjects, a reflexive construction (**se** + *verb*) is often used in Spanish where a passive is used in English.

Tonaya no **se ve**.	*Tonaya **is not to be seen**.*
No **se oye** nada.	*Nothing **can be heard**.*
La cara del viejo **se llenó** de luz.	*The face of the old man **was filled** with light.*

¡Otra vez!

Vuelva a contar la historia cambiando los verbos entre paréntesis al tiempo pretérito o imperfecto.

1. El padre (cargar) ____ a su hijo Ignacio hacia el pueblo detrás del cerro. 2. El camino (ser) ____ difícil y (cansarse) ____ mucho el pobre viejo por la carga. 3. Sin embargo, el padre (seguir) ____ cargando al hijo. 4. El viejo no (poder) ____ ver nada. 5. Ignacio, que (ir) ____ allá arriba, no (ver) ____ nada tampoco. 6. De vez en cuando el padre le (preguntar) ____ a Ignacio cómo (sentirse) ____ . 7. Tonaya (estar)

____ lejos y el viejo (impacientarse) ____ . 8. Ignacio (tener) ____ ganas de acostarse. 9. El hijo no (querer) ____ seguir el viaje, pero al padre la memoria de la madre le (dar) ____ ánimos de continuar. 10. El padre (acordarse) ____ de cuando (nacer) ____ Ignacio. También el viejo (regañar) ____ al hijo y (maldecir) ____ la sangre que (llevar) ____ . 11. Ignacio (quedarse) ____ callado. 12. Al llegar al pueblo el viejo (oír) ____ que por todas partes (ladrar) ____ los perros.

Interpretación

Análisis

1. Describa el significado que tiene el ladrar de los perros para el padre y para el hijo.
2. En su opinión, ¿por qué Ignacio le pedía a su padre que lo bajara?
3. ¿Por qué casi no habla Ignacio? ¿Hay una falta de comunicación entre padre e hijo? Explique.
4. Analice los diálogos entre padre e hijo. ¿Cuál es la actitud del padre hacia el hijo? ¿Lo odia? ¿Lo quiere? Explique.
5. ¿Cree usted que lo peor que hizo el hijo fue destruir las esperanzas de los padres? ¿Cómo?
6. ¿Por qué está tan cansado el viejo al llegar a Tonaya? ¿Por qué parece estar tan frustrado el padre?
7. Explique el desenlace (*outcome*) del cuento. ¿Qué cree usted que les pasa a Ignacio y a su padre?
8. Comente el hecho de que la madre murió dándole vida a su hijo. ¿Por qué es tan importante la memoria de la madre en el desarrollo del cuento? Relaciónelo con la actitud del padre. ¿Qué conflictos se notan en el padre?
9. Compare y contraste el dolor físico del hijo con el sufrimiento espiritual del padre.
10. Al final, ¿cree usted que el hijo se muere? ¿Por qué?
11. Discuta el tema de la soledad en el cuento.
12. Hable del ambiente que crea el autor en el cuento.
13. ¿Cómo figura la naturaleza en la narración?
14. ¿Qué importancia tienen la luz y la sombra en la historia?
15. ¿Qué visión de la vida presenta el autor?

Composiciones dirigidas

1. ¿Cómo ha sido la vida del padre?

   PALABRAS CLAVES esposa / otro / hijo / morir / sostén / Ignacio / robar / matar / dificultades / vergüenza / sangre / maldecir / importar / cansado / viejo / sudor / esperanza / rabia / nada

2. Describa usted los elementos de la naturaleza en el cuento.

   PALABRAS CLAVES piedra / orilla / arroyo / noche / luz / haber / luna / colorado / tierra / monte / cielo

Composición libre

Imagínese que usted es el hijo. Cuente la historia desde la perspectiva suya.

Dramatización en parejas

Después de que lo curan a Ignacio, él y su padre conversan. ¿Qué se dicen?

Discusión en grupos

1. Si usted fuera el padre de Ignacio, ¿qué haría en estas circunstancias?
2. ¿Es distinto el padre del cuento a otros padres que usted conoce? ¿Cómo?
3. ¿Qué espera usted de sus padres? ¿Qué esperan ellos de usted?
4. ¿Qué es peor — el abuso mental o el abuso físico? ¿Por qué?
5. En su opinión, ¿cuáles son las responsabilidades de los hijos con respecto a sus padres?
6. ¿Piensa usted tener hijos algún día? ¿Cuáles son los valores más importantes que usted quiere enseñarles a sus hijos?

Comparaciones y contrastes

A8 Compare y contraste la vida de Indalecio que se presenta en «El tiempo borra» con la del padre de Ignacio en «No oyes ladrar los perros». (Cuentos 3 y 19)

Véase también los temas P11, T8, A5, A6, A7 y A10 en Apéndice A.

Casa tomada

Julio Cortázar

Lo recordaré siempre con claridad porque fue simple y sin circunstancias inútiles. Irene estaba tejiendo en su dormitorio, eran las ocho de la noche...

Casa tomada

Julio Cortázar (1914–1984), who was born in Belgium and educated in Argentina, settled in Paris in the 1950s and acquired French citizenship shortly before his death. One of Latin America's finest writers, he used the novel and the short story to explore the thin boundary between reality and fantasy. "Casa tomada,"[1] which was published in his 1951 short story collection *Bestiario*, is the story of a brother and sister who have lived alone together in the family home for decades. Suddenly they discover that the house is mysteriously being taken over — but by whom, or what, and how should they react?

Los dos hermanos

Nos gustaba la casa porque aparte de espaciosa y antigua (hoy que las casas antiguas sucumben a la más ventajosa liquidación de sus materiales)[2] guardaba los recuerdos de nuestros bisabuelos,° el abuelo paterno, nuestros padres y toda la infancia.

5 Nos habituamos Irene y yo a persistir solos en ella, lo que era una locura° pues en esa casa podían vivir ocho personas sin estorbarse.° Hacíamos la limpieza por la mañana, levantándonos a las siete, y a eso de las once yo le dejaba a Irene las últimas habitaciones por repasar° y me iba a la cocina. Almorzábamos a mediodía, 10 siempre puntuales; ya no quedaba nada por hacer fuera de unos pocos platos sucios. Nos resultaba grato° almorzar pensando en la casa profunda° y silenciosa y cómo nos bastábamos para mantenerla limpia.° A veces llegamos a creer que era ella° la que no nos dejó casarnos. Irene rechazó° dos pretendientes° sin mayor 15 motivo, a mí se me murió María Esther antes que llegáramos a comprometernos.° Entramos en los cuarenta años con la inexpresada idea de que el nuestro, simple y silencioso matrimonio de hermanos, era necesaria clausura° de la genealogía asentada° por los bisabuelos en nuestra casa. Nos moriríamos allí algún día, vagos y 20 esquivos° primos se quedarían con la casa y la echarían al suelo° para enriquecerse con el terreno y los ladrillos;° o mejor, nosotros mismos la voltearíamos justicieramente° antes de que fuese demasiado tarde.°

Irene era una chica nacida para no molestar a nadie. Aparte de 25 su actividad matinal se pasaba el resto del día tejiendo° en el sofá de

great grandparents
crazy idea
sin... without getting in each other's way
por... to go over
pleasant
deep
cómo... how it was enough for us just to keep it clean / **= la casa**
turned down / suitors
antes... before we were able to get engaged
closure / established
who had been avoiding us / **la...** would tear it down
bricks
la... we would knock it down fairly
antes... before it was too late
knitting

[1]«Casa tomada» "The House That Was Taken Over."

[2]**hoy... materiales** nowadays, when it is more profitable to sell the building materials of old houses. Literally, nowadays, when old houses fall victim to the more profitable practice of selling their building materials.

su dormitorio. No sé por qué tejía tanto, yo creo que las mujeres tejen cuando han encontrado en esa labor el gran pretexto para no hacer nada. Irene no era así, tejía cosas siempre necesarias, tricotas° para el invierno, medias para mí, mañanitas° y chalecos° para ella. 5 A veces tejía un chaleco y después lo destejía° en un momento porque algo no le agradaba;° era gracioso ver en la canastilla° el montón de lana encrespada° resistiéndose a perder su forma de algunas horas. Los sábados iba yo al centro a comprarle lana; Irene tenía fe° en mi gusto,° se complacía con° los colores y nunca tuve que devol- 10 ver madejas.° Yo aprovechaba° esas salidas° para dar una vuelta por las librerías° y preguntar vanamente° si había novedades en literatura francesa. Desde 1939 no llegaba nada valioso a la Argentina.[3]

Pero es de la casa que me interesa hablar, de la casa y de Irene, porque yo no tengo importancia. Me pregunto qué hubiera hecho 15 Irene° sin el tejido. Uno puede releer un libro, pero cuando un pullover está terminado no se puede repetirlo sin escándalo. Un día encontré el cajón de abajo de la cómoda de alcanfor° lleno de pañoletas° blancas, verdes, lila. Estaban con naftalina,° apiladas° como en una mercería;° no tuve valor de preguntarle a Irene qué 20 pensaba hacer con ellas. No necesitábamos ganarnos la vida, todos los meses llegaba la plata° de los campos y el dinero aumentaba. Pero a Irene solamente la entretenía el tejido, mostraba una destreza° maravillosa y a mí se me iban las horas viéndole las manos como erizos° plateados,° agujas° yendo y viniendo y una o dos 25 canastillas en el suelo donde se agitaban constantemente los ovillos.° Era hermoso.

sweaters
bedjackets / vests
unraveled
= **gustaba** / little basket
curled
faith
taste / **se...** she liked
skeins / took advantage of / outings
para... to wander through the bookstores / in vain
qué... what would Irene have done
camphor
shawls / naphthalene (moth balls) / piled up
notions store
= **dinero**
skill
hedgehogs / = **de plata** / knitting needles
balls of yarn

La casa

Cómo no acordarme de la distribución° de la casa. El comedor, una sala con gobelinos,[4] la biblioteca y tres dormitorios grandes quedaban en la parte más retirada,° la que mira hacia Rodríguez

layout
remote

[3]**Desde 1939... Argentina.** Since 1939, nothing of value [i.e., no French novels] was arriving in Argentina. With this reference to France, Cortázar invites the readers to remember what happened to that country in World War II. When Hitler and his armies marched into Poland in 1939, the French declared war on Germany, but did not move to attack. In May, 1940, the Nazi forces invaded France, meeting little resistance. By June, the French had capitulated. The Germans occupied Paris and the northern half of the country, permitting the French to set up a puppet government in the small town of Vichy in the southern zone. In November, 1942, in response to the Anglo-American invasion of North Africa, the Germans immediately moved their troops into the unoccupied section of France, thus taking over the entire country. Meanwhile, the Argentinians maintained a policy of neutrality during most of World War II, and were therefore accused of pro-Nazi sympathies. They finally declared war on Japan and Germany in March, 1945, when the conflict was almost over.

[4]**con gobelinos** with [French] tapestries from Gobelins. The Gobelins workshops in Paris produced their finest tapestries in the seventeenth century for King Louis XIV.

Peña.[5] Solamente un pasillo° con su maciza° puerta de roble° aislaba esa parte del ala° delantera° donde había un baño, la cocina, nuestros dormitorios y el living central, al cual comunicaban° los dormitorios y el pasillo. Se entraba a la casa por un zaguán° con mayólica,° y la puerta cancel° daba al living.° De manera que uno entraba por el zaguán, abría la cancel y pasaba al living; tenía a los lados las puertas de nuestros dormitorios, y al frente el pasillo que conducía° a la parte más retirada; avanzando por el pasillo se franqueaba° la puerta de roble y más allí empezaba el otro lado de la casa, o bien se podía girar° a la izquierda justamente antes de la puerta y seguir por un pasillo más estrecho° que llevaba a la cocina y el baño. Cuando la puerta estaba abierta advertía° uno que la casa era muy grande; si no, daba la impresión de un departamento° de los que se edifican° ahora, apenas para moverse; Irene y yo vivíamos siempre en esta parte de la casa, casi nunca íbamos más allá de la puerta de roble, salvo° para hacer la limpieza,° pues es increíble cómo se junta tierra en los muebles.° Buenos Aires será una ciudad limpia, pero eso lo debe a sus habitantes y no a otra cosa. Hay demasiada tierra en el aire, apenas sopla° una ráfaga° se palpa° el polvo° en los mármoles° de las consolas° y entre los rombos° de las carpetas° de macramé; da trabajo sacarlo bien con plumero,° vuela y se suspende en el aire, un momento después se deposita de nuevo en los muebles y los pianos.

hall, passageway / massive / oak
wing / front
connected
hall
ceramic tiles / **puerta...** inner front door / **daba...** opened onto the living room
led
went
turn
narrow
noticed
= **apartamento**
= **construyen**
= **excepto** / cleaning
cómo... how dusty the furniture gets
blows / gust of wind
one can feel / dust / marble tops / tables
rhombus / table covers
feather duster

Ruidos extranos

Lo recordaré siempre con claridad porque fue simple y sin circunstancias inútiles. Irene estaba tejiendo en su dormitorio, eran las ocho de la noche y de repente se me ocurrió poner al fuego la pavita del mate.[6] Fui por el pasillo hasta enfrentar° la entornada° puerta de roble, y daba la vuelta al codo° que llevaba a la cocina cuando escuché algo en el comedor o la biblioteca. El sonido venía impreciso y sordo,° como un volcarse de silla° sobre la alfombra° o un ahogado° susurro° de conversación. También lo oí, al mismo tiempo o un segundo después, en el fondo° del pasillo que traía desde aquellas piezas° hasta la puerta. Me tiré° contra la puerta antes de que fuera° demasiado tarde, la cerré de golpe° apoyando el cuerpo; felizmente la llave estaba puesta de nuestro lado y además corrí el gran cerrojo° para más seguridad.°

Fui a la cocina, calenté la pavita, y cuando estuve de vuelta con la bandeja° del mate le dije a Irene:

—Tuve que cerrar la puerta del pasillo. Han tomado la parte del fondo.

hasta... until I faced / half-closed
daba... I was turning in the hall
muted / **como...** like the fall of a chair / rug
muffled / whisper
rear
rooms / I threw myself
antes... before it was / **la...** I slammed it shut
bolt / security
tray

[5]**Rodríguez Peña** a street in Buenos Aires

[6]**la pavita del mate** the kettle [of water] for "mate," a tea-like South American beverage made from the leaves of a species of holly.

Dejó caer° el tejido y me miró con sus graves ojos cansados. — She dropped
—¿Estás seguro?
Asentí.° — I nodded.
—Entonces —dijo recogiendo las agujas— tendremos que vi-
5 vir en este lado.
Yo cebaba° el mate con mucho cuidado, pero ella tardó un rato en reanudar su labor. Me acuerdo que tejía un chaleco gris; a mí me gustaba ese chaleco. — was preparing

Una nueva invasión

Los primeros días nos pareció penoso° porque ambos habíamos
10 dejado en la parte tomada muchas cosas que queríamos. Mis libros de literatura francesa, por ejemplo, estaban todos en la biblioteca. Irene extrañaba° unas carpetas, un par de pantuflas° que tanto la abrigaban° en invierno. Yo sentía mi pipa de enebro° y creo que Irene pensó en una botella de Hesperidina[7] de muchos años.
15 Con frecuencia (pero esto solamente sucedió° los primeros días) cerrábamos algún cajón de las cómodas y nos mirábamos con tristeza.

= **difícil**
missed / slippers
la... kept her warm / juniper
= **ocurrió**

—No está aquí.
Y era una cosa más de todo lo que habíamos perdido al otro
20 lado de la casa.
Pero también tuvimos ventajas.° La limpieza se simplificó tanto que aun levantándose tardísimo, a las nueve y media por ejemplo, no daban las once y ya estábamos de brazos cruzados. Irene se acostumbró a ir conmigo a la cocina y ayudarme a preparar el
25 almuerzo. Lo pensamos bien, y se decidió esto: mientras yo preparaba el almuerzo, Irene cocinaría platos para comer fríos de noche. Nos alegramos porque siempre resulta molesto° tener que abandonar los dormitorios al atardecer y ponerse a cocinar. Ahora nos bastaba con la mesa en el dormitorio de Irene y las fuentes de comida
30 fiambre.°

advantages
bothersome
las... the platters of cold cuts

Irene estaba contenta porque le quedaba más tiempo para tejer. Yo andaba un poco perdido a causa de los libros, pero por no afligir° a mi hermana me puse° a revisar la colección de estampillas de papá, y eso me sirvió para matar el tiempo. Nos divertíamos
35 mucho, cada uno en sus cosas, casi siempre reunidos en el dormitorio de Irene que era más cómodo. A veces Irene decía:
—Fíjate este punto° que se me ha ocurrido. ¿No da un dibujo de trébol?[8]

to worry / **me...** I began
stitch

[7]**una botella de Hesperidina** a bottle of lemon-scented perfume.

[8]**¿No da un dibujo de trébol?** Doesn't it look like a three-leaf clover? (Note: the "fleur-de-lys" symbol of France has a clover-like shape.)

Un rato después era yo el que le ponía ante los ojos un cuadradito° de papel para que viese° el mérito de algún sello de Eupen y Malmédy.[9] Estábamos bien, y poco a poco empezábamos a no pensar. Se puede vivir sin pensar.

little square / would see

Sueños

(Cuando Irene soñaba en alta voz yo me desvelaba° en seguida. Nunca pude habituarme a esa voz de estatua o papagayo,° voz que viene de los sueños y no de la garganta. Irene decía que mis sueños consistían en grandes sacudones° que a veces hacían caer el cobertor.° Nuestros dormitorios tenían el living de por medio,° pero de noche se escuchaba cualquier cosa en la casa. Nos oíamos respirar, toser,° presentíamos el ademán que conduce a la llave del velador,° los mutuos y frecuentes insomnios.

yo... I would wake up
parrot
jolts
bedspread / in the middle
coughing
night-table lamp

Aparte de eso todo estaba callado° en la casa. De día eran los rumores domésticos, el roce° metálico de las agujas de tejer, un crujido° al pasar las hojas° del álbum filatélico.° La puerta de roble, creo haberlo dicho, era maciza. En la cocina y el baño, que quedaban tocando la parte tomada, nos poníamos a hablar en voz más alta o Irene cantaba canciones de cuna.° En una cocina hay demasiado ruido de loza° y vidrios° para que otros sonidos irrumpan° en ella. Muy pocas veces permitíamos allí el silencio, pero cuando tornábamos a los dormitorios y al living, entonces la casa se ponía callada y a media luz, hasta pisábamos° más despacio para no molestarnos. Yo creo que era por eso que de noche, cuando Irene empezaba a soñar en alta voz, me desvelaba en seguida.)

= **silencioso**
rubbing
rustle / pages / stamp
canciones... lullabies
crockery / glass / burst in
we would walk

La casa tomada

Es casi repetir lo mismo salvo las consecuencias. De noche siento sed, y antes de acostarnos le dije a Irene que iba hasta la cocina a servirme un vaso de agua. Desde la puerta del dormitorio (ella tejía) oí ruido en la cocina; tal vez en la cocina o tal vez en el baño porque el codo del pasillo apagaba° el sonido. A Irene le llamó la atención mi brusca manera de detenerme,° y vino a mi lado sin decir palabra. Nos quedamos escuchando los ruidos, notando claramente que eran de este lado de la puerta de roble, en la cocina y el baño, o en el pasillo mismo donde empezaba el codo casi al lado nuestro.

muffled
of stopping myself, halting

No nos miramos siquiera.° Apreté° el brazo de Irene y la hice correr conmigo hasta la puerta cancel, sin volvernos hacia atrás.

No... We didn't even look at each other. / I squeezed

[9]**algún sello de Eupen y Malmédy** a certain stamp from Eupen and Malmédy. These two small towns in eastern Belgium were annexed by Prussia in 1815 and returned to Belgium in 1919 at the Treaty of Versailles, which ended World War I. The Nazi armies invaded Eupen and Malmédy in 1940, and Hitler declared them once again part of Germany. The cities were liberated by the Allied Forces in 1944.

Los ruidos se oían más fuerte pero siempre sordos, a espaldas nuestras.° Cerré de un golpe la cancel y nos quedamos en el zaguán. Ahora no se oía nada.

—Han tomado esta parte —dijo Irene. El tejido le colgaba° de
5 las manos y las hebras° iban hasta la cancel y se perdían debajo. Cuando vio que los ovillos habían quedado del otro lado, soltó° el tejido sin mirarlo.

—¿Tuviste tiempo de traer alguna cosa? —le pregunté inútilmente.

10 —No, nada.

Estábamos con lo puesto.° Me acordé de los quince mil pesos en el armario° de mi dormitorio. Ya era tarde ahora.

Como me quedaba el reloj pulsera,° vi que eran las once de la noche. Rodeé con mi brazo la cintura de Irene° (yo creo que ella
15 estaba llorando) y salimos así a la calle. Antes de alejarnos° tuve lástima,° cerré bien la puerta de entrada y tiré la llave a la alcantarilla.° No fuese que a algún pobre diablo se le ocurriera robar y se metiera en la casa,[10] a esa hora y con la casa tomada.

a... at our back
was hanging
threads
she dropped
Estábamos... We had only what we were wearing.
wardrobe
el... wristwatch
Rodeé... I put my arm around Irene's waist
Antes... Before going away
tuve... I felt sorry
sewer

Comprensión

¿Qué pasó?

Los dos hermanos

1. ¿Por qué les gustaba la casa?
2. ¿Cuántas personas podían habitar la casa?
3. ¿Cuántas realmente la habitaban?
4. ¿Cómo era el horario de Irene y su hermano?
5. ¿Había tenido pretendientes Irene?
6. ¿Qué le había ocurrido a la novia del narrador?
7. ¿Aproximadamente qué edad tenían los dos hermanos?
8. ¿Qué le ocurriría a la casa después de la muerte de ellos?
9. ¿Qué hacía Irene casi todo el día?
10. ¿Qué cosas fabricaba ella?
11. ¿Qué hacía el narrador los sábados?
12. ¿Qué tipo de literatura le gustaba a él?
13. ¿Qué encontró él un día?
14. ¿De dónde les llegaba el dinero?

La casa

15. ¿Cómo estaba distribuida la casa?
16. ¿En qué parte de la casa vivían los dos hermanos?
17. ¿Por qué era un problema la tierra?

[10]**No... casa** Just in case a poor devil got it into his head to steal and broke into the house.

Ruidos extraños

18. ¿Qué hora era cuando el narrador fue a poner la pavita del mate?
19. ¿Qué oyó él en esa ocasión?
20. ¿Qué hizo el narrador entonces?
21. ¿Qué le dijo a Irene?
22. ¿Cuál fue la reacción de Irene?
23. ¿Qué tejía ella en ese momento?

Una nueva invasión

24. ¿Qué cosas habían dejado los dos hermanos en el lado tomado de la casa?
25. ¿Qué ventajas encontraron en la nueva situación?
26. ¿Qué hacían a la hora del almuerzo?
27. ¿Qué hizo el narrador para matar el tiempo?

Sueños

28. ¿Cómo soñaba Irene de noche?
29. ¿Cómo soñaba el narrador?
30. ¿Qué sonidos se oían de día?

La casa tomada

31. ¿Qué ocurrió una noche cuando el narrador iba a la cocina?
32. ¿Qué hicieron ellos en lugar de ir a la cocina?
33. ¿Qué había dejado Irene en el otro lado de la puerta?
34. ¿Qué dejó el narrador en la casa? ¿Qué hora era?
35. ¿Qué hizo el narrador con la llave de la casa? ¿Por qué lo hizo?

Fuente de palabras

Prefijos negativos

Spanish, like English, often uses prefixes to change the meaning of a word. Certain prefixes add a negative meaning:

des-	**tejer** *(to knit)*	**destejer** *(to unknit, to unravel)*
in-	**útil** *(useful)*	**inútil** *(useless)*

Transformaciones

Dé el significado en inglés de cada palabra.

1. conocer / desconocer
2. aparecer / desaparecer
3. cortés / descortés
4. atar / desatar
5. feliz / infeliz
6. conformidad / inconformidad
7. justo / injusto
8. esperado / inesperado

Observación

El infinitivo

The infinitive occurs much more frequently in Spanish than in English. Note the following uses:

after **tener que**

Tuve que **cerrar** la puerta del pasillo.	*I had* ***to close*** *the door to the hall.*

object of the verb

... [la casa] no nos dejó **casarnos.**	*. . . [the house] did not let us* ***get married.***
Uno puede **releer** un libro...	*One could* ***reread*** *a book . . .*

object of a preposition

... ya no quedaba nada por **hacer.**	*. . . already there was nothing left* ***to do.***
... le quedaba más tiempo para **tejer.**	*. . . she had more time* ***to knit.***
Se puede vivir sin **pensar.**	*One can live without* ***thinking.***
Antes de **alejarnos** tuve lástima.	*Before* ***leaving,*** *I felt sad.*

¡Otra vez!

Vuelva a contar la historia, cambiando los verbos al tiempo pasado apropiado.

1. Nos *gusta* la casa porque *guarda* los recuerdos de nuestros bisabuelos, el abuelo paterno, nuestros padres y toda la infancia.
2. Irene y yo *persistimos* solos en la casa.
3. Irene *pasa* mucho tiempo tejiendo en el sofá de su dormitorio.
4. No *necesitamos* ganarnos la vida.
5. En la casa *hay* una parte más retirada, dividida de la casa por una puerta de roble.
6. Irene y yo casi nunca *vamos* más allá de la puerta de roble, salvo para hacer la limpieza.
7. Una noche *voy* por el pasillo para ir a la cocina mientras Irene *teje* en su dormitorio.
8. *Oigo* un ruido impreciso y sordo que *viene* del comedor o la biblioteca, cerca de la puerta de roble.
9. *Cierro* la puerta de golpe, y *apoyo* el cuerpo contra ella.
10. Le *digo* a Irene que *han* tomado la parte del fondo de la casa.
11. Ambos *hemos* dejado muchas cosas que *queremos* en la parte tomada.
12. La limpieza *se simplifica* mucho.
13. Irene *está* contenta porque le *queda* más tiempo para tejer.
14. Yo me *pongo* a revisar la colección de estampillas de papá.
15. *Estamos* bien, y poco a poco *empezamos* a no pensar.
16. Una noche *siento* sed, y *voy* a la cocina a servirme un vaso de agua.
17. Desde la puerta del dormitorio *oigo* ruido, tal vez en la cocina o tal vez en el baño.
18. La brusca manera de detenerme le *llama* la atención a Irene.
19. *Aprieto* el brazo de Irene y la *hago* correr conmigo hasta la puerta cancel.
20. *Cierro* de un golpe la cancel y nos *quedamos* en el zaguán.

21. *Han* tomado esta parte de la casa.
22. No *tenemos* tiempo de traer ninguna cosa; *estamos* con lo puesto.
23. *Salimos* a la calle, *cierro* bien la puerta de entrada y *tiro* la llave a la alcantarilla.

Interpretación

Análisis

1. El cuento no dice quiénes tomaron la casa. ¿Cómo se los imagina usted? ¿Por qué cree usted que ellos tomaron la casa?
2. Analice la personalidad de Irene. Refiérase al texto.
3. ¿Qué cosas son importantes en la vida del narrador? ¿Por qué?
4. Describa la relación entre los dos hermanos. ¿Cómo explicaría usted su comportamiento?
5. Discuta los temas de la obsesión y la compulsión en esta narración.
6. Explique el simbolismo de la llave que el protagonista arroja a la alcantarilla.
7. En su opinión, ¿qué les pasa a los hermanos después de salir de su casa?
8. Este cuento se puede interpretar como una alegoría de la ocupación de Francia por los alemanes durante la Segunda Guerra Mundial. Explique.

Composición dirigida

Describa la casa.

PALABRAS CLAVES ser / espacioso / comedor / biblioteca / dormitorio / el living / entrar / zaguán / puerta de roble

Composiciones libres

1. Lea con atención el pasaje donde el narrador describe la casa. Dibuje un plano *(floor plan)* de la casa con los nombres de las diferentes partes en español.
2. Escriba usted un resumen de este cuento desde el punto de vista de los que quieren tomar la casa. ¿Por qué la toman? ¿Qué hacen después de tomarla?

Dramatización en parejas

Los vecinos de Irene y el narrador observan las acciones de Irene y su hermano. ¿Qué se dicen?

Discusión en grupos

1. El narrador afirma que él y su hermana eran el fin de una genealogía. Explique.
2. Discuta la importancia de la tierra y el polvo en la casa. ¿Qué representan?
3. Si usted se encontrara en la misma situación que los hermanos, ¿dejaría su casa? ¿Por qué?

4. El narrador dice, «Se puede vivir sin pensar.» ¿Es verdad? Explique.
5. ¿Qué clase de actividad es el tejido? ¿Qué función tiene en la historia? ¿Conoce a alguien que le guste tejer? ¿Cómo es? ¿Por qué teje?
6. ¿Es justo que dos personas vivan en 300 metros cuadrados, mientras que a veces una familia entera vive en 50 metros cuadrados? Explique. ¿Qué propondría usted para solucionar esa situación?

Comparaciones y contrastes

S1 Compare y contraste las descripciones de las casas en «La vieja casona» y en «Casa tomada». ¿Qué simboliza la casa en cada cuento? (Cuentos 17 y 20)

Véase también los temas P2, P10 y S2 en Apéndice A.

21

Un perro, un niño, la noche

Amalia Rendic

—Papá, ¿no puedes pedirle al míster que nos regale a Black? ¿Por qué no se lo compras?

Un perro, un niño, la noche

Amalia Rendic (1928–1989), born in Antofagasta, Chile, began her academic career as professor of literature at the University of Santiago. In her short stories, she combines realism and poetry to portray life in contemporary Chile. In "Un perro, un niño, la noche," which was first published in *Cuentos infantiles* (1967), a worker's son is asked to care for the dog of one of the American directors of the local copper mine.

El campamento

El sol se diluía° en pequeños cuerpecillos de oro.° La luz débil de los faroles° combatía° apenas la obscuridad y la neblina° que avanzaban invadiendo todo el campamento.[1] Una pequeña muchedumbre,° compuesta por palanqueros, maquinistas, trabajadores de los molinos de piedra, barreteros, volvía al hogar.° El regreso era lento y silencioso por efecto de la puna.[2] El mineral° de Chuquicamata[3] está a más de dos mil ochocientos metros sobre el nivel del mar.

Al llegar hacia el barrio Brinkeroft,[4] el grupo empezó a desintegrarse hacia diferentes calles del campamento obrero. A través de ventanas y puertas entreabiertas° se divisaban° claridades de hogar.° El obrero Juan Labra, maquinista esforzado° y excelente compañero, seguía por una de las tantas° callejuelas,° quejumbroso° aún por la estridencia° de silbidos° y sirenas de las maestranzas.° En su rostro° joven y ya surcado de cisuras como vetas[5] se disiparon° de pronto las preocupaciones y súbitas° ráfagas° de ternura° le afloraron° a los ojos. Como algo natural, recibió la ofrenda° de cariño de su joven familia. Allí estaba Juanucho,° esperándolo como todas las tardes en la puerta de la casa. Mocito° de nueve años, de ojos vivaces° y curiosos, bastante fornido° para su edad y de pies muy andariegos.° La mina para él

was fading softly / **pequeños...** golden rays
street lamps / was fighting against / fog
crowd
volvía... were returning home
mine
half-open / were visible
claridades... household lights / = **fuerte**
numerous / = **calles cortas y estrechas**
sighing / shrillness / whistles
work areas / = **cara**
vanished / sudden
bursts / tenderness / surfaced
= **regalo**
little Juan
= **Niño** / lively
= **fuerte** / **de...** fond of walking

[1]**el campamento** mining camp. Workers **(obreros)** at the immense open-pit copper mine include the men handling the pile drivers **(palanqueros)**, the machinists **(maquinistas)**, those who crush the ore **(trabajadores de los molinos de piedra)** and the miners **(barreteros)**.

[2]**la puna** breathing difficulty caused by the high altitude: over 9,000 feet above sea level.

[3]**Chuquicamata** (also referred to simply as **Chuqui** by the inhabitants) largest copper mining town in the Chilean Andes; population, 30,000.

[4]**el barrio Brinkeroft** Prior to nationalization in the 1970s, 90 percent of the mines were owned by Americans. Since Chuquicamata is located in a desert area, all housing, water, and supplies were provided by the mining companies like Brinkeroft.

[5]**surcado... vetas** with deep wrinkles resembling veins of ore. Literally, furrowed with indentations like veins of ore.

no tenía secretos. Palmo a palmo[6] conocía todos sus misterios. Parlanchino,° sólo la sonrisa lograba° interrumpir su constante barbullar.° Con la cara pegada a° la pequeña reja° del jardín, observó lleno de curiosidad a un norteamericano de gran estatura° que venía detrás de su padre.

Talkative / managed
chattering / pressed against / iron gate
= **muy alto**

La visita de míster Davies

—¡Papá, un gringo° te sigue, viene a nuestra casa! —le susurró° asustado,° a manera de saludo, a su progenitor.° La calle se veía desierta. Obsesionaba a Juanucho la presencia de Black, el enorme perro pastor° que permanecía junto a míster Davies, el amo.° Black era para éste° uno de esos seres° que habían logrado entrar en sus afectos. Una especie° de compañero en su existencia solitaria en tierra extranjera.

—Pase usted, míster Davies; en lo que podamos servirlo° —dijo el minero Juan Labra, sacándose° con respeto su casco metálico° y abriendo la pequeña puerta de la reja. Apenas disimulaba° su asombro° al ver a uno de los jefes de la compañía frente a su puerta.

—Yo ser breve,[7] señor Labra. Yo necesitar° un favor grande de parte suya. Pronto debo partir hacia Antofagasta[8] y querer° dejar bajo su custodia, por unos días, a este mi buen amigo Black. Usted ser° bondadoso. En Calama[9] usted integrar° junta de protección a animalitos.° Todo saberlo,° —dijo míster Davies, contemplando° a su perro.

—Muy bien, míster Davies, muchas gracias por la confianza. Aquí estará a gusto.° Trataremos° que el perro no sufra. Mi hijo Juanucho lo cuidará en su ausencia° —respondió Labra, acomodándose° la chaqueta y sintiendo° un raro cosquilleo° de satisfacción por dentro.

—Yo dejarlo° en sus manos y muchas gracias. Hasta pronto, señor Labra. Ser hasta° muy pronto, Black... ¡Ah, olvidarme yo!° Aquí dejar° sus provisiones de carne envasada.° Ser° su alimento° predilecto.°

= **norteamericano**
he whispered / frightened / father
shepherd
owner, master / = **Mr. Davies** / beings
kind
en... what can we do for you?
taking off
casco... hard hat
concealed / astonishment
= **Necesito**
= **quiero**
= **es** / = **integra**
junta... society for the protection of animals / = **Todos lo saben** / = **mirando**
= **contento** / We shall make sure
absence
adjusting / feeling / sensation
= **lo dejo**
= **Volveré** / = **se me olvidó** I forgot
= **dejo** / canned / = **Es** / = **comida**
= **favorito**

El perro y el niño

El amo y el perro se veían apesadumbrados.° Black tironeó° los pantalones a su dueño, éste° se inclinó y acariciando° la cabeza de puntiagudo hocico,° partió. El animal quiso seguirlo, pero lo

sad / pulled
= **Davies** / patting
de... with pointed snout

[6]**Palmo a palmo** Inch by inch (see p. 40)

[7]**Yo ser breve = (yo) seré breve** "I shall be brief." Mr. Davies, an American who has been sent to manage the mine in Chile, speaks a pidgin Spanish. Note that he uses subject pronouns and infinitives rather than conjugated verb forms.

[8]**Antofagasta** major Chilean seaport, about 150 miles southwest of Chuquicamata, from which the copper is exported around the world.

[9]**Calama** small town at a lower altitude, twenty miles southwest of Chuquicamata.

retuvieron° como una especie de cadena° los brazos de Juanucho. Black ladró entrecortadamente,° olfateando° el aire. Sobresalía° su lengua roja y empapada.° Respiraba acezante.° El niño cerró la reja. Black se irguió° con cara de pocos amigos. Su pelaje° lustroso,° la esbeltez,° la dignidad de su porte,° acusaban° la rama heráldica[10] de su origen. Era un perro comprado en oro° y triunfador en muchos concursos° por su pedigree.

Como si se tratase de° un hermano menor, el niño empezó a hablarle. Largo rato se miraron sin siquiera pestañear.° Los ojos del perro estaban fijos, y en ellos, como pequeños puntos luminosos,° se reflejaba la imagen° del niño. Tímidamente acarició el lomo° del perro, quien olfateó el aire y tiempo después respondió con un desganado° movimiento de su cola.°

El pequeño Labra° continuó su extraño° soliloquio° con Black. Empezaron a cobrarse simpatía.° Tras las horas oscuras de la noche envuelta en camanchaca[11] llegó el amanecer° y luego el día, que como siempre despuntó° en medio de esas dos moles° inmensas que forman los volcanes San Pedro y San Pablo. Todo aparecía de un color azul mojado.

En el patio de la casa obrera, Black despertó con las primeras sirenas y al contemplar el desfile° de mineros fue como si a él también le hubiese amanecido° algo grande en el pecho.° Respondió a las nuevas impresiones con ladridos° que estallaban.° A primera hora,° Juanucho, desde su mundo de fantasía, fue al encuentro° de su amigo improvisado° y durante días y más días salieron juntos a todas partes.

Desafiando° el viento, corrían por esa cinta° sinuosa° y gigantesca que es el camino a Calama. Sin conocer el cansancio,° penetraron en la inmensa vastedad de la puna.

Jugando se zambullían° en los grises residuos° de cobre° de la torta,° esa masa informe° y majestuosa° de tierra metálica. Trataban de coger° los reflejos luminosos verde-azules y amarillos que forman alucinantes coloraciones con el abrazo del sol.°

Así transcurrían° las horas y llegaban los anocheceres,° tornándose° cada vez más cálidos° los lazos° de amistad que lograban unirlos.° Una creciente° angustia nublaba° la efímera° dicha° del niño. Pensaba que el plazo° pronto se vencería.° Era indudable° el regreso de míster Davies.

held back / chain
falteringly / sniffing / Was hanging out
wet / anxiously
stood erect / fur / shining
slenderness / bearing / were indications of
expensive
dog shows
Como... As if he were
sin... without even blinking
bright
face / back

indifferent / tail
= **Juanucho** / strange / monologue
a... to become fond of each other
dawn
broke / masses

procession
hubiese... had awakened / heart
barks / sounded like explosions
First thing in the morning / **fue...** went out to see
new

Challenging / ribbon / winding
fatigue

they dove / residues / copper
mine pit / shapeless / majestic
collect
con... in the sunlight
= **pasaban** / nightfalls
becoming / affectionate / ties
= **unir a Juanucho y a Black** / growing / clouded / short-lived / happiness
time together / would come to an end / = **cierto**

[10]**rama heráldica** pedigree. Literally, the branch of a family possessing a coat of arms: a noble lineage.

[11]**envuelta en camanchaca** foggy. **Camanchaca** is the name given to the low, thick, creeping fog characteristic of northern Chile. (A product of the cold Humboldt Current, this fog does not modify the desert climate of the area.)

—Papá, ¿no puedes pedirle al míster que nos regale° a Black? ¿Por qué no se lo compras?

—No, Juanucho, no será nunca nuestro. Es muy fino,° vale su precio en oro. Éstos son perros de ricos. A los gringos les gusta pasearse con ellos y presentarlos a concursos —respondió con una sonrisa amarga° el obrero.

—Cuando yo sea grande se lo compraré —respondió Juanucho con decisión—. ¡No quiero que se lo lleven,° es mi amigo! —gritó casi a su padre.

El regreso de míster Davies

Un día, al regresar de su paseo por las márgenes del Loa,[12] empezó a soplar° un feo viento de cordillera.° Venían empapados° con la seda húmeda° de la camanchaca. Al llegar frente a su puerta se detuvieron° como ante algo temido° y esperado.°

¡Míster Davies! Había vuelto. El pequeño trató de explicar lo que en su vida significaba° el perro, pero las palabras brotaron° en su corazón y quedaron en la garganta reseca.° Fue un momento triste.

—¡Adiós, amiguito, y buena suerte! —balbuceó° con las pupilas° mojadas y retorciéndose° las manos nerviosas.

Míster Davies le dio las gracias más sinceras. Con precoz hombría de bien,[13] el niño no aceptó gratificación° alguna.

Black echó a° caminar con desgano° tras su antiguo° dueño, y escudriñando° ávidamente° los rincones, se despidió de° los barrios obreros camino hacia° el campamento americano. Juanucho, pasado el primer acceso de desesperación,° reflexionó, porque sabía que un perro fino no era para él. Black siguió su marcha. La armonía logró establecerse en ambas partes.

Pero llegó la soledad de la noche, cuando las almas analizan hasta el último retazo° de la propia vida° y entonces todo fue inútil.° Se derrumbó° la defensa de Juanucho y rompió a sollozar.° Algo provocó una corriente° de comunicación entre los sentimientos del niño y del animal a través del espacio y en ese mismo instante, en el campamento americano, el perro empezó a aullar.° En el cerebro° del niño desfilaban° las imágenes° de Black, y como por una secreta influencia, el perro ladraba enfurecido,° pidiendo° al viento interpretara° su mensaje.° Primero fue un concierto lastimero,° luego se hizo ensordecedor.°

give
fine, elegant
bitter
se... they take him (Black) away
to blow / **feo...** nasty mountain wind / wet
seda... silk-like mist
they stopped / feared / anticipated
meant / welled up
parched
he stammered
= **ojos** / wringing
payment
= **empezó a** / reluctance / former
examining / eagerly / **se...** said good-bye to
on the road towards
acceso... attack of despair
fragment / **la...** life itself / useless
Collapsed / **rompió...** he began to sob
flow
to howl / mind
were parading by / memories
furiously / asking
transmit / message / plaintive
se... it became deafening

[12]**las márgenes del Loa** the banks of the Loa River, which runs from Chuquicamata to Calama and then northwest to the Pacific Ocean.

[13]**Con... bien** Like a young gentleman. Literally, with a precocious sense of integrity (that implies he would not take payment for services rendered).

Juanucho sollozó la noche entera en una queja° suplicante° que también se convirtió° en un raro concierto que fustigaba° las quietas calles del mineral.

Míster Davies estaba perplejo ante Black. ¿Qué puede hacer un 5 hombre frente a un perro que llora? Una nueva verdad tomó posesión del cerebro del gringo. Black ya no le pertenecía,° le había perdido el cariño.

Labra no encontraba cómo conformar° al hombrecito° lloroso° y afiebrado.° Porque, ¿qué puede hacer un hombre frente a un 10 niño que llora? Labra quería ver otra vez la risa segura y fácil de su hijo. Sintió el deber de conquistarla.[14] A él la pobreza lo había aguijoneado° muchas veces, pero esto no lo soportaba.° Algo inusitado° tendría que suceder° en el mineral en esta noche de excitación.°

moan / imploring
turned into / whipped through
ya... no longer belonged to him
to comfort / = **Juanucho** / tearful
feverish
lo... had stung him / **esto...** this he was unable to bear
unexpected / **tendría...** would have to happen
uneasiness

El milagro

15 Como si hubiese llegado la hora en que todos los hombres fuesen hermanos,[15] se echó° su manta° a los hombros,° cogió la linterna° y partió hacia el barrio alto para ver si podría ser realidad un milagro.° Sí, tenía que darse ánimos° y atreverse.° Él, un modesto obrero, siempre apocado° y silencioso, iría a pedirle el 20 fino, hermoso y premiado° perro Black a uno de los jerarcas° de la compañía. Aspiró con fuerzas° el aire frío de la noche y se estremeció° pensando en su audacia.° Subía hacia el campamento americano.

En forma sorpresiva,° unos ojos pardos° y fosforescentes° bri- 25 llaron a la luz de su linterna. Labra se sobresaltó.° Un olor° a pipa y tabaco fino y unos ladridos familiares lo detuvieron°...

¡Míster Davies salía a su encuentro a esa hora y se dirigía hacia el pabellón° de los obreros!

Algo mordió el corazón de los hombres.[16] No eran necesarias 30 las palabras.

—Ya no pertenecerme° —balbuceó el míster, depositando en las manos obreras la maciza° cadena° metálica de Black.

Labra cogió al animal con manos temblorosas° y un regocijo° triste calentó° su sonrisa. No hubo gracias exaltadas, sólo una 35 muda° y recíproca comprensión. Black, tironeando,° lo obligó a seguir las huellas° hacia el barrio de Juanucho.

En el trance° del milagro, un nuevo calor entibió° la noche de Chuqui.

he threw / poncho / shoulders
flashlight
miracle / to give himself courage / to be daring
= **tímido**
prize-winning / = **jefes**
Aspiró... He breathed deeply
shuddered / boldness
unexpected / brown / phosphorescent
was startled / smell
stopped
housing area
= **no me pertenece**
heavy / leash
trembling / happiness
warmed
silent / tugging
tracks
= **momento** / warmed

[14]**Sintió... conquistarla.** He felt obliged to win back Juanucho's smile.

[15]**Como... hermanos** As if the hour had arrived when all men would be brothers.

[16]**Algo... hombres.** Something touched the hearts of the two men. Literally, **morder** means *to bite*.

Comprensión

¿Qué pasó?

El campamento

1. ¿Dónde tiene lugar este cuento?
2. ¿Cómo es el ambiente del campamento?
3. ¿Cuáles son los trabajos de los mineros?
4. ¿Por qué es lento y silencioso el regreso al hogar?
5. ¿Qué hace Juan Labra en la mina?
6. ¿En qué estado regresa el padre del trabajo?
7. ¿Cómo lo recibe su joven familia?
8. ¿Cuántos años tiene Juanucho? ¿Cómo es?

La visita de míster Davies

9. ¿A qué vino míster Davies?
10. ¿Qué le obsesionaba a Juanucho?
11. ¿Qué representaba Black en la vida de míster Davies?
12. ¿Por qué sintió asombro Juan Labra?
13. ¿Qué favor le pide míster Davies al padre de Juanucho?

El perro y el niño

14. ¿Qué hacían juntos Juanucho y Black?
15. ¿Por qué sentía Juanucho una creciente angustia?
16. ¿Qué quiere Juanucho que le pida su papá a míster Davies? ¿Qué le contesta el padre al hijo?

El regreso de míster Davies

17. Al regresar míster Davies, ¿cómo reaccionó Juanucho? ¿y Black?
18. Después de separarse, ¿qué hicieron Black y Juanucho durante la noche?

El milagro

19. ¿Cuál era el objetivo del padre de Juanucho cuando partió hacia el campamento americano?
20. ¿Cómo describe la autora los momentos en que Juan Labra y míster Davies se encuentran?
21. ¿Por qué sintió Juan Labra un «regocijo triste» al coger a Black?
22. ¿Quién esperaba a Black y a Juan Labra en el barrio obrero?

Fuente de palabras

Más cognados *(es-)*

Many Spanish words which begin with **es-** have English cognates that begin with **s-**.

la estatura ↔ *stature*

Transformaciones

Dé el cognado inglés de cada palabra.

1. la escuela	5. el espacio	9. el estilo
2. el espíritu	6. la escena	10. especial
3. el estudio	7. el escándalo	11. estúpido
4. el estado	8. el esposo	12. espectacular

Observación

El subjuntivo y el indicativo

The subjunctive in Spanish is used to describe situations that are uncertain. The imperfect subjunctive and the past perfect subjunctive (formed with the imperfect subjunctive of **haber** + past participle) are always used after **como si** to stress the unreality of the condition introduced and to remove it from the present.

Como si se tratase de un hermano menor...	***As if he were*** *a younger brother . . .*
Como si hubiese llegado la hora en que todos los hombres fuesen hermanos...	***As if*** *the hour* ***had arrived*** *when all men would be brothers . . .*

The subjunctive is used after **cuando** when the main clause is in the future. This is because the action of the *when*-clause has not yet been performed.

Cuando yo sea grande, se lo compraré.	***When I am*** *big, I will buy him [Black] from him.*

NOTE: If the main clause is in the present or the past, the verb after **cuando** is in the indicative because no uncertainty exists.

Cuando era niño, mis padres me compraron un perro.	***When I was*** *a child, my parents bought me a dog.*

¡Otra vez!

Vuelva a contar la historia, cambiando todos los verbos en itálicas al tiempo pasado apropiado. ¡Préstele atención al subjuntivo!

1. Juan Labra *regresa* a su casa contento de que otro día de trabajo en la mina *haya* terminado. 2. *Es* bueno que su familia *reciba* con cariño al maquinista fuerte. 3. El hijo Juanucho *se asusta* de que un gringo *siga* al padre a la casa. 4. El norteamericano les *pide* a los Labra que *cuiden* a su perro Black cuando él *esté* en Antofagasta. 5. El padre *dice* que *tratarán* que el perro no *sufra*. 6. *Está* agradecido y orgulloso de que míster Davies *tenga* tanta confianza en su familia. 7. Black no *quiere* que su amo lo *deje*. 8. Juanucho *tiene* que retener a Black con sus brazos y le *impresiona* mucho que el perro *sea* tan fuerte y fino. 9. *Es* natural que el niño y el perro *jueguen* mucho y que *se hagan* buenos amigos. 10. *Es* seguro que míster Davies *regresará* dentro de poco.

11. El hijo le *dice* al papá que *compre* el perro pastor. 12. Sin embargo, el padre le *explica* al hijo que cuando *vuelva* míster Davies de Antofagasta, el perro se *irá* con su amo. 13. El niño y el perro se *pondrán* muy tristes cuando se *separen.* 14. *Es* lástima que Juanucho *llore* y que Black *ladre* tanto. 15. *Es* un milagro que, al final, míster Davies le *regale* el perro a Juanucho.

Interpretación

Análisis

1. ¿Qué influencia tiene la camanchaca en las personas de la comunidad minera?
2. ¿Cuál es el significado de la noche en este cuento? ¿Por qué es parte del título del cuento?
3. Describa usted la relación entre Juanucho y Black.
4. Discuta el paralelismo que hay entre el aullar del perro y el llorar de Juanucho.
5. ¿Cuál es la actitud de Juan hacia su hijo y hacia los animales?
6. Después de regalarle el perro a Juanucho, ¿cuáles serían los pensamientos y sentimientos de míster Davies?
7. ¿Es el personaje de míster Davies un estereotipo? ¿Qué impresión se lleva el lector de él? ¿Y de los mineros? Explique.
8. ¿Qué le sugiere el apellido «Labra»? ¿Es apropiado?
9. ¿Cómo funciona el elemento de la soledad en el relato?

Composiciones dirigidas

1. Describa usted a Juanucho.

   PALABRAS CLAVES mocito / nueve / ojos / curioso / vivaz / parlanchino / fornido / sonrisa / cariño / Black

2. Haga un retrato de Black.

   PALABRAS CLAVES ser / perro pastor / fino / hermoso / triunfador / concursos / amigo

Composiciones libres

1. Cuente usted esta historia desde el punto de vista de Juanucho.
2. Imagínese que usted es míster Davies. Escríbale a un(a) amigo(a) una carta que describe los hechos de los últimos seis meses.
3. ¿Cómo describiría usted la actitud y las acciones de Black?

Dramatización en parejas

Después de treinta años, Juanucho habla con su hijo sobre Black. ¿Qué quiere saber el hijo y qué le cuenta Juanucho?

Discusión en grupos

1. ¿Cuál es el milagro al final del cuento? ¿Cree usted en los milagros?
2. Compare y contraste usted la vida de Juan Labra y la de míster Davies. La noche de la separación de Juanucho y Black, ¿en qué se parecían los dos hombres?
3. En su opinión, ¿cómo es la vida en la mina? ¿Querría trabajar allí? ¿Por qué?
4. Compare y contraste el clima de Chuquicamata con el de su región.
5. ¿Cómo era su vida cuando tenía nueve años? Compárela con la vida de Juanucho a esta edad.
6. ¿Qué piensa usted de los perros? ¿Son buenos amigos? Explique.

Comparaciones y contrastes

P13 Compare y contraste la vida de Panchito en «Cajas de cartón» con la de Juanucho en «Un perro, un niño, la noche». (Cuentos 7 y 21)

Véase también los temas P4, P12, P14, P15, P17, P19, T8, A1, A5 y A6 en Apéndice A.

22

Continuidad de los parques

Julio Cortázar

... la luz de los ventanales, el alto respaldo de un sillón de terciopelo verde, la cabeza del hombre en el sillón leyendo una novela.

Continuidad de los parques

Julio Cortázar (1914–1984) often mixed fantasy and realism in his works. In "Continuidad de los parques," which first appeared in *Final del juego* (1964), a rancher, returning home after a business trip, settles into his green velvet armchair to finish a novel . . . and finds that he has unexpectedly become part of the plot.

Había empezado a leer la novela unos días antes. La abandonó por negocios urgentes, volvió a abrirla cuando regresaba en tren a la finca;° se dejaba interesar° lentamente por la trama,° por el dibujo° de los personajes. Esa tarde, después de escribir una carta a su apoderado° y discutir con el mayordomo° una cuestión° de aparcerías,° volvió al libro en la tranquilidad del estudio que miraba° hacia el parque de los robles.° Arrellanado° en su sillón° favorito, de espaldas° a la puerta que lo hubiera molestado° como una irritante posibilidad de intrusiones, dejó que su mano izquierda acariciara° una y otra vez el terciopelo° verde y se puso a leer los últimos capítulos. Su memoria retenía sin esfuerzo los nombres y las imágenes° de los protagonistas; la ilusión novelesca° lo ganó° casi en seguida. Gozaba° del placer casi perverso de irse desgajando° línea a línea de lo que lo rodeaba,° y sentir a la vez° que su cabeza descansaba cómodamente° en el terciopelo del alto respaldo,° que los cigarrillos seguían° al alcance° de la mano, que más allá de los ventanales° danzaba el aire del atardecer° bajo los robles. Palabra a palabra, absorbido por la sórdida disyuntiva° de los héroes, dejándose ir hacia las imágenes que se concertaban° y adquirían° color y movimiento, fue testigo° del último encuentro en la cabaña° del monte. Primero entraba la mujer, recelosa;° ahora llegaba el amante, lastimada la cara por el chicotazo de una rama.[1] Admirablemente restañaba ella la sangre° con sus besos, pero él rechazaba° las caricias,° no había venido para repetir las ceremonias de una pasión secreta, protegida° por un mundo de hojas° secas y senderos° furtivos. El puñal se entibiaba contra su pecho,[2] y debajo latía° la libertad agazapada.° Un diálogo anhelante° corría por las páginas como un arroyo de serpientes,° y se sentía que todo estaba decidido desde siempre. Hasta esas caricias que enredaban° el cuerpo del amante como queriendo retenerlo y disuadirlo, dibuja-

farm / **se...** he let himself get interested / plot / description
attorney / estate manager / an issue
share-cropping
faced / oaks / Comfortable / armchair
with his back / bothered
caress / velvet
images / novelistic
won him over / He was enjoying
irse... separating himself / **de...** from what surrounded him / **a...** at the same time
comfortably
back (of the chair) / = **estaban** / within the reach
large windows / early evening
dilemma
were coming together
were acquiring / **fue...** he witnessed
cabin / fearful
restañaba... she stopped the bleeding
rejected / caresses
protected / leaves
paths
was beating / crouching, ready to spring / anxious
arroyo... dry river bed inhabited by snakes
entangled

[1]**lastimada... rama** his face was bleeding where it had been scratched by a branch. Literally, his face injured by the whipping of a branch.

[2]**El puñal... pecho** The dagger was getting warm against his chest,

ban abominablemente la figura de otro cuerpo que era necesario destruir. Nada había sido olvidado: coartadas,° azares,° posibles errores. A partir de° esa hora cada instante tenía su empleo minuciosamente° atribuido.° El doble repaso despiadado[3] se inte-
5 rrumpía apenas para que una mano acariciara una mejilla.° Empezaba a anochecer.°

Sin mirarse ya, atados° rígidamente a la tarea que los esperaba,° se separaron en la puerta de la cabaña. Ella debía seguir por la senda° que iba al norte. Desde la senda opuesta él se volvió un ins-
10 tante para verla correr con el pelo suelto.° Corrió a su vez, parapetándose en° los árboles y los setos,° hasta distinguir° en la bruma° malva° del crepúsculo° la alameda° que llevaba a la casa. Los perros no debían ladrar, y no ladraron. El mayordomo no estaría° a esa hora, y no estaba. Subió° los tres peldaños° del porche y entró.
15 Desde la sangre galopando° en sus oídos° le llegaban las palabras de la mujer: primero una sala azul, después una galería,° una escalera alfombrada.° En lo alto,° dos puertas. Nadie en la primera habitación, nadie en la segunda. La puerta del salón,° y entonces el puñal en la mano, la luz de los ventanales, el alto respaldo de un sillón de
20 terciopelo verde, la cabeza del hombre en el sillón leyendo una novela.

alibis / chance occurrences
Starting from
meticulously / assigned
cheek
to get dark
bound / **los...** awaited them
path
loose
sheltering himself behind / hedges / **hasta...** until he could make out / mist
mauve, purple / dusk / poplar-lined path
was not supposed to be around
He (the lover) went up / steps
rushing / = **orejas**
corridor
carpeted / At the top
drawing room

Comprensión

¿Qué pasó?

1. ¿Dónde vivía el hombre?
2. ¿Qué leía el hombre?
3. ¿Por qué había abandonado la novela? ¿Cuándo volvió a leerla?
4. ¿Qué tareas hizo antes de sentarse a leer?
5. ¿Cómo era su sillón favorito? ¿Que actitud tenía hacia el sillón?
6. ¿De qué gozaba el hombre?
7. ¿En dónde entraron la mujer y el amante?
8. ¿Qué le había pasado al amante?
9. ¿Qué tenía el hombre contra el pecho?
10. ¿Qué habían decidido hacer? ¿Por qué?
11. ¿Cuándo ocurrió la historia del hombre y la mujer?
12. ¿Qué hizo el hombre al salir de la cabaña?
13. ¿En qué cuarto de la casa entró el hombre?
14. ¿Dónde estaba sentada la víctima? ¿Qué hacía?

[3]**El doble repaso despiadado** The reviewing of the plans (**el repaso**) twice (**doble**) by the lovers, who showed no signs of remorse for what they were about to do (**despiadado**).

Fuente de palabras

Sufijos cognados *(-dad, -mente)*

Both English and Spanish expand word families by the use of suffixes. Note the following common patterns.

-dad ↔ *-ty*	**la continuidad**	*continuity*
-mente ↔ *-ly*	**rígidamente**	*rigidly*

Transformaciones

Dé el significado inglés de cada palabra.

1. la tranquilidad
2. la originalidad
3. la intensidad
4. la inconformidad
5. la eternidad
6. fríamente
7. extremadamente
8. brevemente
9. ansiosamente
10. literalmente

Observación

El participio presente

The present participle (**-ando** or **-iendo** form) is used frequently in Spanish descriptions.

la sangre **galopando** en sus oídos	*the blood* ***rushing*** *(= pulse beating) in his ears*
la cabeza del hombre en el sillón **leyendo** una novela	*the head of the man in the chair* ***reading*** *a novel*

The present participle may be used with direct, indirect, or reflexive pronouns that are attached to it.

Corrió... **parapetándose** en los árboles	*He ran . . .* ***taking cover*** *among the trees*

¡Otra vez!

Cambiando los verbos entre paréntesis al participio presente, vuelva usted a contar la historia.

1. El hombre no pudo seguir (leer) ____ la novela porque tenía unos negocios urgentes. 2. Sin embargo, (regresar) ____ a la finca en tren, logró volver a leerla. 3. Después de hacer ciertas tareas fue a su estudio y, (sentarse) ____ en su sillón de terciopelo verde, gozaba del libro. 4. (Sentir) ____ que su cabeza descansaba cómodamente en el terciopelo del alto respaldo, y (saber) ____ que los cigarrillos estaban al alcance de la mano, el hombre se puso a leer los últimos capítulos. La novela trataba de una mujer y su amante que planeaban un homicidio. 5. Leía que se separaban en la puerta de la cabaña, la mujer (seguir) ____ la senda que iba al norte y el amante (esconderse) ____ en los árboles. 6. Entonces el amante, (subir) ____ los

tres peldaños del porche y (llevar) ____ consigo un puñal, entró en la casa rápidamente.
7. El hombre — la víctima — estaba sentado en el sillón de terciopelo verde (leer) ____ una novela.

Interpretación

Análisis

1. ¿Cree usted que la novela dentro del cuento podría ser verdad y que el hombre leyéndola podría haber sido asesinado? ¿Por qué?
2. ¿Por qué cree usted que habían decidido cometer un homicidio aquel hombre y aquella mujer?
3. ¿Qué significa el título? ¿Qué clase de parque existe en el cuento? ¿Le parece a usted que el título de este cuento es apropiado? Explique.
4. ¿Cómo se imagina usted a la mujer del relato? ¿rubia? ¿morena? ¿pelirroja? ¿alta? ¿baja? ¿Cuántos años tendrá ella? ¿Qué hará de profesión?
5. ¿Cuál es la importancia del lector que lee la novela?
6. Explique usted la relación entre el tono tranquilo y lento al principio del cuento y el desenlace rápido y violento.
7. Invente otro final para el cuento.

Composiciones dirigidas

1. Resuma usted la acción en la cabaña.

   PALABRAS CLAVES entrar / mujer / receloso / amante / sangre / rechazar / besos / caricias / puñal / diálogo / anhelante / tarea / destruir / separarse

2. ¿Cuál es la relación entre el sillón del personaje principal y el ambiente al principio del cuento?

   PALABRAS CLAVES estar / estudio / favorito / terciopelo / verde / descansar / cómodo / cigarrillos / gozar / tranquilidad / robles / parque / leer / novela

Composición libre

1. ¿Cómo se imagina usted la personalidad y la apariencia física del hombre leyendo la novela?
2. ¿Cómo se imagina usted al amante de la mujer?

Dramatización en parejas

La mujer y su hermana conversan una semana antes del asesinato. ¿Qué planes cuenta la mujer y qué consejos le da su hermana?

Discusión en grupos

1. ¿Cuáles son las características de un roble? ¿Por qué opina usted que el autor ha escogido este árbol para su cuento?
2. ¿De qué manera absorbe la novela al lector en el cuento? ¿Qué diferencias habría si el hombre estuviera mirando televisión?
3. ¿Cree usted en el azar (*chance*)? Explique.

Comparaciones y contrastes

S2 ¿Qué importancia tiene la literatura en «Casa tomada» y en «Continuidad de los parques»? (Cuentos 20 y 22)

Véase también los temas P21, S4, T16, T18 y A11 en Apéndice A.

Appendix A

Comparaciones y Contrastes

Personajes

P1	Compare y contraste a las dos madres en «El tiempo borra» y en «La vieja casona».	Cuentos 3 y 17
P2	Compare y contraste la vivienda de la familia de Panchito en «Cajas de cartón» con la de los dos hermanos en «Casa tomada».	Cuentos 7 y 20
P3	Compare y contraste el asesinato de Wright en «Sala de espera» con el de Abel en «Leyenda».	Cuentos 2 y 4
P4	Compare y contraste a las dos familias en los cuentos «Cajas de cartón» y en «Un perro, un niño, la noche».	Cuentos 7 y 21
P5	Compare y contraste la vida y el matrimonio de la chica pobre en «El décimo» con la vida y el matrimonio de Mariana en «La conciencia». ¿Son las mujeres débiles o fuertes? Explique.	Cuentos 12 y 18
P6	Compare las acciones de Rosa María en «Una sortija para mi novia» con las de Margarita en «La camisa de Margarita». ¿En qué se parecen o se diferencian las dos novias?	Cuentos 8 y 9
P7	Compare y contraste a las madres en «Cajas de cartón», en «El general Rueda» y en «El Beso de la Patria».	Cuentos 7, 10 y 14
P8	Shirley, de «Un oso y un amor», tiene quince años y la chica pobre de «El décimo» tiene dieciséis. Compare y contraste sus vidas.	Cuentos 5 y 12
P9	Panchito en «Cajas de cartón» y la narradora en «El Beso de la Patria» tienen experiencias en la escuela que los impresionan mucho. Discuta las actitudes y acciones de sus profesores y cómo los afectan a la narradora y a Panchito.	Cuentos 7 y 14
P10	¿En qué se parecen y en qué se diferencian la narradora de «La vieja casona» e Irene de «Casa tomada»?	Cuentos 17 y 20

P11	¿Qué tienen en común la esposa de Indalecio de «El tiempo borra» y el padre de Ignacio de «No oyes ladrar los perros»?	Cuentos 3 y 19
P12	¿Cuáles son los problemas más agudos para Panchito de «Cajas de cartón» y Juanucho de «Un perro, un niño, la noche»? ¿Cómo los resuelven?	Cuentos 7 y 21
P13	Compare y contraste la vida de Panchito en «Cajas de cartón» con la de Juanucho en «Un perro, un niño, la noche».	Cuentos 7 y 21
P14	¿Cómo describirían las vidas de los padres el hijo del dentista en «Un día de estos» y Juanucho en «Un perro, un niño, la noche»?	Cuentos 16 y 21
P15	Compare y contraste las relaciones entre Panchito y su familia en «Cajas de cartón» y Juanucho y su padre en «Un perro, un niño, la noche».	Cuentos 7 y 21
P16	Describa las personalidades de la esposa de Indalecio en «El tiempo borra» y Mariana en «La conciencia». ¿En qué se parecen y en qué se diferencian?	Cuentos 3 y 18
P17	Compare y contraste la vida de Chu de «Bernardino» con la de Black de «Un perro, un niño, la noche».	Cuentos 13 y 21
P18	Relacione la lucha diaria de Bernardino con los problemas que tiene la narradora en «El Beso de la Patria». ¿Con quién simpatiza usted más? ¿Por qué?	Cuentos 13 y 14
P19	Compare las acciones del señor Sullivan de «Cajas de cartón» con las de míster Davis de «Un perro, un niño, la noche».	Cuentos 7 y 21
P20	Compare y contraste al general en «El general Rueda» con el alcalde en «Un día de estos».	Cuentos 10 y 16
P21	Compare y contraste el carácter de Mariana en «La conciencia» con el de la mujer en «Continuidad de los parques». Discuta también las acciones de las dos mujeres.	Cuentos 18 y 22
P22	Compare y contraste el carácter y las acciones de las esposas en «El tiempo borra» y en «Cajas de cartón».	Cuentos 3 y 7

Simbolismo y estilo

S1	Compare y contraste las descripciones de las casas en «La vieja casona» y en «Casa tomada». ¿Qué simboliza la casa en cada cuento?	Cuentos 17 y 20
S2	¿Qué importancia tiene la literatura en «Casa tomada» y en «Continuidad de los parques»?	Cuentos 20 y 22
S3	Compare y contraste el estilo narrativo de los siguientes cuentos: «Leyenda», «El nacimiento de la col» y «Apocalipsis». ¿Qué efecto cree usted que quiere producir el autor en cada cuento?	Cuentos 4, 6 y 11
S4	¿Qué simboliza la noche en «Leyenda» y en «Continuidad de los parques»?	Cuentos 4 y 22
S5	¿Qué significación tiene el dinero en «Una sortija para mi novia», en «La camisa de Margarita» y en «El décimo»?	Cuentos 8, 9 y 12

Temas

T1	Discuta el tema de la pobreza en «Una carta a Dios», en «Cajas de cartón» y en «El Beso de la Patria».	Cuentos 1, 7 y 14
T2	Describa el tema del poder en «El general Rueda» y en «Un día de estos».	Cuentos 10 y 16
T3	Compare y contraste el papel de la naturaleza en «Una carta a Dios» y en «El tiempo borra».	Cuentos 1 y 3
T4	Explique las diferencias temáticas entre «El nacimiento de la col», que trata de la creación, y «Apocalipsis», que trata de la extinción.	Cuentos 6 y 11
T5	Analice el tema de la desilusión y el pesimismo experimentados por Panchito en «Cajas de cartón» y la narradora en «El Beso de la Patria». ¿Cuál de los dos jóvenes sufre más? Explique.	Cuentos 7 y 14
T6	Discuta el tema del tiempo en «El tiempo borra» y en «Apocalipsis».	Cuentos 3 y 11
T7	Discuta el tema de la desilusión y el engaño en «Bernardino» y en «El Beso de la Patria».	Cuentos 13 y 14
T8	Desarrolle el tema de la soledad en «No oyes ladrar los perros» y en «Un perro, un niño, la noche».	Cuentos 19 y 21

T9	Discuta el tema de la resignación en «El tiempo borra» y en «Cajas de cartón».	Cuentos 3 y 7
T10	Discuta los temas de la nostalgia y la soledad en «El tiempo borra» y en «La vieja casona».	Cuentos 3 y 17
T11	Compare y contraste los temas principales de «Leyenda» y «El nacimiento de la col».	Cuentos 4 y 6
T12	Examine el tema de la violencia explícita o implícita en «El general Rueda» y en «Un día de estos».	Cuentos 10 y 16
T13	Comente el tema de la culpabilidad en «Leyenda» y en «La conciencia».	Cuentos 4 y 18
T14	Contraste el tema del amor en «Un oso y un amor», en «Una sortija para mi novia» y en «La camisa de Margarita».	Cuentos 5, 8 y 9
T15	Analice el tema del orgullo y del honor de familia en «La camisa de Margarita» y en «La pared».	Cuentos 9 y 15
T16	Discuta el tema del amor en «La conciencia» y en «Continuidad de los parques».	Cuentos 18 y 22
T17	Discuta el tema de la valentía en «Un oso y un amor» y en «Bernardino».	Cuentos 5 y 13
T18	Analice el tema de la violencia en «Sala de espera» y en «Continuidad de los parques».	Cuentos 2 y 22
T19	Compare y contraste el tema de la venganza en «El general Rueda» y en «La pared».	Cuentos 10 y 15

Ambiente

A1	¿Qué importancia tiene la noche en «Leyenda» y en «Un perro, un niño, la noche»?	Cuentos 4 y 21
A2	Compare y contraste las circunstancias socioeconómicas de Margarita en «La camisa de Margarita» y de Mariana en «La conciencia».	Cuentos 9 y 18
A3	Compare y contraste la influencia del clima en «Una carta a Dios» y en «Cajas de cartón».	Cuentos 1 y 7
A4	Describa la relación que tienen las narradoras con la naturaleza en «El Beso de la Patria» y en «La vieja casona».	Cuentos 14 y 17

A5	En «No oyes ladrar los perros» y en «Un perro, un niño, la noche» existen elementos naturales del paisaje y del terreno que crean un tono raro. Describa esos elementos. ¿Tienen el mismo efecto en los dos cuentos? Explique.	Cuentos 19 y 21
A6	En los cuentos «No oyes ladrar perros» y «Un perro, un niño, la noche» el ladrar de los perros y el llorar de los hijos son importantes en el desenlace de la trama. Analice el efecto del llanto en los dos cuentos y la influencia que tiene en los personajes.	Cuentos 19 y 21
A7	Compare el papel del sol en «Cajas de cartón» con el papel de la noche en «No oyes ladrar los perros».	Cuentos 7 y 19
A8	Compare y contraste la vida de Indalecio que se presenta en «El tiempo borra» con la del padre de Ignacio en «No oyes ladrar los perros».	Cuentos 3 y 19
A9	Compare y contraste el papel de la guerra en «El tiempo borra» y en «El general Rueda».	Cuentos 3 y 10
A10	Hay dos personajes principales en «Un día de estos» (alcalde y dentista) y en «No oyes ladrar los perros» (padre e hijo). Discuta cómo los autores desarrollan un ambiente de tensión en esos cuentos. ¿En qué se parecen y en qué se diferencian los personajes?	Cuentos 16 y 19
A11	Discuta los elementos de la realidad y la fantasía que los autores de «Sala de espera» y de «Continuidad de los parques» utilizan para crear un ambiente de suspenso.	Cuentos 2 y 22
A12	Compare y contraste el paisaje descrito en «Bernardino» y en «La pared». ¿Cómo se imagina usted los dos pueblos españoles?	Cuentos 13 y 15
A13	Compare y contraste la personificación de las máquinas en «Apocalipsis» con la de la casa en «La vieja casona». ¿Qué ambiente resulta en los dos cuentos?	Cuentos 11 y 17

Appendix B

Answer Key ¡Otra vez!

«Una carta a Dios»

1. está
2. necesita / es
3. conoce
4. trabajan
5. Comienzan
6. mira / come
7. Llueve
8. daña
9. está
10. piensa / han / miran
11. Escribe / lleva / echa
12. trae / abre
13. reúnen
14. pone / firma
15. vuelve / lee / se enfada
16. escribe
17. Pide / moja
18. cae / va
19. dice / son / han / falta

«Sala de espera»

1. robaron
2. mató
3. fue
4. charló
5. fingió
6. pudo
7. tomó
8. partió
9. vino
10. limpió

«El tiempo borra»

1. movían
2. hacía
3. avanzaba
4. revivía
5. regresaba
6. reconoció
7. gritó
8. se arregló
9. lloró
10. iba
11. preguntó
12. salió

«Leyenda»

1. han encontrado
2. han caminado
3. han reconocido
4. han sentado
5. Han hecho / han comido
6. ha asomado
7. ha advertido
8. ha pedido
9. ha recordado / ha tenido
10. ha dicho

«Un oso y un amor»

1. sería
2. subiría
3. Cortaría
4. Haría
5. dormirían
6. contemplaría
7. llegarían
8. Gozaríamos
9. comeríamos
10. montaría
11. diría
12. asustaría / vendría
13. mataría
14. pondría / interrumpiríamos
15. diría / haría
16. estaría / dependería
17. sentiría
18. abrazaría
19. daría
20. Pasarían / separarían

«El nacimiento de la col»

1. crea
2. se acerca / dice
3. prosigue / tiene / es
4. desea
5. pasa / quiere
6. sonríe / contesta / ve

«Cajas de cartón»

Primera parte

1. sonrió
2. terminó
3. recogieron
4. trabajaron
5. miró
6. sentí
7. Tuvimos
8. fue
9. gustó
10. suspiró
11. limpió
12. habló
13. quedamos
14. Llenamos
15. barrió
16. comieron
17. durmieron

Segunda parte

1. enseñará / estará
2. iremos
3. Hará / subirá
4. tendré
5. vendrá / esconderemos
6. Regresaremos / bañaremos
7. Comeremos
8. dolerá
9. asistiré
10. saludará / presentará
11. pedirá / podré
12. enojaré / llevaré / leeré
13. dirá / enseñará
14. iré
15. estarán
16. veré / estará

«Una sortija para mi novia»

1. muestre
2. pruébese / dígame
3. guste / grabemos
4. regrese
5. Vuelva
6. agrade
7. lleve
8. Tenga / oiga
9. se burle / béseme

«La camisa de Margarita»

1. se enamoran
2. pide / dé
3. gusta / despide
4. se pone
5. se alarma / esté
6. examinen
7. discutan
8. renuncia
9. van / jura
10. lleva

«El general Rueda»

1. diera (diese)
2. quebraran (quebrasen) / buscaran (buscasen) / quisieran (quisiesen)
3. empujaran (empujasen)
4. se acercaran (se acercasen)
5. tocaran (tocasen) / hicieran (hiciesen) / quisieran (quisiesen)
6. se quejara (se quejase)
7. fusilaran (fusilasen)

«Apocalipsis»

1. ocurrirá
2. alcanzarán / tendrán
3. necesitarán
4. apretarán / harán
5. irán
6. quedarán
7. empezarán / irán
8. multiplicarán
9. quedará / duplicará
10. terminarán
11. podrá
12. serán
13. olvidará
14. seguiremos

«El décimo»

1. contó
2. había vendido
3. dio / respondió
4. dijo / llevaba
5. metió
6. aseguró / sacaba / iba
7. pidió
8. salió
9. había sacado / era
10. pudo
11. vino / tuvo / había perdido
12. contestó / habían nacido
13. halló / había conocido
14. casó / vivieron

«Bernardino»

Primera parte

1. me llamo / voy
2. vivo / está
3. tengo
4. parecen
5. visten
6. voy / paseo
7. es / adoran
8. dicen / soy
9. deciden
10. puedo / ofrecen

Segunda parte

1. llevan / va
2. veo / tienen
3. empieza
4. Hay / estoy
5. pregunto / quieren / piden
6. tengo / doy
7. se quedan
8. empiezan
9. muestro
10. desato / salimos / lloro

«El Beso de la Patria»

1. tenía
2. estaba
3. se peleaban
4. se llamaba
5. era
6. pasábamos
7. jugábamos / hablábamos
8. soñaba
9. venían / instalaban
10. nos divertíamos
11. íbamos
12. tenía
13. estaba / gustaban
14. leía / estudiaba / estaba
15. daban
16. significaba / tenía
17. eran
18. iban
19. estaba
20. sufría / llevaba

«La pared»

1. eran
2. Empezaron
3. estaban
4. motivaba
5. duró / quedaron / tenía
6. vigilaron
7. construyeron
8. hubo
9. quemó
10. entraron / salvaron
11. estaba / lloraba
12. dieron

«Un día de estos»

1. abre
2. Lleva
3. Es
4. está
5. sienta / empieza
6. Sigue
7. hace
8. Está
9. llama
10. quiere
11. sigue / amenaza
12. está / tiene
13. decide / deja
14. está / siente / saca
15. está / seca / pone / despide

«La vieja casona»

1. vivió
2. se sentía
3. llegó
4. estaba
5. iba
6. tenía
7. recordaba / era
8. se quejaba / sabía / tenía
9. pensaba
10. le preocupaba
11. daba
12. deseaba
13. estaba / sorprendió
14. abrazó
15. dormía
16. dio

«La conciencia»

Primera parte

1. llevaba
2. creía / era
3. llegó / se acercaba
4. daban
5. pedía
6. podía
7. encontró / acababa
8. se limpió
9. dijo
10. se limitó
11. sonreía
12. se quedaba
13. corrió
14. parecía

Segunda parte

1. iba
2. era / tenía
3. llevaba
4. quería
5. creía / sabía / parecía
6. ignoraba
7. comía / dormía
8. pedía / se ponía
9. tenía
10. veía / estaba
11. había
12. debía

«No oyes ladrar los perros»

1. cargó
2. era / se cansaba
3. siguió
4. podía
5. iba / veía
6. preguntaba / se sentía
7. estaba / se impacientaba
8. tenía
9. quería / daba
10. se acordó / nació / regañaba / maldecía / llevaba
11. se quedó
12. oyó / ladraban

«Casa tomada»

1. gustaba / guardaba
2. persistíamos
3. pasaba
4. necesitábamos
5. había
6. íbamos
7. iba / tejía
8. Oí / venía
9. Cerré / apoyé
10. dije / habían
11. habíamos / queríamos
12. se simplificaba
13. estaba / quedaba
14. puse
15. Estábamos / empezamos
16. sentí / fui
17. oí
18. llamó
19. Apreté / hice
20. Cerré / quedamos
21. Habían
22. tuvimos / estábamos
23. Salimos / cerré / tiré

«Un perro, un niño, la noche»

1. regresó / hubiera (hubiese)
2. Era / recibiera (recibiese)
3. se asustó / siguiera (siguiese)
4. pidió / cuidaran (cuidasen) / estuviera (estuviese)
5. dijo / trataran (tratasen) / sufriera (sufriese)
6. Estaba / tuviera (tuviese)
7. quería / dejara (dejase)
8. tuvo / impresionó / fuera (fuese)
9. Era / jugaran (jugasen) / se hicieran (hiciesen)
10. Era / regresaría
11. dijo / comprara (comprase)
12. explicó / volviera (volviese) / iría
13. pusieron / separaron
14. Fue / llorara (llorase) / ladrara (ladrase)
15. Fue / regalara (regalase)

«Continuidad de los parques»

1. leyendo
2. regresando
3. sentándose
4. Sintiendo / sabiendo
5. siguiendo / escondiéndose
6. subiendo / llevando
7. leyendo

Appendix C

Verb Tables

I. Regular Verbs

A. *Simple Tenses*

Infinitive (Infinitivo)

hablar *to speak* | **comer** *to eat* | **vivir** *to live*

Present Participle (Gerundio o Participio presente)

hablando *speaking* | **comiendo** *eating* | **viviendo** *living*

Past Participle (Participio pasado)

hablado *spoken* | **comido** *eaten* | **vivido** *lived*

Indicative Mood (Modo indicativo)

Present (Presente)

I speak, do speak am speaking, etc.	*I eat, do eat, am eating, etc.*	*I live, do live, am living, etc.*
habl**o**	com**o**	viv**o**
habl**as**	com**es**	viv**es**
habl**a**	com**e**	viv**e**
habl**amos**	com**emos**	viv**imos**
habl**áis**	com**éis**	viv**ís**
habl**an**	com**en**	viv**en**

Imperfect (Imperfecto)

I was speaking, used to speak, spoke, etc.	*I was eating, used to eat, ate, etc.*	*I was living, used to live, lived, etc.*
habl**aba**	com**ía**	viv**ía**
habl**abas**	com**ías**	viv**ías**
habl**aba**	com**ía**	viv**ía**
habl**ábamos**	com**íamos**	viv**íamos**
habl**abais**	com**íais**	viv**íais**
habl**aban**	com**ían**	viv**ían**

Preterite (Pretérito)

I spoke, did speak, etc.	*I ate, did eat, etc.*	*I lived, did live, etc.*
habl**é**	com**í**	viv**í**
habl**aste**	com**iste**	viv**iste**
habl**ó**	com**ió**	viv**ió**
habl**amos**	com**imos**	viv**imos**
habl**asteis**	com**isteis**	viv**isteis**
habl**aron**	com**ieron**	viv**ieron**

Future (Futuro)

I shall (will) speak, etc.	*I shall (will) eat, etc.*	*I shall (will) live, etc.*
hablar**é**	comer**é**	vivir**é**
hablar**ás**	comer**ás**	vivir**ás**
hablar**á**	comer**á**	vivir**á**
hablar**emos**	comer**emos**	vivir**emos**
hablar**éis**	comer**éis**	vivir**éis**
hablar**án**	comer**án**	vivir**án**

Conditional (Condicional)

I should (would) speak, etc.	*I should (would) eat, etc.*	*I should (would) live, etc.*
hablar**ía**	comer**ía**	vivir**ía**
hablar**ías**	comer**ías**	vivir**ías**
hablar**ía**	comer**ía**	vivir**ía**
hablar**íamos**	comer**íamos**	vivir**íamos**
hablar**íais**	comer**íais**	vivir**íais**
hablar**ían**	comer**ían**	vivir**ían**

Subjunctive Mood (Modo subjuntivo)

Present (Presente)

I may speak, etc.	*I may eat, etc.*	*I may live, etc.*
habl**e**	com**a**	viv**a**
habl**es**	com**as**	viv**as**
habl**e**	com**a**	viv**a**
habl**emos**	com**amos**	viv**amos**
habl**éis**	com**áis**	viv**áis**
habl**en**	com**an**	viv**an**

Imperfect (Imperfecto): -ra

I might speak, etc.	*I might eat, etc.*	*I might live, etc.*
habl**ara**	com**iera**	viv**iera**
habl**aras**	com**ieras**	viv**ieras**
habl**ara**	com**iera**	viv**iera**
habl**áramos**	com**iéramos**	viv**iéramos**
habl**arais**	com**ierais**	viv**ierais**
habl**aran**	com**ieran**	viv**ieran**

Imperfect (Imperfecto): -se

I might speak, etc.	*I might eat, etc.*	*I might live, etc.*
habl**ase**	com**iese**	viv**iese**
habl**ases**	com**ieses**	viv**ieses**
habl**ase**	com**iese**	viv**iese**
habl**ásemos**	com**iésemos**	viv**iésemos**
habl**aseis**	com**ieseis**	viv**ieseis**
habl**asen**	com**iesen**	viv**iesen**

Imperative Mood (Modo imperativo)

speak	*eat*	*live*
habl**a** (tú)	com**e** (tú)	viv**e** (tú)
habl**e** (Ud.)	com**a** (Ud.)	viv**a** (Ud.)
habl**emos** (nosotros)	com**amos** (nosotros)	viv**amos** (nosotros)
habl**ad** (vosotros)	com**ed** (vosotros)	viv**id** (vosotros)
habl**en** (Uds.)	com**an** (Uds.)	viv**an** (Uds.)

B. Compound Tenses

Perfect Infinitive (Infinitivo perfecto)

to have spoken	*to have eaten*	*to have lived*
haber hablado	**haber comido**	**haber vivido**

Perfect Participle (Participio perfecto)

having spoken	*having eaten*	*having lived*
habiendo hablado	**habiendo comido**	**habiendo vivido**

Indicative Mood (Modo indicativo)

Present Perfect (Presente perfecto o Pretérito perfecto)

I have spoken, etc.	*I have eaten, etc.*	*I have lived, etc.*
he hablado	**he** comido	**he** vivido
has hablado	**has** comido	**has** vivido
ha hablado	**ha** comido	**ha** vivido
hemos hablado	**hemos** comido	**hemos** vivido
habéis hablado	**habéis** comido	**habéis** vivido
han hablado	**han** comido	**han** vivido

Pluperfect (Pluscuamperfecto)

I had spoken, etc.	*I had eaten, etc.*	*I had lived, etc.*
había hablado	**había** comido	**había** vivido
habías hablado	**habías** comido	**habías** vivido
había hablado	**había** comido	**había** vivido
habíamos hablado	**habíamos** comido	**habíamos** vivido
habíais hablado	**habíais** comido	**habíais** vivido
habían hablado	**habían** comido	**habían** vivido

Future Perfect (Futuro perfecto)

I shall have spoken, etc.	*I shall have eaten, etc.*	*I shall have lived, etc.*
habré hablado	**habré** comido	**habré** vivido
habrás hablado	**habrás** comido	**habrás** vivido
habrá hablado	**habrá** comido	**habrá** vivido
habremos hablado	**habremos** comido	**habremos** vivido
habréis hablado	**habréis** comido	**habréis** vivido
habrán hablado	**habrán** comido	**habrán** vivido

Conditional Perfect (Condicional perfecto)

I should (would) have spoken, etc.	*I should (would) have eaten, etc.*	*I should (would) have lived, etc.*
habría hablado	**habría** comido	**habría** vivido
habrías hablado	**habrías** comido	**habrías** vivido
habría hablado	**habría** comido	**habría** vivido
habríamos hablado	**habríamos** comido	**habríamos** vivido
habríais hablado	**habríais** comido	**habríais** vivido
habrían hablado	**habrían** comido	**habrían** vivido

Subjunctive Mood (Modo subjuntivo)

Present Perfect (Presente perfecto o Pretérito perfecto)

I (may) have spoken, etc.	*I (may) have eaten, etc.*	*I (may) have lived, etc.*
haya hablado	**haya** comido	**haya** vivido
hayas hablado	**hayas** comido	**hayas** vivido
haya hablado	**haya** comido	**haya** vivido
hayamos hablado	**hayamos** comido	**hayamos** vivido
hayáis hablado	**hayáis** comido	**hayáis** vivido
hayan hablado	**hayan** comido	**hayan** vivido

Pluperfect (Pluscuamperfecto): -ra

I might have (had) spoken, etc.	*I might have (had) eaten, etc.*	*I might have (had) lived, etc.*
hubiera hablado	**hubiera** comido	**hubiera** vivido
hubieras hablado	**hubieras** comido	**hubieras** vivido
hubiera hablado	**hubiera** comido	**hubiera** vivido
hubiéramos hablado	**hubiéramos** comido	**hubiéramos** vivido
hubierais hablado	**hubierais** comido	**hubierais** vivido
hubieran hablado	**hubieran** comido	**hubieran** vivido

Pluperfect (Pluscuamperfecto): -se

hubiese hablado	**hubiese** comido	**hubiese** vivido
hubieses hablado	**hubieses** comido	**hubieses** vivido
hubiese hablado	**hubiese** comido	**hubiese** vivido
hubiésemos hablado	**hubiésemos** comido	**hubiésemos** vivido
hubieseis hablado	**hubieseis** comido	**hubieseis** vivido
hubiesen hablado	**hubiesen** comido	**hubiesen** vivido

II. Stem-Changing Verbs

A. Verbs ending in -ar, -er: e → ie; o → ue

Verbs of this type change the stressed vowel **e** to **ie** and the stressed vowel **o** to **ue.** These changes occur in the first-, second-, third-person singular and third-person plural of the present indicative, present subjunctive, and imperative.

pensar *to think*

PRES. IND.	**pienso, piensas, piensa,** pensamos, pensáis, **piensan**
IMPERATIVE	**piensa** (tú), pensad (vosotros)
PRES. SUBJ.	**piense, pienses, piense,** pensemos, penséis, **piensen**

contar *to tell, count*

PRES. IND.	**cuento, cuentas, cuenta,** contamos, contáis, **cuentan**
IMPERATIVE	**cuenta** (tú), contad (vosotros)
PRES. SUBJ.	**cuente, cuentes, cuente,** contemos, contéis, **cuenten**

Other verbs that follow this pattern:

acostar(se)	*to put (go) to bed*	**empezar**	*to begin*
almorzar	*to have lunch*	**encontrar**	*to find*
atender	*to attend*	**entender**	*to understand*
atravesar	*to cross*	**enterrar**	*to bury*
costar	*to cost*	**extender**	*to extend*
defender	*to defend*	**forzar**	*to force*
despertar(se)	*to wake (up)*	**gobernar**	*to govern*
doler	*to ache*	**llover**	*to rain*
mostrar	*to show*	**rogar**	*to beg*
mover	*to move*	**sembrar**	*to plant*
negar	*to deny*	**temblar**	*to tremble*
perder	*to lose*	**tender**	*to stretch out*
probar	*to prove*	**volar**	*to fly*
recordar	*to remember*	**volver**	*to return*
resolver	*to resolve*		

B. Verbs ending in **-ir: e → ie, i; o → ue, u**

Verbs of this type change the stressed vowel **e** to **ie,** and **o** to **ue.** Unstressed **e** changes to **i** and unstressed **o** changes to **u** before stressed **a, ie,** or **ió.**

sentir *to feel*

PRES. PART.		**sintiendo**
PRES. IND.		**siento, sientes, siente,** sentimos, sentís, **sienten**
PRETERITE		sentí, sentiste, **sintió,** sentimos, sentisteis, **sintieron**
IMPERATIVE		**siente** (tú), sentid (vosotros)
PRES. SUBJ.		**sienta, sientas, sienta, sintamos, sintáis, sientan**
IMPF. SUBJ.	**(-ra)**	**sintiera, sintieras, sintiera, sintiéramos, sintierais, sintieran**
	(-se)	**sintiese, sintieses, sintiese, sintiésemos, sintieseis, sintiesen**

morir *to die*

PRES. PART.		**muriendo**
PRES. IND.		**muero, mueres, muere,** morimos, morís, **mueren**
PRETERITE		morí, moriste, **murío,** morimos, moristeis, **murieron**
IMPERATIVE		**muere** (tú), morid (vosotros)
PRES. SUBJ.		**muera, mueras, muera, muramos, muráis, mueran**
IMPF. SUBJ.	**(-ra)**	**muriera, murieras, muriera, muriéramos, murierais, murieran**
	(-se)	**muriese, murieses, muriese, muriésemos, murieseis, muriesen**

Other important verbs that follow this pattern:

adquirir	*to acquire*	**herir**	*to wound*
advertir	*to warn, to notice*	**hervir**	*to boil*
arrepentirse	*to repent*	**inferir**	*to infer*
consentir	*to consent*	**mentir**	*to lie*
convertir	*to convert*	**preferir**	*to prefer*
discernir	*to discern*	**referir**	*to refer*
divertir(se)	*to amuse (oneself)*	**sugerir**	*to suggest*
dormir(se)	*to (go to) sleep*		

C. *Verbs ending in* **-ir: e → i, i**

Verbs of this type change the stressed vowel **e** to **i.** Unstressed **e** changes to **i** before stressed **a, ie,** or **ió.**

pedir *to ask for*

PRES. PART.		**pidiendo**
PRES. IND.		**pido, pides, pide,** pedimos, pedís, **piden**
PRETERITE		pedí, pediste, **pidió,** pedimos, pedisteis, **pidieron**
IMPERATIVE		**pide** (tú), pedid (vosotros)
PRES. SUBJ.		**pida, pidas, pida, pidamos, pidáis, pidan**
IMPF. SUBJ.	(-ra)	**pidiera, pidieras, pidiera, pidiéramos, pidierais, pidieran**
	(-se)	**pidiese, pidieses, pidiese, pidiésemos, pidieseis, pidiesen**

Other important verbs that follow this pattern:

competir	*to compete*	**proseguir**	*to continue*
concebir	*to conceive*	**reñir**	*to quarrel*
corregir	*to correct*	**repetir**	*to repeat*
despedir(se)	*to dismiss, to say good-bye*	**seguir**	*to follow*
elegir	*to elect*	**servir**	*to serve*
fingir	*to pretend*	**vestir(se)**	*to dress*

III. Verbs with Spelling Changes

A. *Some verbs have spelling changes in certain forms so that the final consonant sound of the stem remains unchanged.*

Verbs ending in **-car: c → qu** before **e.**

sacar *to take out*

PRETERITE	(yo) **saqué**
PRES. SUBJ.	**saque, saques, saque, saquemos, saquéis, saquen**

(also: **acercarse** *to approach*; **atacar** *to attack*; **buscar** *to look for*; **chocar** *to hit*; **desempacar** *to unpack*; **dedicar** *to dedicate*; **educar** *to educate*; **equivocar** *to be wrong*; **explicar** *to explain*; **indicar** *to indicate*; **secar** *to dry*; **significar** *to mean*; **tocar** *to touch*)

Verbs ending in **gar:** **g → gu** before **e.**

pagar to pay

PRETERITE (yo) **pagué**
PRES. SUBJ. **pague, pagues, pague, paguemos, paguéis, paguen**
(also: **cargar** *to carry*; **encargar** *to have charge of*; **llegar** *to arrive*; **negar** *to deny*; **mendigar** *to beg*; **obligar** *to obligate*)

Verbs ending in **guar:** **gu → gü** before **e.**

averiguar *to ascertain*

PRETERITE yo **averigüé**
PRES. SUBJ. **averigüe, averigües, averigüe, averigüemos, averigüéis, averigüen**

Verbs ending in **-zar:** **z → c** before **e.**

gozar *to enjoy*

PRETERITE yo **gocé**
PRES. SUBJ. **goce, goces, goce, gocemos, gocéis, gocen**
(also: **alcanzar** *to reach*; **almorzar** *to have lunch*; **analizar** *to analyze*; **avanzar** *to advance*; **caracterizar** *to characterize*; **comenzar** *to commence*; **empezar** *to begin*; **organizar** *to organize*; **rechazar** *to reject*; **simbolizar** *to symbolize*; **simpatizar** *to like*; **sollozar** *to sob*; **utilizar** *to utilize*)

Verbs ending in consonant plus **-cer** or **-cir:** **c → z** before **a** or **o.**

vencer *to conquer*

PRES. IND. yo **venzo**
PRES. SUBJ. **venza, venzas, venza, venzamos, venzáis, venzan**
(also: **convencer** *to convince*)

Verbs ending in **-ger** or **-gir:** **g → j** before **a** or **o.**

escoger *to choose*

PRES. IND. yo **escojo**
PRES. SUBJ. **escoja, escojas, escoja, escojamos, escojáis, escojan**

dirigir *to direct*

PRES. IND. yo **dirijo**
PRES. SUBJ. **dirija, dirijas, dirija, dirijamos, dirijáis, dirijan**
(also: **coger** *to take*; **elegir** *to choose*; **fingir** *to pretend*; **proteger** *to protect*; **recoger** *to gather*)

Verbs ending in **-guir:** **gu → g** before **a** or **o.**

distinguir *to distinguish*

PRES. IND. yo **distingo**
PRES. SUBJ. **distinga, distingas, distinga, distingamos, distingáis, distingan**

B. In some verbs there are spelling changes that may modify the sound of the stem.

Verbs ending in **-eer, -aer:** unstressed **i → y.**

		creer *to believe*
PRES. PART.		**creyendo**
PRETERITE		él **creyó,** ellos **creyeron**
IMPF. SUBJ.	**(-ra)**	**creyera, creyeras, creyera, creyéramos, creyerais, creyeran**
	(-se)	**creyese, creyeses, creyese, creyésemos, creyeseis, creyesen**
		(also: **leer** *to read*; **caer(se)** *to fall*)

Verbs ending in **-uir** (except **-guir** and **-quir:** unstressed **i → y** between vowels; also, **y** is inserted between the stem-vowel **u** and the ending vowels **a, e,** or **o**).

		construir *to build*
PRES. PART.		**construyendo**
PRES. IND.		**construyo, construyes, construye,** construimos, construís, **construyen**
PRETERITE		(él) **construyó,** (ellos) **construyeron**
PRES. SUBJ.		**construya, construyas, construya, construyamos, construyáis, construyan**
IMPF. SUBJ.	**(-ra)**	**construyera, construyeras, construyera, construyéramos, construyerais, construyeran**
	(-se)	**construyese, construyeses, construyese, construyésemos, construyeseis, construyesen**
IMPERATIVE		**construye** (tú), construid (vosotros)
		(also: **destruir** *to destroy*; **huir** *to flee*)

Verbs ending in **-iar** and **-uar** (except **-guar**): a written accent is required on the **i** and the **u** when these vowels are stressed.

	enviar *to send*
PRES. IND.	**envío, envías, envía,** enviamos, enviáis, **envían**
PRES. SUBJ.	**envíe, envíes, envíe,** enviemos, enviéis, **envíen**

	continuar *to continue*
PRES. IND.	**continúo, continúas, continúa,** continuamos, continuáis, **continúan**
PRES. SUBJ.	**continúe, continúes, continúe,** continuemos, continuéis, **continúen**
	(also: **criar** *to raise*)

Stem-changing verbs ending in **-eir:** a written accent is required on stressed **i;** also one **i** is dropped when the stem-vowel **i** precedes the diphthongs **ie** and **io.**

reír *to laugh*

PRES. PART.		**riendo**
PAST PART.		**reído**
PRES. IND.		**río, ríes, ríe, reímos, reís, ríen**
PRETERITE		**reí, reíste, río,** reímos, reísteis, **rieron**
PRES. SUBJ.		**ría, rías, ría, riamos, riáis, rían**
IMPF. SUBJ.	(-ra)	**riera, rieras, riera, riéramos, rierais, rieran**
	(-se)	**riese, rieses, riese, riésemos, rieseis, riesen**
IMPERATIVE		**ríe** (tú), **reíd** (vosotros)
		(also: **sonreír** *to smile*)

Verbs ending in **-llir** and **-ñir:** the **i** of the diphthong **ie** and **io** is dropped.

bullir *to boil*

PRES. PART.		**bullendo**
PRETERITE		(él) **bulló,** (ellos) **bulleron**
IMPF. SUBJ.		**bullera, bulleras, bullera, bulléramos, bullerais, bulleran**

reñir *to scold, to quarrel*

PRES. PART.		**riñendo**
PRETERITE		(él) **riño,** (ellos) **riñeron**
IMPF. SUBJ.	(-ra)	**riñera, riñeras, riñera, riñéramos, riñerais, riñeran**
	(-se)	**riñese, riñeses, riñese, riñésemos, riñeseis, riñesen**
		(also: **gruñir** *to growl*)

IV. Selected Irregular Verbs

Most of the irregular verbs in this section have irregular stems in the preterite tense as well as certain other irregular forms.

andar *to walk*

PRETERITE		**anduve, anduviste, anduvo, anduvimos, anduvisteis, anduvieron**
IMPF. SUBJ.	(-ra)	**anduviera, anduvieras, anduviera, anduviéramos, anduvierais, anduvieran**
	(-sa)	**anduviese, anduvieses, anduviese, anduviésemos, anduvieseis, anduviesen**

caber *to be contained in, to fit*

PRES. IND.	(yo) **quepo**
PRES. SUBJ.	**quepa, quepas, quepa, quepamos, quepáis, quepan**
FUTURE	**cabré, cabrás, cabrá, cabremos, cabréis, cabrán**
CONDITIONAL	**cabría, cabrías, cabría, cabríamos, cabríais, cabrían**
PRETERITE	**cupe, cupiste, cupo, cupimos, cupisteis, cupieron**

caer *to fall*

PRES. PART.		**cayendo**
PAST PART.		**caído**
PRES. IND.		(yo) **caigo**
PRES. SUBJ.		**caiga, caigas, caiga, caigamos, caigáis, caigan**
PRETERITE		**caí, caíste, cayó, caímos, caísteis, cayeron**
IMPF. SUBJ.	**(-ra)**	**cayera, cayeras, cayera, cayéramos, cayerais, cayeran**
	(-se)	**cayese, cayeses, cayese, cayésemos, cayeseis, cayesen**

conducir *to conduct, to drive*

PRES. IND.	(yo) **conduzco**
PRES. SUBJ.	**conduzca, conduzcas, conduzca, conduzcamos, conduzcáis, conduzcan**
PRETERITE	**conduje, condujiste, condujo, condujimos, condujisteis, condujeron**

(also: all verbs ending in **-ducir**, like **producir** *to produce*)

conocer *to know*

PRES. IND.	(yo) **conozco**
PRES. SUBJ.	**conozca, conozcas, conozca, conozcamos, conozcáis, conozcan**

(also: all verbs ending in **-cer** and **-cir** preceded by a vowel: **anochecer** *to get dark*; **establecer** *to establish*; **estremecer** *to shudder*; **nacer** *to be born*; **ofrecer** *to offer*; **palidecer** *to get pale*; **parecer** *to seem*; **reconocer** *to recognize*)
Exceptions: **cocer** *to cook,* **decir** *to say* or *tell,* **hacer** *to do,* plus their compounds

dar *to give*

PRES. IND.		(yo) **doy**
PRES. SUBJ.		**dé, des, dé, demos, deis, den**
PRETERITE		**di, diste, dio, dimos, disteis, dieron**
IMPF. SUBJ.	**(-ra)**	**diera, dieras, diera, diéramos, dierais, dieran**
	(-se)	**diese, dieses, diese, diésemos, dieseis, diesen**

decir *to say*

PRES. PART.	**diciendo**
PAST PART.	**dicho**
PRES. IND.	**digo, dices, dice, decimos, decís, dicen**
PRES. SUBJ.	**diga, digas, diga, digamos, digáis, digan**
FUTURE	**diré, dirás, dirá, diremos, diréis, dirán**
CONDITIONAL	**diría, dirías, diría, diríamos, diríais, dirían**
PRETERITE	**dije, dijiste, dijo, dijimos, dijisteis, dijeron**
IMPERATIVE	**di** (tú)

estar *to be*

PRES. IND.		**estoy, estás, está, estamos, estáis, están**
PRES. SUBJ.		**esté, estés, esté, estemos, estéis, estén**
PRETERITE		**estuve, estuviste, estuvo, estuvimos, estuvisteis, estuvieron**

haber *to have*

PRES. IND.		**he, has, ha, hemos, habéis, han**
PRES. SUBJ.		**haya, hayas, haya, hayamos, hayáis, hayan**
FUTURE		**habré, habrás, habrá, habremos, habréis, habrán**
CONDITIONAL		**habría, habrías, habría, habríamos, habríais, habrían**
PRETERITE		**hube, hubiste, hubo, hubimos, hubisteis, hubieron**

hacer *to do, to make*

PRES. PART.		**hecho**
PRES. IND.		(yo) **hago**
PRES. SUBJ.		**haga, hagas, haga, hagamos, hagáis, hagan**
FUTURE		**haré, harás, hará, haremos, haréis, harán**
CONDITIONAL		**haría, harías, haría, haríamos, haríais, harían**
PRETERITE		**hice, hiciste, hizo, hicimos, hicisteis, hicieron**
IMPERATIVE		**haz** (tú)

ir *to go*

PRES. PART.		**yendo**
PRES. IND.		**voy, vas, va, vamos, vais, van**
PRES. SUBJ.		**vaya, vayas, vaya, vayamos, vayáis, vayan**
IMPF. IND.		**iba, ibas, iba, íbamos, ibais, iban**
PRETERITE		**fui, fuiste, fue, fuimos, fuisteis, fueron**
IMPF. SUBJ.	**(-ra)**	**fuera, fueras, fuera, fuéramos, fuerais, fueran**
	(-se)	**fuese, fueses, fuese, fuésemos, fueseis, fuesen**
IMPERATIVE		**ve** (tú)

oír *to hear*

PRES. PART.		**oyendo**
PAST PART.		**oído**
PRES. IND.		**oigo, oyes, oye, oímos, oís, oyen**
PRES. SUBJ.		**oiga, oigas, oiga, oigamos, oigáis, oigan**
PRETERITE		**oí, oíste, oyó, oímos, oísteis, oyeron**
IMPF. SUBJ.	**(-ra)**	**oyera, oyeras, oyera, oyéramos, oyerais, oyeran**
	(-se)	**oyese, oyeses, oyese, oyésemos, oyeseis, oyesen**
IMPERATIVE		**oye** (tú)

poder *to be able*

PRES. PART.		**pudiendo**
PRES. IND.		**puedo, puedes, puede, podemos, podéis, pueden**

PRES. SUBJ.	**pueda, puedas, pueda, podamos, podáis, puedan**
FUTURE	**podré, podrás, podrá, podremos, podréis, podrán**
CONDITIONAL	**podría, podrías, podría, podríamos, podríais, podrían**
PRETERITE	**pude, pudiste, pudo, pudimos, pudisteis, pudieron**

poner *to put*

PAST PART.	**puesto**
PRES. IND.	(yo) **pongo**
PRES. SUBJ.	**ponga, pongas, ponga, pongamos, pongáis, pongan**
FUTURE	**pondré, pondrás, pondrá, pondremos, pondréis, pondrán**
CONDITIONAL	**pondría, pondrías, pondría, pondríamos, pondríais, pondrían**
PRETERITE	**puse, pusiste, puso, pusimos, pusisteis, pusieron**

querer *to want*

PRES. IND.	**quiero, quieres, quiere, queremos, queréis, quieren**
PRES. SUBJ.	**quiera, quieras, quiera, queramos, queráis, quieran**
FUTURE	**querré, querrás, querrá, querremos, querréis, querrán**
CONDITIONAL	**querría, querrías, querría, querríamos, querríais, querrían**
PRETERITE	**quise, quisiste, quiso, quisimos, quisisteis, quisieron**

saber *to know*

PRES. IND.	(yo) **sé**
PRES. SUBJ.	**sepa, sepas, sepa, sepamos, sepáis, sepan**
FUTURE	**sabré, sabrás, sabrá, sabremos, sabréis, sabrán**
CONDITIONAL	**sabría, sabrías, sabría, sabríamos, sabríais, sabrían**
PRETERITE	**supe, supiste, supo, supimos, supisteis, supieron**

salir *to go out, to leave*

PRES. IND.	(yo) **salgo**
PRES. SUBJ.	**salga, salgas, salga, salgamos, salgáis, salgan**
FUTURE	**saldré, saldrás, saldrá, saldremos, saldréis, saldrán**
CONDITIONAL	**saldría, saldrías, saldría, saldríamos, saldríais, saldrían**
IMPERATIVE	**sal** (tú)

ser *to be*

PRES. IND.		**soy, eres, es, somos, sois, son**
PRES. SUBJ.		**sea, seas, sea, seamos, seáis, sean**
IMPF. IND.		**era, eras, era, éramos, erais, eran**
PRETERITE		**fui, fuiste, fue, fuimos, fuisteis, fueron**
IMPF. SUBJ.	**(-ra)**	**fuera, fueras, fuera, fuéramos, fuerais, fueran**
	(-se)	**fuese, fueses, fuese, fuésemos, fueseis, fuesen**
IMPERATIVE		**sé** (tú)

tener *to have*

PRES. IND. **tengo, tienes, tiene, tenemos, tenéis, tienen**
PRES. SUBJ. **tenga, tengas, tenga, tengamos, tengáis, tengan**
FUTURE **tendré, tendrás, tendrá, tendremos, tendréis, tendrán**
CONDITIONAL **tendría, tendrías, tendría, tendríamos, tendríais, tendrían**
PRETERITE **tuve, tuviste, tuvo, tuvimos, tuvisteis, tuvieron**
IMPERATIVE **ten** (tú)

traer *to bring*

PRES. PART. **trayendo**
PAST PART. **traído**
PRES. IND. (yo) **traigo**
PRES. SUBJ. **traiga, traigas, traiga, traigamos, traigáis, traigan**
PRETERITE **traje, trajiste, trajo, trajimos, trajisteis, trajeron**

valer *to be worth*

PRES. IND. (yo) **valgo**
PRES. SUBJ. **valga, valgas, valga, valgamos, valgáis, valgan**
FUTURE **valdré, valdrás, valdrá, valdremos, valdréis, valdrán**
CONDITIONAL **valdría, valdrías, valdría, valdríamos, valdríais, valdrían**

venir *to come*

PRES. PART. **viniendo**
PRES. IND. **vengo, vienes, viene, venimos, venís, vienen**
PRES. SUBJ. **venga, vengas, venga, vengamos, vengáis, vengan**
FUTURE **vendré, vendrás, vendrá, vendremos, vendréis, vendrán**
CONDITIONAL **vendría, vendrías, vendría, vendríamos, vendríais, vendrían**
PRETERITE **vine, viniste, vino, vinimos, vinisteis, vinieron**
IMPERATIVE **ven** (tú)

ver *to see*

PAST PART. **visto**
PRES. IND. (yo) **veo**
PRES. SUBJ. **vea, veas, vea, veamos, veáis, vean**
IMPF. IND. **veía, veías, veía, veíamos, veíais, veían**

Vocabulary

This vocabulary contains all the words that appear in the text except most common determiners, proper names, and exact cognates. Irregular noun and adjective plurals are listed as well as selected irregular verb forms. An asterisk * indicates an irregular verb whose conjugation or pattern may be found in the Appendix. The following abbreviations are also used.

adj. adjective
adv. adverb
aux. auxiliary
com. command
conj. conjunction
dem. demonstrative
dim. diminutive
dir. obj. direct object
f. feminine
fam. familiar
for. formal
ger. gerund
imp. imperfect
ind. obj. indirect object
inf. infinitive
interj. interjection
interrog. interrogative
m. masculine
neg. negative
obj. object
pl. plural
p.p. past participle
poss. possessive
prep. preposition
pres. p. present participle
pret. preterite
pron. pronoun
prep. pron. prepositional pronoun
refl. reflexive
rel. relative
s. singular
subj. subjunctive
v. verb

A

a to, at, by
abajo down; underneath
  acá abajo here below
  boca abajo face downward
  calle abajo down the street
  cuesta abajo downhill
  de arriba abajo up and down
abandonado abandoned
abandonar to abandon, to desert
abandono *m.* abandonment
abierto (*p.p.* **abrir***) opened
abierto *(adj.)* open
abolladura *f.* dent
abollar to dent
abominablemente abominably
abotonarse to button
abrazar* to hug, to embrace
abrazo *m.* embrace
abrigar* to shelter
abrigo *m.* coat; shelter
abrir to open; to spread
absceso *m.* abscess
absolutamente absolutely
absoluto absolute
  no... en absoluto not at all
absorber to absorb
abstracción *f.* concentration; absorption
abuela *f.* grandmother
abuelo *m.* grandfather
abuelos *pl.* grandparents
abuso *m.* abuse
acá here
  acá abajo here below
acabar to finish, to come to an end
  acabar de *(+inf.)* to finish *(+-ing)*; to have just (done something), e.g., **acaba de salir** he has just left
  acabar por *(+inf.)* to end up by *(+-ing)*
académico academic
acariciar to caress; to cherish
acarrear to carry
acaso maybe, perhaps
acceso *m.* access; attack; fit
  acceso de desesperación outburst
acción *f.* action; share of stock
acechar to watch, to keep an eye on
acecho *m.* watching
aceptar to accept
acequia *f.* ditch
acera *f.* sidewalk, side of the street
acercarse* to draw near, to approach
acerqué (*pret.* **acercar***) I brought near
  me acerqué (*pret.* **acercarse***) I approached
acezante in an anxious way
ácido *m.* acid
acomodado placed
acomodarse to accommodate, to adjust
acompañado accompanied
acompañar to accompany, to escort
aconsejar to advise
acordarse*(ue) de to remember
acortar to shorten
acostar*(ue) to put to bed
  acostarse*(ue) to go to bed
acostumbrado accustomed
acostumbrarse to be accustomed to
acreditado accredited, distinguished
actitud *f.* attitude
  en actitud de mendigar* in the posture of begging
actividad *f.* activity
acto *m.* ceremony
actual present, present day
acudir to attend

acuerdo *m.* accord; agreement
estar* de acuerdo con to be in agreement with
acunar to cradle
acusar to accuse
achatado flattened
achatar to flatten
adecuado fitting, suitable
adelante ahead; forward
de aquí en adelante from now on
más adelante further on; later
¡adelante! *(interj.)* go ahead! come in!
adelgazar* to thin out; to lose weight
ademán *m.* gesture
además besides
además de in addition to
adentro inside
pasar para adentro to come in
Pase por adentro. Come in.
adiós good-bye
adiosito (*dim.* **adiós**) bye-bye
adivinar to guess
adivino *m.* fortune teller; guesser
adjetivo *m.* adjective
admirablemente admirably
admiración admiration, wonder
adorable adorable
adorar to adore
adornado adorned, decorated
adquirir* (ie) to acquire; to purchase, to buy
adredemente *adv.* knowingly
advertir* (ie,i) to warn; to notice
advertirse* to become aware
advirtió (*pret.* **advertir***) you *(for.)*/he/she/it noticed, observed; notified; warned
aeropuerto *m.* airport
afanarse to work, to busy oneself
afectar to affect; to hurt
afecto *m.* affection, fondness; emotion
afeitarse to shave
aferrarse to seize
afiebrado feverish
afirmar to affirm; to brace
afirmativamente affirmatively
afligir* to cause pain to, to afflict
afligirse* to worry; to grieve
aflorar to fill; to emerge
africano African
afuera outside
afueras *f. pl.* suburbs, outskirts
agachar to lower; to bend down
agarrar to grasp, to hold on; to overpower
agarrotado caught, bound
agarrotar to bind
agazapar to hide
agencia *f.* agency
agitado shaken
agitar to agitate, to excite
agosto *m.* August
agotado exhausted
agradar to please, to be agreeable (to)
agradecer* to thank
agradecido thankful, grateful; appreciatively
agradecimiento *m.* gratitude, thankfulness
agredir to attack
agregar* to add
agrupado grouped
agua *f.* water
aguacero *m.* heavy shower, downpour
aguamanil *m.* washbasin
aguantar to tolerate, to bear; to hold up
aguar to water
agudo sharp, pointed; acute
aguijonear to sting
aguja *f.* needle; knitting needle
agujereado full of holes
agujero *m.* hole
ahí there, over there
ahí mismo right there
ahijadero *m.* lambing
ahogado drowned
ahora now; presently
ahora mismo right now
ahora sí certainly now
por ahora for the present
ahumado smoky
aire *m.* air; demeanor
aislar to isolate
aislarse to seclude oneself, to isolate oneself
ajar to fade, to wilt
ajedrez *m.* chess
ajeno foreign; another's
ajeno de *(adj.)* unaware of
ajetreo *m.* bustle, agitation
ajuar *m.* trousseau; furniture set
ajustado tight-fitting
quedarle ajustado to fit tightly
ajustar to adjust; to fit tightly
al *(+ inf.)* upon *(+ -ing)*
ala *f.* wing
alameda *f.* tree-lined path
álamo *m.* poplar
alargar* to extend; to hand something to another
alarido *m.* shout
alarmar to alarm
alarmarse to become alarmed
alba *f.* dawn
albañil *m.* bricklayer. mason
alborotado agitated
álbum *m.* album
alcalde *m.* mayor
alcance *m.* reach
al alcance within reach
alcanfor *m.* camphor
alcantarilla *f.* sewer
alcanzar* to reach
alcé (*pret.* **alzar***) I raised
alcoba *f.* bedroom
aldea *f.* village
alegrarse to be glad, to rejoice; to make oneself happy
alegre happy
alegría *f.* gaiety, joy
alejar(se) to move aside, to move away; to leave, to go away
alfiler *m.* pin; brooch
alfombra *f.* carpet
alfombrado carpeted
algo *m.* something, some
algo *(adv.)* somewhat
algodón *m.* cotton
algodón de azúcar cotton candy
alguien someone, somebody
algún *(adj. & pron.)* some, any
alguna vez now and then; sometimes
algunas horas a few hours
alguno some, any; someone
alimento *m.* nourishment, food
dar* alimento to nourish, to feed
aliviar to alleviate
alivio *m.* relief
alma *f.* soul, heart, spirit; ghost
partir el alma to break one's heart

almorzar* (ue) to have lunch
almuerzo *m.* lunch
alpargata *f.* hemp sandal
alrededor *m.* environs
  a su alrededor around (himself or herself)
  alrededor de around, surrounding
altillo *m.* attic
altivo proud
alto high, tall; top; loud
  a las altas horas very late
  en alto in the air; up high
  en lo alto at the top
  en voz alta aloud
altura *f.* height; altitude
  a estas alturas now; at this juncture
alucinante hallucinating
alumno *m.* student
alzado constructed
alzar* to lift up, to raise; to construct
allá there
  allá arriba on top, above
  más allá beyond
allanar to level; to overcome
allí there
amable amiable, kind; lovable; gracious; affable
amado loved
amanecer *m.* dawn, daybreak
amanecer* to dawn
amante *m. & f.* lover, sweetheart
amañar to secure, to fix
amar to love
amargo bitter
amarillento yellowish
amarillo yellow
  amarillo canario canary yellow
amasado amassed
ambiente *m.* environment, atmosphere
ambos both
amenaza *f.* threat
amenazar* to menace, to threaten
americano American
amigo *m.* friend
  amigo de correrías cohort in escapades
amiguito *m.* (*dim.* **amigo**) dear friend, good friend
amistad *f.* friendship
amo *m.* owner; master
amito *m.* (*dim.* **amo**) little master; beloved master
amohinarse to become annoyed
amor *m.* love
  amor propio self-esteem
amparar to shelter, to protect
analizar* to analyze
anca *f.* rump; croup
anciana *f.* elderly woman
ancho wide
anda (*fam. com.* **andar***) come on
anda *f.* stretcher; litter
andamio *m.* scaffolding
andanza *f.* occurrence, event
andar* to walk; to run; to function; to act
andariego wandering; swift
  de pies muy andariegos very fond of walking
andas *f. pl.* bier, stretcher
andén *m.* railway; platform
andrajoso ragged
anestesia *f.* anesthesia
angustia *f.* anxiety
angustiado distressed
angustioso painful, anguished
anhelante anxious
anillo *m.* ring
  me viene como anillo al dedo it fits me like a glove
animado animated, lively
animal *m.* animal
animalito *m.* (*dim.* **animal**) dear animal
  junta de protección a animalitos society for the protection of animals
ánimo *m.* courage
  dar ánimos to encourage
  darse ánimo to be encouraged
anoche last night
anochecer *m.* nightfall, dusk
anochecerse* to grow dark
ansiosamente anxiously
ante before, in front of; in the presence of
anterior former
  día anterior *m.* day before
anteriormente formerly
antes before; sooner; earlier
  antes bien on the contrary
  antes de before, in front of
  antes de que before
  antes que rather than; before
anticipado anticipated
  por anticipado in advance
anticipar to anticipate
antigüedad *f.* antique
antiguo former; old
antojársele a uno to take a notion or fancy to; to strike one's fancy
anunciar to announce
anuncio *m.* announcement
añadir to add
año year
  tener*... años to be . . . years old
apacible pleasant; peaceful
apagado faded; turned off
apagar* to extinguish, to put out; to turn off; to die out; to soften colors
apalear to beat, to whip
aparato *m.* apparatus, machine
aparcería *f.* share-cropping
aparcero *m.* sharecropper
aparecer* to appear; to show up
aparentar to appear, to seem
apariencia *f.* appearance; aspect; sign, indication
aparte aside, separately; apart
  aparte de besides
apasionado passionate
apear to put down; to help dismount
  apearse to get off
apenas barely
  apenas murmurando barely whispering
apéndice *m.* appendix
apesadumbrar to be anxious; to grieve
apilado piled up
apiñarse to crowd
apisonar to trample
aplastar to crush
aplaudir to applaud
aplicar* to apply
apocado timid
apoderado *m.* attorney
apogeo *m.* height
apoyar to support; to lean
  apoyarse to support oneself
aprender to learn
apresurar to hasten, to hurry
  apresurarse to hurry
apretado tight; compact; thick
apretar* (ie) to tighten; to squeeze; to press; to clench

aprisa swiftly
aprisionar to imprison; to fasten, to hold
apropiado appropriate
aprovechar to make use of
aproximadamente approximately
aproximarse to move near, to approach
apuntar to write down; to aim; to point
apurarse to worry, to hurry
no te apures (*fam. neg. com.* **apurarse**) don't worry
aquel *(dem. adj.)* that
aquél *(dem. pron.)* that (one)
aquello that
aquí here
de aquí en adelante from now on
de por aquí in the vicinity, around here
he aquí behold
por aquí this way; through here, here, around here
aragonés *m.* Aragonese, of or from Aragon, Spain
araña *f.* spider
huevos de araña spider eggs
árbol *m.* tree
arbusto *m.* bush
arder to burn
arena *f.* sand
arenoso sandy
argamasa *f.* mortar
aristocrático aristocratic
aritmética *f.* arithmetic
arma *f.* weapon, firearm
armar to rig up, to assemble, to put together; to cause
armar una to make a row, to cause an altercation
armario *m.* closet; wardrobe
armazón *f.* framework
armonía *f.* harmony
aroma *m.* aroma
arquitecto *m.* architect
arrancar* to uproot; to pull out
arrastrar to drag along
arreglar to adjust; to arrange; to settle; to fix; to put in order
arreglarse to adjust; to settle; to arrange; to conform
arrellanado comfortable
arremolinar to whirl
arrepentido sorry, penitent
arriba up, upward; above, upstairs
allá arriba on top, above
de arriba abajo up and down
escalera arriba upstairs
arrimarse to lean against or upon; to approach, to draw near
arrogante arrogant; spirited
arrojar to throw
arrojarse to throw oneself
arrollar to wind
arroyo *m.* stream; river bed
arroz *m.* rice
arrugado wrinkled
arrugar* to wrinkle
arsenal *m.* arsenal
artículo *m.* article
asa *f.* handle
asado roasted
asalto *m.* assault, attack
asegurar to assure; to secure
asemejarse to resemble
asentado set, planted
asentir* (ie,i) to agree
asesinar to murder, to assassinate
así so, thus; like this
así es that is how
asiento *m.* seat
asignar to assign
asistir to attend
asomar to show, to appear
asombrado astonished, amazed
asombro *m.* astonishment; fright
aspecto *m.* aspect
áspero harsh, rough; bitter
aspiradora *f.* vacuum cleaner
aspirar to inhale, to breathe in; to aspire
asterisco *m.* asterisk
astro *m.* star
astucia *f.* cunning, craftiness
astuto astute, sly
asustado frightened, scared
asustar to frighten, to scare
atar to tie, to fasten, to bind
ató su lengua you *(for.)*/he/she/it prevented *herself* from speaking
atardecer *m.* late afternoon, early evening
atardecer* to draw toward evening
atemorizar* to frighten
atención *f.* attention
llamar la atención to attract attention
prestar atención to pay attention
atender* (ie) to pay attention; to attend to, to take care of
atendido attended to
aterrar* (ie) to pull down, to destroy
atinar to manage; to hit upon; to find out
atónito astounded, aghast, astonished
atractivo attractive
atraer* to attract
atrás back; backwards; behind
de atrás back
echar para atrás to turn back
volverse* hacia atrás to go back
atravesado cross-eyed
atravesar* (ie) to cross, to go across
atreverse to dare, to risk
atrevido daring
atrevimiento *m.* daring, audacity, effrontery
atribuir to assign; to attribute
audacia *f.* daring
auditivo auditory, relating to the sense of hearing
aullar to howl
aullido *m.* howl, cry
aumentar to increase
aun even
aun cuando although, even if, even though
aún still, yet
aunque though, although
ausencia *f.* absence
ausente absent
auténtico authentic
automóvil *m.* automobile
autor *m.* author
autora *f.* author
autoridad *f.* authority
avanzar* to advance
avenida *f.* avenue
aventura *f.* adventure
aventurilla *f.* (*dim.* **aventura**) little adventure
ávidamente eagerly
ayer yesterday
ayuda *f.* help

ayudar to help
azar *m.* chance; fate; destiny
juego de azar game of chance
azotar to whip, to beat
azotea *f.* flat roof
azúcar *m.* sugar
algodón de azúcar cotton candy
roscas de azúcar sugar twists
azul blue
azul mojado intense blue
azul pavo peacock blue
azul prusia Prussian blue

B

baile *m.* dance
bajar to lower; to take down; to go down
bajarse to bend down; to get off; to get down
bajo *(adj.)* low; short
bajo *(adv.)* low, softly
bajo *(prep.)* under, beneath
bala *f.* bullet
balancear to balance
balancearse to swing; to roll, to rock
balanceo *m.* balancing; rocking
balazo *m.* bullet
balbucear to stammer
balido *m.* bleat, bleating
banda *f.* band; border, edge; bank, shore
Banda Oriental name of the region, which, in the colonial era, included present day Uruguay and three adjoining Brazilian provinces
bandada *f.* flock
bandeja *f.* tray
bañadito (*dim.* **bañado**) (nicely) bathed
bañar(se) to bathe
baño *m.* bath; bathroom
barba *f.* beard; chin
bárbaro savage, barbaric
barbullar to blabber, to chatter
barda *f.* thatch
barra *f.* arm of a chair; bar; loaf
barrer to sweep
barrera *f.* barrier; obstacle
barrera generacional generation gap
barretero *m.* miner, drill runner
barrio *m.* quarter; neighborhood, district
base *f.* base
bastante enough
bastante *(adv.)* enough; fairly
bastar to be enough; to suffice
bastarle con to be sufficient for someone
basta de enough of
bastón *m.* cane
batir(se) to beat, to batter; to bear down
bautizar* to baptize
bayoneta *f.* bayonet
beatífico beatific
belleza *f.* beauty
bello beautiful, fair
bellota *f.* acorn
bendito blessed; cursed
beneficio *m.* benefit, profit
besar to kiss
beso *m.* kiss
bestia *f.* beast
Biblia *f.* Bible
biblioteca *f.* library
bicho *m.* bug; animal
mal bicho mischievous creature
bien well; readily; very; indeed
hombría de bien honor; honesty
más bien rather
bifurcar* to divide, to branch, to fork
bigote *m.* moustache
billete *m.* ticket; bill
bisabuelos *m. pl.* great-grandparents
blanco white
blusa *f.* blouse
boca *f.* mouth
boca abajo face downward
bocanada *f.* puff; mouthful
boda *f.* wedding
bodega *f.* grocery store; wine vault; cellar, storeroom
bola *f.* battlefield; ball
bolígrafo *m.* ballpoint pen
bolsillo *m.* pocket
bolso *m.* bag
bombilla *f.* light bulb
bombillo *m.* electric-light globe; light bulb
bombón *m.* candy
bondad *f.* goodness, kindness
tener* la bondad please; to be so kind (as to)
bondadoso kind, generous
bonito pretty
boquiabierto open-mouthed
borde *m.* edge, border; side
bordear to skirt, to border
borrar to erase, to rub out; to cross out; to obscure
bosque *m.* forest, woodland
bostezo *m.* yawn
bota *f.* boot
botella *f.* bottle
botica *f.* drugstore
botón *m.* button
bracero *m.* day laborer
brasa *f.* live coal, red-hot coal
brasero *m.* brazier, pan to hold coals
bravo brave; fierce; mad
brazo *m.* arm
breve brief, short
brevemente briefly
brillante *m.* diamond
brillante *(adj.)* bright, shining
verde brillante bright green
brillar to shine
brillo *m.* brightness, brilliance
cobrar brillo to shine
brincar* to jump
brisa *f.* breeze
broma *f.* joke, jest; fun
en broma in jest
brotar to well up; to gush; to come forth
bruma *f.* mist
brusco brusque, blunt
brutal brutal
brutísimo extremely coarse, brutish
bucear to dive
bucle *m.* ringlet, curl
buche *m.* mouthful
haga buches gargle
buen good *(before masculine singular nouns)*
bueno good; kind; well
Burdeos Bordeaux
burlarse de to make fun of
burro *m.* donkey
busca *f.* search
en busca de in search of
buscar* to look for; to search
buscó a tientas he groped for

buscar *(continued)*
busquen (*for. com.* **buscar***) search, look for
buzón *m.* letter box

C

caballeriza *f.* stable
caballero *m.* gentlemen, sir
caballete *m.* roof, ridge
caballito *m.* (*dim.* **caballo**) little horse
caballitos *m. pl.* merry-go-round
caballo *m.* horse
montar a caballo to ride horseback
cabaña *f.* cabin
cabecita *f.* (*dim.* **cabeza**) little head
cabello *m.* hair
caber* to fit
no cabe duda there is no doubt
cabeza *f.* head
cabezal *m.* headrest
cabizbajo head down; melancholy
cabo *m.* end, tip
al cabo finally, at last
llevar a cabo to carry through, to accomplish
cacareo *m.* crowing, cackling
cacerola *f.* container; pot
cachorro *m.* cub
cada each, every
cada vez each time
cada vez más more and more
cadena *f.* chain; leash
maciza cadena heavy leash
caer* to fall
a mí me caía bien I liked him
caer* bien to like
dejar caer* to drop
café *m.* café; coffee
caído *(p.p.* **caer***)* fallen
caja *f.* box
cajita *f.* (*dim.* **caja**) small box
cajón *m.* crate, box
calcular to calculate
calentar* (ie) to warm
cálido warm
caliente hot
calma *f.* calm, calmness
calmar to calm, to soothe; to abate
calmarse to calm down
calor *m.* heat; warmth
hacer* calor to be hot, to be warm *(weather)*
tener* calor to be hot, to be warm *(people)*
caluroso warm
calladamente silently
callado silent, mysterious
callar to be quiet
calle *f.* street
calle abajo down the street
callejuela *f.* side street, back street
cama *f.* bed
camanchaca *f.* dense fog
cambiar to change; to exchange
cambio *m.* change, alteration
en cambio on the other hand
caminar to walk; to go; to travel, to journey
caminillo *m.* (*dim.* **camino**) path
camino *m.* road, way; journey
a medio camino halfway
de camino on the road
camión *m.* truck
camisa *f.* shirt; slip; gown
campamento *m.* camp; mining camp
campana *f.* bell
campanario *f.* belfry, bell tower
campeón *m.* champion
campesino *m.* peasant, farmer
campito *m.* (*dim.* **campo**) dear land; little field
campo *m.* field, countryside; camp; land
cana *f.* gray hair
canario *m.* canary
amarillo canario canary yellow
canasta *f.* basket
canastilla *f.* (*dim.* **canasta**) little basket
cancel *m. & f.* screen
cancel de tela curtain
puerta cancel screen door
canción *f.* song
canción de cuna lullaby
temblando una canción singing a song
cansado tired, weary, exhausted, worn out
cansancio *m.* tiredness, fatigue
cansar to tire
cansarse to become tired, to become weary
cantar to sing
cantidad *f.* quantity, amount
cantinela *f.* ballad, song
canto *m.* singing
cañar *m.* cane or reed plantation
cañón *m.* cannon; barrel *(of a gun)*
capa *f.* coating, covering
capaces *pl.* (*sing.* **capaz**) capable
capataz *m.* foreman; forester
capaz capable
capitalino relative to the capital city
capítulo *m.* chapter
capota *f.* roof
cara *f.* face
cara a cara face to face
carabina *f.* carbine, rifle
carácter *m.* character
característica *f.* characteristic
caracterizar* to characterize
carcancha *f.* automobile
carcanchita *f.* (*dim.* **carcancha**) jalopy
cárcel *f.* jail, prison
carga *f.* load
cargado burdened, loaded
cargadores *m. pl.* suspenders
cargadores elásticos suspenders
cargar* to load; to carry; to burden; to charge; to entrust with
cargar* con to carry
caricia *f.* caress
caridad *f.* charity
cariño *m.* affection
cariñosamente affectionately
cariñoso affectionate
carnal carnal, sensual
carne *f.* meat; flesh
carnear to butcher, to slaughter; to kill
carnet *m.* identification card
caro expensive
carpa *f.* tent; tarp; awning
carpeta *f.* folder; table cover
carrera *f.* run; race; bet
una carrera mal ganada a wager unfairly won
carretera *f.* highway
carro *m.* car; wagon, cart
carta *f.* letter
cartera *f.* wallet

cartero *m.* mailman
cartón *m.* cardboard
cartucho *m.* cartridge; supermarket bag
casa *f.* house
ir* a casa to go home
casado married
casarse to marry, to get married
casco *m.* miner's hat
casi almost
casita *f.* (*dim.* **casa**) little house
caso *m.* case; event
en todo caso in any case
no hacer* caso de to ignore
casona *f.* large house
castañetear to chatter
castaño *m.* chestnut tree
castaño *(adj.)* chestnut-colored
casualidad *f.* chance, coincidence
catedral *f.* cathedral
católico Catholic
catorce fourteen
caudaloso abundant; large, mighty *(river)*
causa *f.* cause
a causa de because of, on account of
cauteloso cautious
cautivar to captivate, to charm
cauto cautious
cayado *m.* walking stick
cayó (*pret.* **caer***) you (*for.*)/he/she/it fell
cebar to stuff; to prime
ceja *f.* eyebrow
celajes *m. pl.* sky with many-hued clouds
celeste heavenly
celos *m. pl.* jealousy
cementerio *m.* cemetery
cenar to have supper
ceniza *f.* ash
miércoles de ceniza Ash Wednesday
centavo *m.* cent
centenar *m.* hundred
central central
céntrico central
centro *m.* downtown; center
cerca *f.* fence
cerca near
cerca de near
de cerca close by
cercar* to enclose, to surround
cerebro *m.* mind, brain
ceremonia *f.* ceremony
cerrado closed
cerradura *f.* lock
cerrar* (ie) to close
a medio cerrar* to half-close; half closed
cerro *m.* hill
cerrojo *m.* bolt
certeza *f.* certainty
cerveza *f.* beer
cesar to cease
cesto *m.* basket
ciclo *m.* cycle
Cid *m.* chief, Lord; famous eleventh-century Spanish hero immortalized in legend and literature
cielo *m.* sky, heavens
cielorraso *m.* flat ceiling
cien hundred, a hundred, one hundred
cierto certain, sure; true
cigarrillo *m.* cigarette
cima *f.* top
cinco five
cincuenta fifty
cine *m.* cinema, movie theater; movie
cinta *f.* strip, ribbon; tape
cintura *f.* waist
circunstancia *f.* circumstance; condition
ciruela *f.* plum
cisura *f.* scar; incision
ciudad *f.* city
claramente clearly
claridad *f.* clarity, brightness
claridad de hogar household light
claro *(adj.)* clear; indisputable
claro que of course
claro *(adv.)* clearly
clase *f.* classroom; kind, class
sala de clase classroom
clausura *f.* closure
clavar to nail; to fix
clavarse to rivet
clave *f.* key
clavo *m.* nail, iron spike
clima *m.* climate
coartada *f.* alibi
cobarde *m. & f.* coward
cobardemente *(adv.)* cowardly
cobertor *m.* bedspread
cobrar to recover; to acquire, to get; to collect
cobrar brillo to shine
cobrarse simpatía to become fond of each other
cobre *m.* copper
cocido cooked
cocina *f.* kitchen
cocinar to cook
codo *m.* angle, bend
coger* to grab, to catch; to hold
cognado *m.* cognate
cojo (*pres.* **coger***) I grab
col *f.* cabbage
cola *f.* tail
colchón *m.* mattress
colección *f.* collection
colector *m.* collector
colector general tax collector
colectorcillo *m.* (*dim.* **colector**) small-minded collector
colegio *m.* secondary school
cólera *f.* anger
colérico irritable
coletazo *m.* pang, slap of the tail
colgar* (ue) to hang, to suspend
colmo *m.* top
Esto es el colmo. This is the limit.
colocar* to place
coloquial colloquial
color *m.* coloring; complexion; color
coloración *f.* coloring
colorado reddish
combatir to combat, to fight against
comedia *f.* comedy
comedor *m.* dining room
comején *m.* termite; wood-fretter moth
comentar to comment on; to gossip
comenzar* (ie) to begin, to commence
comer to eat
dar* de comer to feed
comercio *m.* business
cometer to commit
comida *f.* food; meal; supper
comienzo *m.* beginning
como as, like; how; since; if
a como dé lugar somehow
cómo no why not; of course
como si as if

como *(continued)*
como si le costara as if it were hard for him
como siempre as always
tan pronto como as soon as
cómoda *f.* bureau, chest of drawers
cómodamente comfortably
cómodo comfortable
compadecido pitied
compadre *m.* friend; godfather
compañero *m.* companion
compañía *f.* company
comparar to compare
compartir to share
compasión *f.* compassion, pity
compasivo sympathetic
competencia *f.* competition
competir* (i,i) to compete
complacerse* to take pleasure or satisfaction (in); to be content
complementar to complement
completamente completely
completo complete
por completo completely
cómplice *m. & f.* accomplice, partner
componente *m.* component
comportamiento *m.* behavior, conduct
composición *f.* composition
comprar to buy
comprender to understand, to comprehend
comprometerse to become engaged
compuesto (*p.p.* **componer***) composed of
común common
comunal common, communal
comunicar* to connect; to communicate
comunicarse* to communicate
comunidad *f.* community
con with
con extrañeza with surprise, surprisedly
con frecuencia frequently
con furia furiously
con ingenuidad innocently
con lentitud slowly
con picardía playfully
con prisa hurriedly
con respecto a in regard to
con tal que provided that
para con towards
conceder to concede, to grant; to agree
concertarse to go together; to agree on
conciencia *f.* conscience
concierto *m.* concert
concurso *m.* competition; (dog) show
condenar to condemn; to convict
condensado condensed
leche condensada condensed milk
condición *f.* condition
condicional conditional
conducir* to lead; to drive (a car)
confesado confessed
confesar* (ie) to confess
confesión *f.* confession
confianza *f.* confidence, trust
confinar to confine; to banish
conflicto *m.* conflict
conformar to conform
confrontar to bring face to face
confrontarse con to face, to confront
confundido confused, confounded
confundir to confuse
confundirse to be mixed up
confusión *f.* confusion
confuso confused
conmemorar to commemorate
conmigo with me, with myself
conmigo mismo with me myself
conmover to move
conocer* to know; to meet; to be aware of
conquistador *m.* conqueror
conquistar to conquer
consagrar to consecrate; to dedicate
consecuencia *f.* consequence
conseguir* (i,i) to obtain, to get; to manage
consejo *m.* counsel, advice; council
consejo sumarísimo court martial
consentir* (ie,i) to consent, to allow, to agree
conserje *m. & f.* caretaker, concierge
consideración *f.* consideration
consigo with yourself *(for.)*/himself/herself/itself
consiguiente consequent
por consiguiente consequently; therefore
consiguió (*pret.* **conseguir***) was able to
consistir to consist
consistir en to consist of
consola *f.* console table; wall table
constancia *f.* perseverance, constancy
constante constant
constantemente constantly
constelación *f.* constellation
construcción *f.* construction
construido constructed
construir* to construct
consultar to consult
consultorio *m.* medical office
contacto *m.* contact
contar* (ue) to count; to tell
contar* con to count on
contemplar to contemplate
contento happy, content
contestación *f.* answer
contestar to answer
contigo with you *(fam.)*, with yourself
continuación *f.* continuation
continuar* to continue
continuidad *f.* continuity
continuo continuous
contra against; toward; facing
contraer* to contract
contrastante contrasting
contrastar to contrast
contraste *m.* contrast
contratista *m. & f.* contractor
convencer* to convince
convenir* to agree
conversación *f.* conversation
darle* conversación to converse with
conversar to converse
convertir(se)* (ie,i) to convert
convicción *f.* conviction
convivencia *f.* living together in harmony

coqueteo *m.* flirtation
corazón *m.* heart
corbata *f.* necktie
cordal *f.* wisdom tooth
corderito *m.* (*dim.* **cordero**) little lamb
cordero *m.* lamb
un costillar de cordero a side of lamb
cordial cordial
cordialmente cordially
cordillera *f.* mountain range
cordoncillo *m.* (*dim.* **cordón**) little lace cord
cornisa *f.* cornice
coronación *f.* coronation, crowning; finishing touch
corpúsculo *m.* corpuscle, microbe
corral *m.* corral, barnyard
correcto correct
corredizo easily untied
corredor *m.* corridor
corregir* (i,i) to correct
correo *m.* mail; post office
echar al correo to mail
correr to run; to slip away
correría *f.* short trip
amigo de correrías cohort in escapades
correspondencia *f.* correspondence
corresponder to correspond
corrido *m.* folk song
corriendo running
corriente *f.* current, flow
cortar to cut
cortés courteous, polite
cortesía *f.* courtesy
cortina *f.* curtain
corva *f.* back of the knee
cosa *f.* thing
cosecha *f.* harvest
cosquilleo *m.* tickle
costa *f.* (sea)coast
costado *m.* side, flank
costar* (ue) to cost; to be difficult
como si le costara as if it were hard for him
costilla *f.* rib
costillar *m.* rib; back
un costillar de cordero a side of lamb
costumbre *f.* custom, habit
de costumbre usual
cráneo *m.* head
crear to create
crecer* to grow; to increase; to rise; to swell; to grow up
creciente growing
crecimiento *m.* growth
creer* to believe
crepúsculo *m.* dusk
creyendo (*pres. p.* **creer***) believing, thinking
creyó (*pret.* **creer***) you (*for.*)/he/she/it believed, thought
criada *f.* servant, maid
criado *m.* servant
criar to bring up, to rear; to nourish; to grow
criatura *f.* creature
crimen *m.* crime
crin *f.* mane
cristal *m.* crystal; glass
cristalino crystalline
cristalizado crystallized
Cristo Christ
crueldad *f.* cruelty
crujido *m.* cracking, creaking; crushing
crujir to creak
cruzado crossed
cruzar* to cross
cuaderno *m.* notebook
cuadra *f.* block; stable; group of houses
cuadradito *m.* (*dim.* **cuadrado**) little square
cuadrado (*adj. & m. n.*) square
cuadro *m.* picture, portrait; square
a cuadros plaid
cual (*adj. & pron.*) which
el cual which; who
lo cual which
por lo cual for which reason
cuál (*interrog. adj. & pron.*) which; what; which one
cualquier any; anyone; whichever
cuan as
cuán how; how much
cuando when; although; in case; since
aun cuando even if, even though, although
cuando menos at least
cuando más at most
cuando quiera whenever
de cuando en cuando from time to time
cuándo (*adv.*) when
cuanto as much as; respecting; as many
en cuanto as soon as
en cuanto a with regard to
cuánto how much
cuarenta forty
cuarenta y cinco forty-five
cuaresma *f.* Lent
cuarto *m.* quarter; room
cuarto (*adj.*) fourth
cubierta *f.* cover
cubierto covered
cubierto de sal covered with salt
cubilete *m.* dice box
cucurucú *m.* cooing
cuchichear to whisper
cuello *m.* neck; collar
cuenta *f.* bill
darse* cuenta de to realize
por su cuenta on one's own
cuento *m.* short story
cuerpecillo *m.* (*dim.* **cuerpo**) little body
cuerpecillos de oro golden rays
cuerpo *m.* body; matter; corporation
cuesta *f.* hill
cuesta abajo downhill
cuestión *f.* question; quarrel; matter
por cuestión de because of the matter of
cuidado *m.* care
cuidar to take care of; to watch over
tener* cuidado de to be careful
culpa *f.* blame, guilt, fault; sin; offense
tener* la culpa to be guilty, to be to blame
culpabilidad *f.* guilt
culpable guilty
culpar to blame, to accuse
cultivo *m.* farming, tillage, cultivation

cumplir to become true; to be fulfilled
cuna *f.* cradle
canción de cuna lullaby
cura *m.* priest
curar to cure
curiosear to snoop, to peek; to observe with curiosity
curiosidad *f.* curiosity
curioso curious; neat; careful
curso *m.* course
curso escolar school year
custodia *f.* custody
cuyo of which; whose; of whom

CH

chal *m.* shawl
chaleco *m.* waistcoat, vest
champú *m.* shampoo
chamuscado scorched
chaqueta *f.* jacket
charlar to talk, to chat; to chatter
charol *m.* patent leather
chica *f.* girl
chico *m.* boy
chico *(adj.)* small
chicotazo *m.* lashing; whipping
chillar to sizzle; to squeak; to shriek
chimenea *f.* fireplace
chiquillo *m.* (*dim.* **chico**) little child, youngster; lad, little boy
chiquitín *m.* (*dim.* **chico**) baby, infant
chirrido *m.* chirping; creaking
chispa *f.* spark
chiste *m.* joke
chocar* to collide, to hit
chocita *f.* (*dim.* **choza**) little hut, little shack
chopera *f.* grove of black poplar trees
choza *f.* hut, shack
chucho *m.* dog *(colloquial)*

D

danzar* to dance
dañar to injure, to harm
daño *m.* damage
hacer* daño to hurt, to harm
dar* to give
dar* a luz to give birth
dar* alimento to feed, to nourish
dar* ánimos to encourage
dar* de comer to feed
dar* en to hit upon, to succeed in
dar* la vuelta to turn around
dar* las ocho to be eight o'clock
dar* las once to be eleven o'clock
dar* lástima to be pitiful
dar* trabajo to be difficult
dar* un paso to take a step
dar* una vuelta to turn around; to take a stroll
dar* vela to give an excuse
dar* vuelta to turn over
dar* vueltas to fuss about; to shift back and forth
darle* conversación to converse with
darle* gusto to please
darse* to give up
darse* ánimo to be encouraged
darse* cuenta de to realize
darse* el gusto to give oneself the pleasure, to enjoy
darse* por satisfecho to consent; to be content
de of, from; about
de camino on the road
de cerca close by
de enfrente in front of; opposite
de entonces at that time
de espaldas with one's back turned
de frente straight ahead
de fuera from outside, on the outside
de improviso unexpectedly
de inmediato right away
de la mano hand in hand
de la mañana in the morning
de la noche of the night; at night
de lado sideways; tilted
de lado a lado from side to side
de lágrimas with tears
de manera que so that
de más extra; for nothing
de memoria by heart
de momento for a moment
de noche at night, by night
de nuevo again
de pie standing, firm, steady
de pies muy andariegos very fond of walking
de pronto suddenly
de repente suddenly
de rodillas on one's knees
de sobre on top of
de una vez in one stroke, all at once
de vez en cuando occasionally
de vez en vez once in a while
dé (*for. com.* **dar***) give
debajo beneath
por debajo de underneath
deber *m.* obligation
deber to have to, ought to; to owe
deber de should, must
debido due, owed
debido a due to
débil weak, feeble, faint
decidido determined, decided
decidir to decide
décimo *m.* tenth; one-tenth share of a lottery ticket
decir* to say, to tell
decir* al oído to whisper
decir* palabra to speak
decir* que no to say no
decir* que sí to say yes
decirse* to be called; to say
oír decir to hear (people) say
querer* decir to mean
decisión *f.* decision
declarar to declare, to make known
declinar to decline; to draw to a close
dedicar* to dedicate
dedicarse* to devote oneself
dedo *m.* finger
punta de los dedos fingertip
me viene como anillo al dedo it fits me like a glove
defecto *m.* defect
defender (ie) to defend, to protect
defenderse (ie) to defend
defensa *f.* defense

definir to define
definitivo definitive
deformar to deform
degenerar to degenerate
dejar to leave; to let go; to allow, to let
dejar a uno con un palmo de narices to disappoint one of success
dejar caer to drop
dejar de to stop
dejarse to allow oneself
dejó de pedalear you *(for.)*/he/she/it stopped pedaling
dejo *m.* effect
dejó caer (*pret.* **dejar caer**) you *(for.)*/he/she/it dropped
delantal *m.* apron
delante before, ahead, in front
delante de before, ahead of, in front of
delantero front
delgado thin
demás other
lo demás the rest
los demás the others
demasiado too, too much; too many
déme (*for. com.* **dar***) give me
demonio *m.* demon
demora *f.* delay
denotar to express
denso dense, thick
dentadura *f.* set of teeth
dentista *m. & f.* dentist
dentro inside; within
dentro de within
por dentro on the inside
departamento *m.* apartment
depender de to depend on
dependienta *f.* clerk
depositar to deposit
derecha *f.* right hand; right-hand side
a la derecha right; on the right, to the right
derecho *m.* right, privilege
derivar to derive
derramar to spill
derrengar* to cripple; to bend
derribar to destroy; to knock down; to shoot
derrumbarse to collapse, to crumble
desabotonar to unbutton
desabrochar to unbutton
desacomodado disarranged
desafiar to challenge
desahogo *m.* comfort
con desahogo comfortably
desaparecer* to disappear
desarmar to take apart
desarrollar(se) to develop; to take place; to unroll; to unfold
desarrollo *m.* development
desasosegar (ie) to worry; to disturb
desatar to untie
desayunar to have breakfast
desayuno *m.* breakfast
desazonar to upset, to displease
descalzarse* to take off one's shoes and socks
descansar to rest
descaradamente impudently
descargar* to unload; to discharge; to free; to brace
descender (ie) to descend, to go down
descolorido pale
desconectar to disconnect
desconfianza *f.* lack of confidence
desconocer* to be ignorant of, to be unaware of
desconocido unknown; strange
descortés rude
descoyuntar to dislocate; to disjoint
describir to describe
descripción *f.* description
descubierto discovered, revealed
descubrimiento *m.* discovery
descubrir to discover; to reveal, to uncover
descuido *m.* carelessness, neglect
desde since; from; after
desde entonces since then
desde hace horas for hours
desde lejos from a distance, from afar
desde siempre from the beginning of time
desdentado toothless
desear to desire, to wish done
desempacar* to unpack
desempeñar to perform
desenlace *m.* outcome, result
desensillar to unsaddle
desenterrado unearthed, dug up, disinterred
desentonar to wound someone's pride; to be out of place
deseo *m.* desire, wish
desesperación *f.* desperation
acceso de desesperación outburst
desesperadamente desperately
desesperado desperate, without hope
desesperarse to become irritated, to become annoyed
desfilar to parade
desfile *m.* parade
desfondado crumbled
desgajar to separate
irse* desgajando separating oneself
desganado reluctant; half-hearted, listless
desganar to be listless; to be without appetite
desgano *m.* reluctance
desgracia *f.* misfortune
deshacer to undo
deshonra *f.* disgrace
desierto *m.* desert
desierto *(adj.)* deserted
desilusionante disillusioning
desilusionar to disillusion
desintegrarse to disintegrate, to break up
desinteresado disinterested, unselfish, fair
desistir to desist; to abandon
deslizar* to slip
deslizarse* to slip, to glide
deslumbramiento *m.* dazzle, glare
desmentir* (ie,i) to contradict
desmontar to dismantle
desocupado free, vacant; unemployed
desolado desolate
desollar to skin
despacio slow, slowly; at leisure; in a low voice
despacito (*dim.* **despacio**) (rather) slowly

despedida *f.* farewell; leaving
despedir* (i,i) to dismiss
despedirse* (i,i) to take leave; to say good-bye
despegar* to separate, to detach
despertar* (ie) to awake, to wake up
despertarse* (ie) to wake up
despiadado pitiless, cruel
despidió (*pret.* **despedir***) you (*for.*)/he/she/it dismissed
se despidió (*pret.* **despedirse***) you (*for.*)/he/she/it took leave of
despiojar to delouse, to clean oneself of lice
desplegar* (ie) to unfold
despliegue *m.* display, unfolding, deployment
desprecio *m.* disdain, contempt
desprender to unbutton
desprevenido unprepared
después after, afterward
después de after
despuntar to dawn
destejer* to unravel, to unknit
destemplado disagreeable, unpleasant; shrill
desteñido faded
destenir* (i,i) to discolor, to fade
destrabar to unbind, to loosen
destreza *f.* dexterity
destripar to gut; to crush, to mangle
destrucción *f.* destruction
destruído (*p.p.* **destruir***) destroyed
destruir* to destroy
desvelar to be wakeful, to have insomnia
desyerbar to weed
detectar to detect
detención *f.* detention, detainment
detener* to detain
detenerse* to stop; to pause; to linger, to tarry
detenidamente attentively, cautiously
determinación *f.* determination
detestar to detest
detrás behind
detrasito (*dim.* **detrás**) right behind
detuve (*pret.* **detener***) I detained
me detuve (*pret.* **detenerse***) I stopped
detuvo (*pret.* **detener***) you (*for.*)/he/she/it detained
se detuvo (*pret.* **detenerse***) you (*for.*)/he/she/it stopped
deuda *f.* debt
devolver* (ue) to return, to give back
devoto devout, pious, devoted
di (*pret.* **dar***) I gave
di (*fam. com.* **decir***) say
día *m.* day
de día by day, in the daytime
día anterior day before
hoy (en) día nowadays
todos los días every day
un día de estos one of these days
diablo *m.* devil
diálogo *m.* dialogue
diamante *m.* diamond
diario daily
dibujo *m.* drawing; outline; description
diciembre *m.* December
diciéndome (*pres. p.* **decir***) telling me
dictadura *f.* dictatorship
dicha *f.* happiness
dicho (*p.p.* **decir***) said, told
mejor dicho rather
diente *m.* tooth
diez ten
diferencia *f.* difference
diferenciar to differentiate
diferenciarse to differ
diferente different
difícil difficult
difícilmente with difficulty
dificultad *f.* difficulty
difunto deceased, dead
dignidad *f.* dignity
dije (*pret.* **decir***) I said
dijo (*pret.* **decir***) you (*for.*)/he/she/it said, told
dile (*fam. com.* **decir***) tell him/her
diluirse* to fade, to become faded
diminutivo *m.* diminutive
diminuto small, diminutive; minute
dinamita *f.* dynamite
dinero *m.* money
dio (*pret.* **dar***) you (*for.*)/he/she/it gave
dios *m.* god
director *m.* director
dirigido directed, addressed; guided
dirigir* to direct, to lead; to address; to guide; to manage; to steer
dirigirse* to go; to turn
discernir* (ie) to discern, to distinguish
disco *m.* phonographic record; disk
discretamente discreetly
disculpa *f.* excuse
disculparse to excuse oneself, to apologize
discusión *f.* discussion
discutir to discuss
diseño *m.* design
disgusto *m.* displeasure; annoyance
disimuladamente dissemblingly, reservedly, secretly
disimular to conceal, to hide
disiparse to disappear, to dissipate
disminuir* to diminish
disminuyendo (*pres. p.* **disminuir***) diminishing
disparar to shoot, to fire
displicente casual
disponerse* to get ready
disponible available
dispuesto ready, prepared; arranged; clever, skillful
disputa *f.* dispute, fight; struggle
distancia *f.* distance
distante distant, remote
distinguir* to distinguish, to differentiate
distinto distinct; different
distintos various, several
distraer* to distract
distraídamente distractedly
distraído distracted
distrajo (*pret.* **distraer***) you (*for.*)/he/she/it distracted
distribución *f.* distribution
disuadir to dissuade
disyuntiva *f.* dilemma

diversión *f.* diversion
parque de diversiones amusement park
diverso diverse; different
diversos several
divertir* (ie,i) to amuse, to entertain
dividir to divide
divisar to be invisible; to distinguish
divorciar(se) to (obtain a) divorce
doblar to bend; to turn
doblarse to fold; to double; to give in; to buckle
doble double
docena *f.* dozen
media docena half dozen, six
doctor *m.* doctor
dólar *m.* dollar
doler* (ue) to ache, to hurt; to grieve
dolor *m.* ache; pain; grief, sorrow
dolorido in pain
doloroso painful
doméstico domestic
dominar to check, to restrain; to master, to control, to dominate
domingo *m.* Sunday
doncella *f.* maiden
dónde where
por dónde where
donjuanesco like Don Juan, a literary figure famous for his many "conquests" of women
dorado golden
dormir* (ue,u) to sleep, to be sleeping
dormirse* (ue,u) to sleep, to fall asleep
un mal dormir a bad night's sleep
dormitar to doze
dormitorio *m.* bedroom
dos two
doscientos two hundred
dote *f.* dowry
de dote as a dowry
drama *m.* drama
dramático dramatic
droga *f.* drug
duda *f.* doubt
no cabe duda there is no doubt
sin duda without a doubt, certainly
dudar to doubt, to question; to hesitate
dueña *f.* owner, proprietress, mistress
dueño *m.* owner, proprietor, master
dulce sweet; pleasant
dulzura *f.* gentleness, sweetness
duplicar* to duplicate
durante during, while
durar to last; to remain
duro *m.* Spanish coin
duro *(adj.)* hard

E

e and (*used for* **y** *before* **i-, hi-**)
económico economic
echar to throw; to toss; to cast; to put in; to dismiss; to expel; to drive away; to lay *(eggs)*
echar a to begin to; to burst out (e.g., *crying*)
echar al correo to mail
echar al suelo to tear down
echar flores to toss flowers; to court
echar mano a to grab
echar para atrás to turn back
echarse a to begin
echárselo to load him on
echó para atrás you *(for.)*/ he/she/it threw back
edad *f.* age
Edad Media Middle Ages
tener* la edad para comprender to be old enough to understand
edificar* to build, to edify
edificio *m.* building
educado brought up
efectivamente effectively
efecto *m.* effect
en efecto indeed; as a matter of fact
por efecto de as a result of
efímero fleeting, ephemeral
¡Eh! Here!
ejemplo *m.* example
ejercicio *m.* exercise
él he; him; it
elástico elastic
cargadores elásticos suspenders
elegante elegant
elegir* (i,i) to elect, to choose, to select
eliminado eliminated
elogio *m.* praise, eulogy
ella she; her; it
ellas (*pl.* **ella**) they; them
ellos (*pl.* **él**) they; them
embarazo *m.* embarrassment
embargo *m.* embargo
sin embargo nevertheless, however
embutir to insert; to pack tightly
embutirse to be crammed, to be packed tightly
empacar* to pack; to crate
empalizada *f.* (stockade) fence
empapado soaked
empapar to wet, to soak
empecé (*pret.* **empezar***) I began
empedrado *m.* cobblestone pavement
empellón *m.* push, shove
empeñarse to persist
empezar* (ie) to begin
empleado *m.* employee
emplear to employ
empleo *m.* job; task
empujar to push, to shove
empujón *m.* push
empuñar to clutch
en in; at; on
de cuando en cuando from time to time
en actitud de mendigar in the posture of begging
en alto in the air; up high
en broma in jest
en busca de in search of
en cambio on the other hand
en cuanto as soon as
en cuanto a with regard to
en especial specially, in particular
en general in general, generally
en lo alto at the top
en los ratos during the short time
en lugar de instead of
en medio de in the middle of
en ninguna parte nowhere

en *(continued)*
en ratos at times; for short periods
en realidad really, truly
en seco high and dry
en seguida at once, immediately
en serio seriously
en tanto in the meantime
en tren by train
en vano in vain
en vez de instead of
enamorado *m.* lover, sweetheart
enamorado *(adj.)* in love
encajar to stick in
encaje *m.* lace
encantado enchanted
encantar to enchant, to charm
encarar to aim
encararse con to confront
encargado *m.* person in charge
encarnado incarnate, flesh-colored; red-faced
encender* (ie) to light; to ignite, to kindle, to inflame; to start (a car)
encendido ignited, inflamed
encerrado locked up
encía *f.* gum
encima above, overhead; besides, in addition
encoger* to shrivel, to shrink; to bend over
encontrar* (ue) to encounter, to meet; to find
encontrarse* (ue) to meet, to meet each other; to be situated; to find oneself
encontrarse* con to come upon
encrespado curled
encuentro *m.* encounter, meeting; clash
endemoniado devilish, possessed by the devil
enderezarse* to straighten oneself up, to stand up
endurecer* to harden
endurecido hard; strong; obstinate
enebro *m.* common juniper
enemiga *f.* hatred, enmity
enemigo *m.* enemy
enemigo *(adj.)* hostile
energéticamente energetically
energía *f.* energy
enero *m.* January
enfadar to anger
enfadarse to get angry
enfermarse to get sick
enfermedad *f.* illness
enfrentar to face
enfrente facing, opposite
de enfrente in front of; opposite
enfrente a in front of
enfrente de in front of; opposite
enfurecer* to enrage, to infuriate
enfurecerse* to become furious
enganchar to hook
engañar to deceive
enhebrado threaded
enjugar* (ue) to dry, to wipe
enjuto slender
enloquecer* to make crazy
enojar to get angry
enorme enormous
enredar to hamper, to entangle
enriquecerse* to get rich, to become rich
enrollar to wind; to roll
enrollarse to peel off
ensabanar to cover
ensangrentado gory, bloody
enseguida immediately, right away
enseñar to teach
ensombrecer* to darken, to make cloudy
ensordecedor deafening
entender* (ie) to understand
enterar to inform
enterarse de to find out about
enterrar* (ie) to bury
entibiar to temper; to make lukewarm, to become lukewarm
entonces then
de entonces at that time
desde entonces since then
por entonces around that time
entornado half-open
entrada *f.* entrance
entraña *f.* internal organ, entrail
entrar to enter
entre between, among
entreabierto half-open
entrecortadamente falteringly
entregado delivered; given up
entregar* to deliver; to give up
entremezclar to mix
entretener* to entertain
entretenerse* (ie) to amuse each other
entretenimiento *m.* pastime; entertainment
entristecer* to sadden
entusiasmado enthused
entusiasmo *m.* enthusiasm
entusiasta enthusiastic
envasado canned
envasar to can
enviar* to send
envidia *f.* envy
envidiable enviable
envolver* (ue) to envelop
envuelto (*p.p.* **envolver***) enveloped
época *f.* epoch
equivocar* to mistake
equivocarse* to make a mistake; to be wrong, to be mistaken
erguido lifted up
erguir* to raise, to lift up
erguirse* to straighten up
erizo *m.* sea-urchin; spine, spike
error *m.* error
esbeltez *f.* slenderness
esbelto svelte, slim, well-shaped
escalar to climb, to scale
escalera *f.* stairs, stairway, staircase
escalera arriba upstairs
escalofrío *m.* shiver
escalón *m.* step
escama *f.* scale, flake
escándalo *m.* scandal
escapada *f.* escape, escapade
escapar to free, to save; to escape, to flee
escaparse to escape, to flee; to run away
escaparate *m.* show-window; glass case
escena *f.* scene
escenario *m.* stage, scene
escoba *f.* broom

escoger* to select, to choose, to pick out
escolar scholastic
curso escolar school year
escollo *m.* obstacle, danger
escombro *m.* debris, rubbish, rubble
esconderse to hide
escondido hidden
a escondidas covertly
escondite *m.* hiding place
escopeta *f.* gun
escopetazo *m.* gunshot
escribir to write
escritorio *m.* desk
escuchar to listen to; to listen; to hear
escudriñar to examine
escuela *f.* school
escupidera *f.* spittoon
escurrirse to escape, to slip away
ese *(dem. adj.)* that
ése *(dem. pron.)* that (one); the former
esforzado strong
esfuerzo *m.* effort
esmeralda *f.* emerald
eso that
a eso de around
eso sí that indeed
por eso therefore, for that reason
espacio *m.* space
espacioso spacious
espalda *f.* back
a espaldas nuestras at our backs
de espaldas with his back; on one's back
espantar to frighten
espanto *m.* fright; terror; threat
espantoso frightening
español *m.* Spanish *(language)*
su español mocho his broken Spanish
esparcir* to scatter
esparto *m.* esparto-grass; wicker, cane
especial special
en especial specially, in particular
especie *f.* kind
específico specific
espectacular spectacular
espejo *m.* mirror
espera *f.* wait, waiting
sala de espera waiting room
salita de espera small waiting room
esperado expected
esperanza *f.* hope
esperar to hope; to wait for; to expect
espesarse to become thick, to thicken
espeso thick
espíritu *m.* spirit; mind
esposa *f.* wife, spouse
esposo *m.* spouse, husband
espuela *f.* spur
espumadera *f.* colander
esqueleto *m.* skeleton
esquina *f.* corner
esquivo elusive
esta this
a estas alturas now; at this juncture
establecer* to establish
establecimiento *m.* establishment
establo *m.* stable
estacion *f.* season; station
estacionarse to park; to station
estadio *m.* stadium
estado *m.* state
estallar to burst, to explode
estampilla *f.* postage stamp
estancado suspended
estandarte *m.* standard, flag
estar* to be
estar* de acuerdo con to be in agreement with
estar* de visita to be visiting
estar* de vuelta to be back
estar* en to be in on
estar* harto de to be fed up with
estatua *f.* statue
estatura *f.* stature
este *(dem. adj.)* this
éste *(dem. pron.)* this (one); the latter
estereotipo *m.* stereotype
estilístico stylistic
estilo *m.* style
estirar to stretch
esto this
un día de estos one of these days
estómago *m.* stomach
estorbar to hinder
estorbarse to get in each other's way
estrecho narrow, tight
estrella *f.* star; ferris wheel
estremecer* to tremble
estremecerse* to shudder, to tremble
estremecimiento *m.* shudder
estridencia *f.* stridence; shrillness
estuche *m.* jewel box, case
estudiar to study
estudio *m.* study; studio
estúpido stupid
estuve (*pret.* **estar***) I was
estuviéramos (*imp. subj.* **estar***) we were
etapa *f.* stage
eternidad *f.* eternity
eterno eternal
Europa *f.* Europe
evidente evident, plain
evitar to avoid
exactamente exactly
exacto exact
exagerar to exaggerate
exaltado extreme; exalted
examen *m.* exam
examinar to examine; to inspect
excelente excellent
excepción *f.* exception
exceso *m.* excess
excitación *f.* uneasiness
excitado uneasy, agitated
exclamar to exclaim
excusarse to excuse oneself; to apologize
exigir to demand, to require
existencia *f.* existence
existente existent
existir to exist
expansión *f.* expansion
experiencia *f.* experience
experimentar to experience, to undergo; to feel; to test, to try out
explicación *f.* explanation
explicar* to explain
explicarse* to explain oneself; to speak one's mind

explique (*for. com.* **explicar***) explain
explosión *f.* explosion, outburst
exponer* to expose; to explain
exposición *f.* exposition, arrangement
expresión *f.* expression
extensivo extensive
exterior exterior, outer
exterminar to exterminate
exterminarse to exterminate each other
extinción *f.* extinction
extinguido extinguished
extinguir* to extinguish
extranjero strange; foreign
extrañado surprised
extrañar to miss
extrañarse to marvel; to seem strange
extrañeza *f.* strangeness, oddity; wonderment, surprise
con extrañeza with surprise, surprisedly
extraño strange
extremadamente extremely
extremarse to take special pains

F

fábrica *f.* factory
facciones *f. pl.* facial features
fácil easy
fácilmente easily
fachada *f.* facade, front *(of a building)*
falda *f.* skirt
falta *f.* fault; lack
faltar to be lacking, to be wanting; to be absent; to falter; to fail; not to fulfill one's promise
fama *f.* rumor
familia *f.* family
familiar familiar
famoso famous
fantasía *f.* fantasy; fancy
fantasma *m.* phantom, ghost
fantástico fantastic
farol *m.* lamp; street light
fase *f.* phase
fastidiado annoyed
favor *m.* favor
por favor please
favorito favorite
faya *f.* black ribbon typically used on shoes
fe *f.* faith
febrero *m.* February
fecundidad *f.* fruitfulness, fecundity
fecha *f.* date, day
federal federal
felices (*pl.* **feliz**) happy
felicidad *f.* happiness
morirse* de felicidad to be extremely happy
feliz happy; lucky; felicitous
felizmente happily
femenino feminine
feo ugly
festín *m.* banquet
fiambre *m.* cold cuts
fiar to guarantee
fideo *m.* noodle
fiesta *f.* party
figura *f.* shape, figure
figurar to figure
fijamente intently
fijarse (en) to notice
fíjate (*fam. com.* **fijarse**) notice
fijeza *f.* steady gaze
fijo fixed; firm; solid
fila *f.* row
filatélico philatelic, pertaining to stamp collecting
filosofía *f.* philosophy
fin *m.* end; aim; purpose
a fin de in order to
a fines de at the end of
al fin at last
fin de semana weekend
por fin at last
final *m.* end
finalmente finally
finca *f.* farm
fingir* to feign, to pretend
fino fine, delicate; elegant
firma *f.* signature
firme firm
firmeza *f.* firmness
física *f.* physics
físico physical
flamenco Flemish
fleco *m.* fringe
flechar to wound with an arrow; to pierce
flemático phlegmatic, sluggish
flequillo *m.* bang, fringe
flojo limp; weak; lazy
flor *f.* flower
floral floral
flotador *m.* floater
fogata *f.* bonfire
fondo *m.* bottom, depth; background; rear *(of a house)*; rear, back
fondos *m. pl.* funds
forma *f.* form
formar to form
formarse to grow
fornido husky, sturdy, robust
Foro Trajano Trajan's Forum
fortificar* to fortify, to strengthen
forzar* (ue) to force
fosforescente phosphorescent
foto *f.* photo
fotografía *f.* photograph
fragmentar to reduce to fragments
francés French
franquear to open the way
frase *f.* phrase; sentence; idiom
fraternizar* to fraternize
frecuencia *f.* frequency
con frecuencia frequently
frecuente frequent
frente *m.* front, front line; facade
frente *f.* brow; forehead
frente a frente face to face
frente in front of
de frente straight ahead, directly
frente a in front of; compared with; faced with
fresa *f.* strawberry; dentist's drill
fresco *m.* coolness
fresco *(adj.)* fresh, cool
fríamente coldly, rigidly, coolly
frijol *m.* bean
frío *m.* cold
hacer* frío to be cold *(weather)*
tener* frío to be cold *(people)*
frío *(adj.)* cold; dull; weak
frito fried
fritura *f.* fritter
frondoso leafy
frontera *f.* border
frotar to rub
fruncir* to pucker

frustración *f.* frustration
frustrado frustrated
fruta *f.* fruit
fruto *m.* fruit
fuego *m.* fire; light
fuente *f.* fountain; source; platter
fuera (*imp. subj.* **ser***) were
fuera outside; off; away
  de fuera from outside, on the outside
fuerte strong; hard; loud; heavy
fuerza *f.* force; strength; power
  aspiró con fuerza you *(for.)*/he/she/it breathed deeply
fuese (*imp. subj.* **ser***) were
fuesen (*imp. subj.* **ser***) were
fugaces (*pl.* **fugaz**) fleeting
  fugaz fleeting
función *f.* function
funcionar to function, to work
furia *f.* fury
  con furia furiously
furioso furious
furtivo furtive, stealthy
fusilamiento *m.* shooting
fusilar to shoot, to execute
fustigar* to whip through
fútbol *m.* soccer
futuro *m.* future

G

gabinete *m.* office; cabinet
gala *f.* full-dress, gala
  de gala full-dress
galante gallant, attentive to women
galería *f.* corridor
galón *m.* trimming
galopar to rush
galvanizar* to galvanize
gallina *f.* hen
gallinazo *m.* buzzard
gana *f.* desire
  tener* ganas de to feel like
ganado *m.* flock
ganar to earn; to win; to win over; to gain
garaje *m.* garage
garantizar* to guarantee
garganta *f.* throat
gastado run down, worn out
gastar to spend; to waste; to wear out
gatillo *m.* forceps
gato *m.* cat
gaucho *m.* herdsman; skilled horseman
gaveta *f.* drawer
gemir* to moan
genealogía *f.* genealogy
generación *f.* generation
generacional generational
  barrera generacional generation gap
general *(adj. & m. n.)* general
  colector general tax collector
  en general in general, generally
  por lo general generally
generalmente generally
género *m.* gender
generosidad *f.* generosity
generoso generous
Génesis *m.* Genesis
gente *f.* people, folks; race; nation
gerundio *m.* gerund
gesto *m.* gesture
gigante giant
gigantesco gigantic
girar to roll; to turn
gitano *m.* gypsy
glacial icy
  respiraba un olor glacial your *(for.)*/his/her/its breath was icy
gloria *f.* glory
gobelino *m.* French tapestry
gobierno *m.* government
gofio *m.* roasted maize, roasted corn meal
golondrina *f.* swallow *(bird)*
golosina *f.* delicacy; goody, treat
goloso sweet-toothed
golpe *m.* blow, stroke, hit, knock
  de golpe suddenly
golpear to hit
golpecito *m.* (*dim.* **golpe**) tap
gordo *m.* first prize in the lottery
  premio gordo first prize
  sacar* el gordo to win the first prize
gordo fat; heavy; rash
gorjear to gurgle; to warble
gorra *f.* cap
gota *f.* drop
gotear to drip
gotera *f.* to leak
gótico Gothic
gozar* to enjoy, to delight in
gozne *m.* hinge
grabar to engrave
gracejo *m.* grace; humor, wit
gracia *f.* grace
gracioso witty, funny, amusing; graceful; pleasing
grado *m.* degree; grade, class
  pasar de grado to be promoted a grade level
gradualmente gradually
gran great, large *(before masculine singular nouns)*
grande big, large; great
grandeza *f.* grandeur
granizo *m.* hail
grasa *f.* fat, grease
gratificación payment
gratitud *f.* gratitude
grato pleasant
grave grave, serious
gringa *f.* non-Hispanic American, North American
gringo *m.* non-Hispanic American, North American
gris grey
gritar to shout
  oí gritar I heard (them) call out
grito *m.* shout, cry
grueso big; thick; heavy
gruñir* to growl
grupo *m.* group
guapo handsome
guardar to guard, to watch over; to protect; to put away; to save, to keep; to put; to show; to observe
  guardar silencio to remain silent
guardia *f.* guard
güero blond
guerra *f.* war
guerrera *f.* tunic
guiño *m.* wink
guiso *m.* stew
gustar to be pleasing
  gustar de to like to, to take pleasure in
gustativo relating to the sense of taste
gusto *m.* taste; pleasure
  a gusto content, happy

gusto *(continued)*
darle* gusto to please
darse* el gusto to give oneself the pleasure, to enjoy

H

haber* *(aux. v.)* to have
haber* de *(+inf.)* to be to *(do something)*; to have to *(do something)*
había que *(+inf.)* one had to *(do something)*
habría que ver we would just have to see
había there was, there were
habitación *f.* room; dwelling, residence
habitante *m. & f.* inhabitant
habitar to inhabit
habituado accustomed
habituar to accustom
hablar to speak
hacer* to make; to do
desde hace horas for hours
hace *(+time)* *(time)* ago, for *(time)*
hace rato a little while ago
hacer* calor to be hot, to be warm *(weather)*
hacer* daño to hurt, to harm
hacer* de to act, to perform
hacer* el papel to play the role
hacer* frío to be cold *(weather)*
hacer* mal tiempo to have bad weather, to be bad weather
hacer* preguntas to ask questions
hacer* ruido to be noisy
hacer* un viaje to take a trip
hacerse* to become
hacía rato after a little while
haga buches gargle
haz (*fam. com.* **hacer***) **por oír** try to hear
hecho (*p.p.* **hacer***) done, made
mandar hacer* to have made
no hacer* caso de to ignore
hacia toward, in the direction of
volverse* hacia atrás to go back
hada *f.* fairy
haga (*for. com.* **hacer***) make
haga buches gargle
¡Hala! Pull!
hallar to find
hambre *f.* hunger
pasar hambre to be hungry
tener* hambre to be hungry
harina *f.* flour
harmonía *f.* harmony
harto tired, fed up
estar* harto de to be fed up with
hasta until; to; as far as; even
hasta que until
hay there is, there are
haz (*fam. com.* **hacer***) do
haz por oír try to hear
he aquí behold
hebra *f.* thread
hecho *m.* fact, event
hecho (*p.p.* **hacer***) made; done; transformed
helado *m.* ice cream
helado *(adj.)* frozen
helar* (ie) to freeze
helarse* (ie) to freeze, to harden
heno *m.* hay
pilas de heno haystacks
heráldico heraldic
rama heráldica noble lineage
heredar to inherit
herencia *f.* inheritance
herida *f.* wound
herido hurt, wounded
hermana *f.* sister
hermanito *m.* (*dim.* **hermano**) little brother
hermano *m.* brother
hermanos *m. pl.* brother(s) and sister(s)
hermoso beautiful, lovely; handsome
hermosura *f.* beauty
héroe *m.* hero
hervir* (ie,i) to boil
Hesperidina Hesperidin *(a white crystalline glucoside found in citrus fruit)*
hice (*pret.* **hacer***) I made; I did
hielo *m.* ice
hierba *f.* grass
hierro *m.* iron
hija *f.* daughter
hijo *m.* son
hijos *m. pl.* children; descendants
hilera *f.* row
hilito *m.* (*dim.* **hilo**) little thread
hilo *m.* thread
hinchado swollen
hinchar to swell
hispano Hispanic
histeria *f.* hysteria
historia *f.* history; story
histórico historical
hito *m.* guidepost, milestone
hizo (*pret.* **hacer***) you *(for.)*/ he/she/it made, did
se me hizo un nudo I got a lump
hocico *m.* snout
hogar *m.* fireplace, hearth; home
claridad de hogar household light
hoja *f.* leaf; sheet of paper; page; lid
hojear to leaf, to turn the pages of; to browse
holganza *f.* freeloading
hombre *m.* man
hombrecito *m.* (*dim.* **hombre**) little man
hombría *f.* manliness
hombría de bien honor, honesty
hombro *m.* shoulder
homicidio *m.* homicide
hondo deep
honor *m.* honor
hora *f.* hour; time
a las altas horas very late at night
a primera hora first thing in the morning
¿a qué hora? at what time?
algunas horas a few hours
desde hace horas for hours
largas horas extended hours
hosco sullen
hospitalidad *f.* hospitality
hoy today
hoy (en) día nowadays
hubiera (*imp. subj.* **haber***) had
hubiese (*imp. subj.* **haber***) had
hubo (*pret.* **haber***) there was, there were
hueco hollow, empty
huella *f.* track

huerta *f.* orchard, large vegetable garden
huerto *m.* small garden, small orchard
hueso *m.* bone
huevo *m.* egg
  huevos de araña spider eggs
huir* to flee
humano human
humedecer* to dampen, to moisten, to wet
húmedo humid
humilde humble
humillar to humiliate
humo *m.* smoke
hundir to submerge; to crush; to sag

I

idea *f.* idea
idílico idyllic
ídolo *m.* idol
iglesia *f.* church
ignorar not to pay attention to; to be unaware of
igual equal
  igual que equal to
ijar *m.* buttock
iluminación *f.* illumination
iluminado illuminated
ilusión *f.* illusion
imagen *f.* image
imaginación *f.* imagination
imaginado imagined
imaginarse to imagine
impaciencia *f.* impatience
impacientar to make (someone) impatient
  impacientarse to get impatient
impaciente impatient
impávido dauntless
imperfecto *m.* imperfect
impertinente impertinent
importancia *f.* importance
importante important, significant
importar to be important
imposible impossible
impreciso indefinite, vague
impresión *f.* impression
impresionar to impress
improvisado sudden; new
improviso unexpected, unforeseen
  de improviso unexpectedly
impulsar to impel, to drive
impulso *m.* impulse
inauguración *f.* inauguration
incendiado set on fire
incendio *m.* fire
incidente *m.* incident
inclemente inclement, unfavorable
inclinado leaning, bent
inclinar to bend
  inclinarse to bend, to bow
incluso even
incómodamente uncomfortably
inconformidad *f.* nonconformity; impatience
inconsciente unconscious
inconveniente *m.* obstacle; objection
inconveniente *(adj.)* inconvenient; improper
incorrecto incorrect
incrédulo incredulous, unbelieving
increíble incredible
indeciso indecisive; vague; questioning
independencia *f.* independence
independientemente independently
indicado appropriate
indicar* to indicate
indicativo *m.* indicative
indiferente indifferent
índole *f.* disposition; kind, type
indudable doubtless; inevitable
inesperado unexpected
inexpresado unexpressed
inexpresivo inexpressive
inextinguible inextinguishable
infancia *f.* childhood, infancy
infantil infant, infantile
infelicidad *f.* misery, unhappiness
infeliz unhappy
  ¡Infeliz de mí! Wretched me!
inferior inferior; lower
inferir* (ie,i) to infer
infierno *m.* hell
infiltrar to infiltrate
infinitivo *m.* infinitive
infinito *(adj.)* infinite
infinito *(adv.)* greatly
inflamarse to become swollen, to become inflamed
influencia *f.* influence
informar to inform
informe shapeless, formless
infranqueable insurmountable
ingenuidad *f.* candor; unaffected simplicity
  con ingenuidad innocently
inglés English
inicial *f.* initial
iniciar to initiate
injuriar to insult
injusto unjust
inmediatamente immediately
inmediato immediate
  de inmediato right away
inmenso big, immense
inmune immune
inmóvil motionless
inocente innocent
inquietante restless; unsettling
inquieto restless, uneasy; worried
inquirir* (ie) to inquire, to investigate
inquisición *f.* inquisition
insecto *m.* insect
inservible useless
insistencia *f.* insistence
insistir to insist
insolencia *f.* insolence, impudence
insolente insolent, impudent
insólito unusual
insomnio *m.* insomnia
instalar to install
instante *m.* instant
instintivamente instinctively
insultar to insult
insulto *m.* insult
integrar to integrate
inteligencia *f.* intelligence
inteligente intelligent
intención *f.* intention
intencionadamente intentionally
intencionado deliberate; knowing; loaded
intensidad *f.* intensity
intenso intense
intentar to try
interés *m.* interest
interesar to interest
  interesar por to be interested in
intereses *m.* (*pl.* **interés**) interests; property
interior *m.* inside

interponerse* to intervene, to intercede
interpretación *f.* interpretation
interpretar to interpret
interrogación *f.* question mark; inquiry
interrumpir to interrupt
intervenir* to intervene, to mediate
intrusión *f.* intrusion
inusitado unusual
inútil useless
inútilmente uselessly, to no avail
invadir to invade
inventar to invent, to concoct
invierno *m.* winter
invisible invisible
invitar to invite
ir* to go
ir* a *(+inf.)* to be going to *(do something)*
ir* a casa to go home
irse* to go away
irse* desgajando separating yourself *(for.)*/himself/herself/itself
que se vaya that you *(for.)*/he/she/it go away
vámonos let's go
vaya por la Virgen in the name of the Virgin (Mary)
vete (*fam. com.* **irse***) go away
ira *f.* anger
irguió (*pret.* **erguir***) you *(for.)*/he/she/it put up straight; straightened
se irguió (*pret.* **erguirse***) you *(for.)*/he/she/it stood erect
ironía *f.* irony
irregular irregular
irresistible irresistible
irritante irritating
irritar to irritate
irrumpir to burst in
italiano Italian
itálico italic
izquierda *f.* left hand; left-handed side
a la izquierda left, on the left, to the left

J

¡Ja! *(interj.)* Ha!
jadeante breathless, panting
jamás never
jardín *m.* garden
jardincito *m.* (*dim.* **jardín**) little garden
jarra *f.* jar
jefe *m. & f.* chief; boss; leader
jerarca *m.* head
joven *m. & f.* youth, young person
joven *(adj.)* young
joya *f.* jewel
joyas *f. pl.* jewelry, jewels
joyería *f.* jewelry store
juego *m.* game
juego de azar game of chance
jugar* (ue) to play
jugar* a las muñecas to play with dolls
juguete *m.* toy
juguetear to toy; to frolic, to dally
julio *m.* July
junco *m.* rush, reed
junio *m.* June
junta *f.* group
junta de protección a animalitos society for the protection of animals
juntar to join
juntarse to assemble
junto joined; united
junto *(adv.)* together; at the same time
junto a near, close to, next to
junto con along with, together with
juntos together
jurar to swear; to promise upon oath; to take an oath
justamente exactly, precisely
justicia *f.* justice
justicieramente strictly; fairly
justificar(se)* to justify
justo just, equitable, fair; exact
veinte justos exactly twenty
juventud *f.* youth
juzgar* to judge

K

kiosko *m.* kiosk

L

la the; her; it; you *(for.)*
labio *f.* lip
labor *f.* labor, task
labranza *f.* farming
tierra de labranza farming land
lacio straight
lacito *m.* (*dim.* **lazo**) little tie
lado *m.* side; direction
de lado sideways; tilted
de lado a lado from side to side
de un lado on one side
ladrar to bark
no oyes ladrar you don't hear
ladrido *m.* bark, barking
ladrillo *m.* brick
ladrón *m.* thief
lágrima *f.* tear
de lágrimas with tears
laguna *f.* lagoon
lamentación *f.* sorrow; mourning
lamer to lick
lámpara *f.* lamp
lana *f.* wool
langosta *f.* locust; lobster
lanzar* to hurl, to fling; to release
lapicero *m.* pencil *(mechanical, with an adjustable lead)*
lápiz *m.* pencil
largo long, extended
a lo largo (de) along
lástima *f.* pity
dar* lástima to be pitiful
tener* lástima to take pity, to feel compassion
lastimar to bruise; to hurt
lastimero plaintive
lata *f.* tin; tin can
látigo *m.* whip
latir to beat
lavadero *m.* laundry shed, washing place
lavar(se) to wash
lazo *m.* rope; tie; bond
lector *m.* reader
lectura *f.* reading
leche *f.* milk
leche condensada condensed milk
leer* to read
lejanía *f.* distance; distant place
lejano remote, distant
lejos far, far away
desde lejos from a distance, from afar

lengua *f.* tongue; language
ató su lengua she prevented herself from speaking
lenguaje *m.* language
lentamente slowly
lentitud *f.* slowness
con lentitud slowly
lento slow
leña *f.* firewood
levantado raised
levantar to raise, to lift, to elevate
levantarse to stand up, to get up; to straighten up
leve light
leyenda *f.* legend
leyendo (*pres. p.* **leer***) reading
leyera (*imp. subj.* **leer***) I read
leyó (*pret.* **leer***) you (*for.*)/he/she read
liberar to free, to liberate
libertad *f.* liberty, freedom
libre free
librería *f.* bookstore
libro *m.* book
libro de ventas salesbook
licor *m.* liquor
ligero light
lila lilac
limeña *f.* native (*female*) of Lima, Peru
limeñita *f.* (*dim.* **limeña**) young native girl of Lima, Peru
limitar to limit
limonada *f.* lemonade
limpia *f.* clean; cleansing
limpiar to clean
limpiecito (*dim.* **limpio**) quite clean
limpieza *f.* cleaning
limpio clean
lindante bordering
lindar to border
lindo pretty, nice; fine; perfect
línea *f.* line
línea a línea line by line
linterna *f.* lantern
liquidación *f.* liquidation, sale
lírico lyric
lista *f.* list
pasar la lista to take roll
listo clever, sharp; quick, alert; ready
literalmente literally
literatura *f.* literature
litro *m.* liter
living *m.* living room
lo the; him, it; you (*for.*)
lo de about
lo demás the rest
lo mismo just the same; the same thing
lo que that which, what
lo que sea whatever it might be
los demás the others
loción *f.* lotion
loco mad, crazy
locura *f.* insanity; folly
lodo *m.* mud
lograr to get, to obtain; to achieve, to attain
loma *f.* small hill, hillock
lomo *m.* back
lotería *f.* lottery
loza *f.* porcelain
lozano abundant; lush
luciente shining, bright
lucir* to show off; to show up; to look
lucha *f.* fight; quarrel; struggle
luchar to struggle
luego later, afterward
lugar *m.* place
a como dé lugar somehow
en lugar de instead of
tener* lugar to take place
lúgubre lugubrious
lujo *m.* luxury, extravagance
de lujo luxurious, extravagant
luminoso luminous, bright
puntos luminosos bright mirrors
luna *f.* moon
la luna venía saliendo the moon was coming out
luna de miel honeymoon
lunes *m.* Monday
lúpulo *m.* (*botanical*) hops
lustroso shining
luz *f.* light
a la luz in the light
a media luz half lit
dar* a luz to give birth

LL

llama *f.* flame
llamada *f.* call
llamar to call; to name; to invoke; to attract
llamar la atención to attract attention
llamarse to be called, to be named
llamarada *f.* flare
llano *m.* plain
llanto *m.* crying, weeping
llanura *f.* evenness, smoothness; plain
llave *f.* key; switch
llegada *f.* arrival
llegar* to arrive
al llegar upon arriving
llegar* a (*+ inf.*) to go as far as to (*do something*); to succeed in (*+ -ing*)
llegue (*pres. subj.* **llegar***) arrive
llenadero *m.* container; bottom
no tenías llenadero you couldn't be filled
llenar to fill
se me llenaron los ojos my eyes filled up
lleno full; plenty
llevar to carry; to take; to lead to; to wear; to have
llevar a cabo to carry through, to accomplish
llevar puesto to wear
llevarse to get along; to take; to carry away; to put
llevarse la suerte to be lucky
llorar to weep (over), to mourn, to lament; to cry
lloroso tearful
llover* (ue) to rain
lluvia *f.* rain

M

macizo solid; massive
maciza cadena heavy leash
macramé *m.* macramé (*coarse material tied into decorative geometric designs through special knots*)
macho male; strong
madama *f.* a flowering plant
madeja *f.* skein
madera *f.* wood
madero *m.* board
madre *f.* mother
madrugada *f.* early morning, dawn
madrugador *m.* early riser

madurez *f.* maturity
maduro ripe
maestranza *f.* work area
maestro *m.* teacher
mágico magical, magic
magullar to bruise
maíz *m.* corn
majestuoso majestic
mal *m.* evil; harm
mal *(adj. & adv.)* bad
maldad *f.* wickedness, evil
maldecido cursed
maldecir* to curse
maldito wicked, damned
malicia *f.* suspicion, malice; wickedness
malicioso malicious; wicked
maligno evil
malísimo extremely bad
malo bad; evil; ill; poor; naughty
  por malo que no matter how bad
maltrecho battered, worn
malvo purple, mauve
mamá *f.* mamma, mama
manantial *m.* spring, fount; source
manchado stained; clouded
manchar to spot; to stain; to cloud
mandados *m. pl.* groceries
mandar to command, to order; to send
  mandar hacer to have made
mandato *m.* command
mandíbula *f.* jaw
manejar to drive
manera *f.* manner, way
  a la manera de in the manner of; like
  a manera de in the form of
  de manera que so that
  de todas maneras anyway
manga *f.* sleeve
manguera *f.* (garden) hose
manifestación *f.* public demonstration, manifestation
manifestar (ie) to show, to manifest
mano *f.* hand
  de la mano hand in hand
  echar mano a to grab
  pedir* la mano to ask for (her) hand in marriage
manta *f.* poncho
mantener* to support
  mantenerse* to remain
mañana *f.* tomorrow; morning
  de la mañana in the morning
  por la mañana in the morning
  todas las mañanas every morning
mañanita *f.* bed jacket
mapa *m.* map
máquina *f.* machine
maquinaria *f.* machinery
maquinista *m. & f.* machinist
mar *m.* sea
maravilla *f.* marvel
maravillar to astonish
maravilloso wonderful, marvellous
marca *f.* mark; make, brand
marcar* to mark
marco *m.* frame; setting, backdrop
marcha *f.* course; march
marchar to march; to run; to work; to leave
  marcharse to leave, to go away
marchito tired; withered
mareado nauseated, sick
margen *f.* border; area
marido *m.* husband
mármol *m.* marble
mas *(conj.)* but
más *(adv.)* more, most
  a más de besides, in addition to
  a más no poder to the utmost
  cuando más at most
  de más extra, for nothing
  más adelante further on; later
  más allá beyond
  más bien rather
  más de *(+ number)* more than *(+ number)*
  más que more than
  más tarde later
  más temprano earlier
  nada más nothing more
  no poder más to be no longer able to stand something
masa *f.* mass
mascota *f.* mascot
masculino male; masculine
masticar* to chew
matador *m.* killer
matar to kill
mate *m.* South American tea
material *m.* material
matica *f.* (*dim.* **mata**) little plant
matices *m. pl.* (sing. **matiz**) tints, shades, hues
matinal matutinal, morning
matiz *m.* tint, shade, hue
matricular to enroll
matrimonio *m.* matrimony, marriage
matrona *f.* matron
mayólica *f.* majolica ware, enameled tile
mayor older; larger; greater; oldest; largest; greatest
  de mayor a menor from largest to smallest
  misa mayor High Mass
mayordomo *m.* estate manager
mayoría *f.* majority
mecánico mechanical
mecer* to rock
medalla *f.* medal
medallón *m.* medallion
media *f.* stocking; half-past *(when used with time expressions)*
medias *f. pl.* socks; stockings
medicina *f.* medicine
médico *m.* physician, doctor
médico *(adj.)* medical
medida *f.* measure
  a medida que in proportion to, as
medio half; middle
  a media luz half lit
  a medio camino halfway
  a medio cerrar half closed, to half close
  de por medio between
  Edad Media Middle Ages
  en medio de in the middle of
  media docena half dozen, six
  por medio de by means of
mediodía *m.* midday, noon
meditación *f.* meditation
meditar to meditate
mejilla *f.* cheek
mejor *(adj.)* better; best; highest
  a lo mejor perhaps, maybe
mejor *(adv.)* better; best
  mejor dicho rather
melancolía *f.* melancholy; gloom

mella *f.* scratch
memoria *f.* memory; account, record
de memoria by heart
memorizar* to memorize
mencionar to mention
mendigar* to beg
en actitud de mendigar in the posture of begging
menor smaller; younger; slight; less; smallest; youngest; least
de mayor a menor from largest to smallest
menos less, least; fewer; fewest; except for
a lo menos at least
al menos at least
cuando menos at least
menos que less than
por lo menos at least
mensaje *m.* message
mentir* (ie,i) to lie, to speak falsely
menudo minute, tiny
mercancía *f.* merchandise
mercería *f.* notions store, haberdashery
merecer* to deserve, to merit
merecido deserved
merienda *f.* snack; small meal *(typically eaten at 3:00 PM in Cuba)*
mes *m.* month
mesa *f.* table
mesarse to tear out
metálico metal, metallic
meter to put in, to insert; to put
meterse to interfere; to choose *(a profession)*; to put oneself; to enter
meterse monja to become a nun
metro *m.* meter; subway
mexicano Mexican
mezclar to mix
mi *(poss. adj.)* my
mí *(obj. of prep.)* me
mí mismo myself
¡Infeliz de mí! Wretched me!
miedo *m.* fear, dread
tener* miedo to be afraid
miel *f.* honey
luna de miel *f.* honeymoon
mientras while; whereas
mientras que while; whereas
mientras tanto meanwhile
miércoles *m.* Wednesday
miércoles de ceniza Ash Wednesday
Miguel Ángel Michelangelo
mil thousand, a thousand, one thousand
milagro *m.* miracle
milagroso miraculous
militar military
millón *m.* million
mimado spoiled, pampered
mimbre *m.* willow twig
mina *f.* mine
mineral *m.* mineral; mine
minero *m.* miner
mintiendo *(pres. p.* **mentir***)* lying
minuciosamente minutely
minuto *m.* minute
mío *(poss. adj. & pron.)* mine
mirada *f.* glance, look, gaze
mirar to look (at); to face
mirar de reojo to look askance
mirra *f.* myrrh
misa *f.* mass, Catholic church service
misa mayor High Mass
miseria *f.* poverty
mismo same, similar; self; itself
ahí mismo right there
ahora mismo right now
conmigo mismo with me myself
Es la misma vaina. It's the same thing.
lo mismo just the same; the same thing
mí mismo myself
sí misma herself
yo mismo myself
míster *m.* Mr., mister
misterio *m.* mystery
misterioso mysterious
mitad *f.* half
mito *m.* myth
mocetón *m.* strapping youngster
mocito *m.* (*dim.* **mozo**) little boy
mocho blunt; flat
su español mocho your *(for.)*/his/her broken Spanish
moda *f.* fashion
modelar to model, to form
modernista *m.* modernist
modesto modest
modificar* to modify
modo *m.* mood; mode; way, manner
de tal modo que so much so that; in such a way that
de un modo que with the result that
mojado wet
azul mojado intense blue
mojar to wet, to moisten
mojarse to get wet
molde *m.* mold, cast
molestar to disturb; to bother, to annoy; to tire
molestia *f.* hardship, bother
molesto bothersome
molino *m.* mill
momento *m.* moment
al momento immediately
de momento for a moment
moneda *f.* coin, money
monja *f.* nun
meterse monja to become a nun
montaña *f.* mountain
montar to mount; to ride
montar a caballo to ride horseback
monte *m.* mountain, mount
montón *m.* heap, pile
monumento *m.* monument
moño *m.* bun, chignon
moral moral
moraleja *f.* moral *(of a story)*
morder* (ue) to bite; to pierce
moreno brunette; dark
morir(se)* (ue,u) to die
morirse* de felicidad to be extremely happy
mortificación *f.* mortification
mosaico *m.* mosaic
mostrador *m.* store counter
mostrar* (ue) to show, to exhibit
motivo *m.* motive; reason; grounds
motor *m.* motor
mover* (ue) to move; to stir up
moverse* (ue) to move; to be moved
movimiento *m.* movement
mozo *m.* boy; waiter; servant

muchacha *f.* girl; servant, maid
muchacho *m.* boy; servant
muchedumbre *f.* multitude, crowd
mucho much, a lot of, a lot
muchas veces often
muchísimo very much
mudada *f.* moving *(residence)*
mudado moved *(residence)*
mudanza *f.* move *(residence)*
mudarse to move *(residence)*
mudo dumb, mute; silent
muebles *m. pl.* furniture
muela *f.* tooth
muellemente softly; smoothly
muerte *f.* death
muerto dead
muestrario *m.* book or collection of samples
mujer *f.* woman; wife
mulo *m.* mule
multiplicar* to multiply
multitud *f.* multitude
mundo *m.* world
municipio *m.* town
muñeca *f.* wrist; doll
jugar* a las muñecas to play with dolls
muñeco *m.* puppet; male doll; mannequin
muñeco de peluche stuffed animal
murciélago *m.* bat
murió (se) [*pret.* **morir (se)***] you *(for.)*/he/she/it died
murmurar to whisper, to murmur
apenas murmurando barely whispering
muro *m.* wall
músculo *m.* muscle
museable a museum piece
música *f.* music
musical musical
muslo *m.* thigh
mustio melancholy, sad
mutuamente mutually
mutuo mutual
muy very

N

ná (nada) nothing
nacer* to be born
nacido born
nacimiento birth
nada nothing
nada más nothing more
nadar to swim
nadie no one
naftalina *f.* naphthalene
narices *f.* (*pl.* **nariz**) noses
dejar a uno con un palmo de narices to disappoint one of success
nariz *f.* nose
narración *f.* narration
narrador *m.* narrator
narradora *f.* narrator
narrar to narrate
natal natal, native
natalicio *m.* birthday
natural natural
naturaleza *f.* nature; disposition, temperament
naturalmente naturally
neblina *f.* fog
necesario necessary
necesitado needy
necesitar to need
necio stupid, foolish
negar* (ie) to deny
negocio *m.* business; affair
negro black
negruzco blackish
nerviosísimo extremely nervous
nervioso nervous
ni neither, nor
ni siquiera not even
niebla *f.* fog
niegues (*fam. neg. com.* **negar***) deny
nieta *f.* granddaughter
nieto *m.* grandson
nietos *m. pl.* grandchildren
ningún no, not any *(before masculine singular nouns)*
ninguno *(adj. & pron.)* no, not any; none; neither; neither one
en ninguna parte nowhere
niña *f.* girl
niñez *f.* childhood
niño *m.* child; boy
niños *m. pl.* children
nivel *m.* level
no no
decir* que no to say no
noble noble; generous
noche *f.* night; darkness
a la noche tonight
de la noche of the night; at night
de noche at night, by night
por la noche at night
nombrar to name; to appoint
nombre *m.* name; fame; reputation
noreste *m.* northeast
normal normal
norte *m.* north
norte *(adj.)* northern
norteamericano *m.* North American
nosotros we; us; ourselves
nostalgia *f.* nostalgia
nota *f.* grade, mark
sacar* las mejores notas to get the best grades
notable noteworthy
notar to notice, to note
noticia *f.* news; notice; information
novedad *f.* novelty; new book
novela *f.* novel
novelero fond of fiction
novelesco novelistic
novia *f.* fiancée; bride; sweetheart
noviazgo *m.* engagement, betrothal
noviciado *m.* novitiate; apprenticeship
noviembre *m.* November
novio *m.* fiancé; bridegroom; sweetheart
nube *f.* cloud
nublar to cloud
nuca *f.* nape of the neck
nudo *m.* knot
se me hizo un nudo I got a lump
nueces *f.* (*pl.* **nuez**) walnuts, nuts
nuestro our
nueva *f.* news
nueve nine
nueve y media nine-thirty
nuevo new
de nuevo again
nuez *f.* walnut, nut
número *m.* number

nunca never
nupcial nuptial

O

o or
objeto *m.* object
obligación *f.* obligation
obligar* to oblige
obra *f.* work
obrero *(adj. & m. n.)* worker
obscuridad *f.* obscurity; darkness
obscuro dark; obscure
observación *f.* observation
observar to observe
obsesionar to obsess
obstáculo *m.* obstacle, hindrance
obstinación *f.* stubbornness
obstinado obstinate, stubborn
ocasión *f.* occasion, opportunity
occidental western
ocultar to hide, to conceal
oculto hidden
ocupar to occupy
ocurrir(se) to occur
  se me ha ocurrido it has occurred to me
  se me ocurrió it occurred to me
  se nos ocurrió it occurred to us
ochenta eighty
ocho eight
  dar las ocho to be eight o'clock
ochocientos eight hundred
odiado hated
odiar to hate
odio *m.* hatred
odioso hateful
ofensa *f.* offense
oficina *f.* office
ofrecer* to offer, to present
ofrenda *f.* offering
oído *m.* hearing; ear
  decir* al oído to whisper
óiganla (**oigan:** *for. pl. com.* **oír**) listen to her/it
oigo (*pres.* **oír***) I hear
oír* to hear; to listen to
  haz por oír* try to hear
  no oyes ladrar you don't hear
  oí gritar I heard (them) call out
  oír* *(+ inf.)* to hear *(+ -ing)*
  oír* decir to hear (people) say
ojalá would that; I hope
ojera *f.* ring under the eye
ojillo *m.* (*dim.* **ojo**) little eye
ojo *m.* eye
  no pegar el ojo not to sleep a wink
  se me llenaron los ojos my eyes filled up
ola *f.* wave
olfatear to sniff
olfatorio olfactory, relating to the sense of smell
oliente pungent-smelling
olivo olive
  verde olivo olive green
olor *m.* odor, fragrance, smell
  respiraba un olor glacial your (*for.*)/his/her/its breath was icy
oloroso delicious-smelling
olvidado forgotten
olvidar (se) to forget
olvido *m.* forgetfulness
olla *f.* big cooking pot
ollita *f.* (*dim.* **olla**) little pot
once eleven
onza *f.* ounce
opaco opaque
operación *f.* operation
operar to operate
opinar to think; to have an opinion; to pass judgment
opinión *f.* opinion
opíparamente splendidly
oprimir to press; to oppress
optimista *m. & f.* optimist
opuesto opposite
oración *f.* sentence
ordenar to order, to command; to put in an order
ordinariamente ordinarily
ordinario ordinary; normal
oreja *f.* ear
organización *f.* organization
organizar* to organize
orgullo *m.* pride
orgulloso proud
oriental eastern
  Banda Oriental Uruguay
origen *m.* origin
original original
originalidad *f.* originality
orilla *f.* bank, shore
oro *m.* gold
  cuerpecillos de oro golden rays
oscurecer* to darken, to grow dark; to dim
oscuridad *f.* darkness
oscuro dark, obscure
oso *m.* bear
otoñal autumnal
otro other, another
  otra vez again
  una y otra vez repeatedly
oveja *f.* ewe, female sheep
ovillo *m.* skein, wound or entangled thread
oye (*fam. com.* **oír***) listen
oyendo (*pres. p.* **oír***) hearing
oyó (*pret.* **oír***) you *(for.)*/he/she/it heard

P

pabellón *m.* pavilion; area
pacer* to graze
paciente patient
pacto *m.* agreement, pact
padre *m.* father
  padres *pl.* parents
pagar* to pay, to pay back; to treat
página *f.* page
paisaje *m.* landscape
país *m.* country
paja *f.* straw
  el techo de paja thatched roof
pájaro *m.* bird
palabra *f.* word
  decir* palabra to speak
palacio *m.* palace
palanquero *m.* pile driver
palidecer* to grow pale
palidez *f.* paleness
pálido pale, pallid
palito *m.* (*dim.* **palo**) little stick
palma *f.* palm
palmada *f.* pat, slap
palmo *m.* span of the hand, about nine inches
  dejar a uno con un palmo de narices to disappoint one of success
  palmo a palmo inch by inch
palo *m.* stick
paloma *f.* dove
palpar to feel; to touch; to stick to
pampa *f.* pampas, plains

pan *m.* bread
panorama *m.* panorama
pantalón *m.* pants, trousers
pantufla *f.* slipper
pañoleta *f.* triangular shawl
pañuelo *m.* handkerchief; shawl
papa *f.* potato
papá *m.* dad, papa
papagayo *m.* parrot
papel *m.* paper; role
  hacer* el papel to play the role
  papelito *m.* (*dim.* **papel**) little paper
par *m.* pair
para for, in order to
  echar* para atrás to turn back
  para con towards
  ¿para qué? for what reason?
  para que so that
  para siempre forever
parada *f.* parade
paraíso *m.* paradise
parálisis *f.* paralysis
paralítico paralytic
paralizado paralyzed
parapetarse to shelter oneself
pararse to stop; to stand
pardo brown
parecer* to seem
  al parecer apparently
  parecerse* a to resemble, to look alike
pared *f.* wall
paredón *m.* thick wall
pareja *f.* pair, couple
parejo even; smooth
paréntesis *m.* parenthesis
parientes *m. pl.* relatives
parlanchino talkative, jabbering
parque *m.* park
  parque de diversiones amusement park
parra *f.* grapevine
párrafo *m.* paragraph
parte *f.* part, share; side
  a todas partes everywhere
  en ninguna parte nowhere
  la parte que a uno le toca to pertain to, to concern; to fall to the lot of; to be the turn of
  por otra parte on the other hand, in addition
Partenón *m.* Parthenon (temple in Athens, Greece)
participar to participate
participio *m.* participle
partir to divide; to share; to depart; to shatter
  a partir de starting with
  partir el alma to break one's heart
pasado *m.* past
pasado past; gone by; done, spent; passed
pasador *m.* bolt
pasar to pass; to happen; to spend time; to move
  pasar de grado to be promoted a grade level
  pasar hambre to be hungry
  pasar la lista to take roll
  pasar para adentro to come in
  pasarse to pass
  Pase por adentro. Come in.
pasear to move slowly
  pasearse to stroll
paseo *m.* walk
pasillo *m.* corridor
pasión *f.* passion
paso *m.* step, footstep; pace
  dar* un paso to take a step
  malos pasos bad ways
pastar to graze
pastel *m.* pastry; cake
pasto *m.* pasture; grass
pastor *m.* shepherd
  perro pastor shepherd dog
pata *f.* paw
patente patent, evident, clear
paterno paternal
patio *m.* patio, yard, courtyard
patria *f.* homeland, country
patriótico patriotic
paulatinamente slowly
pausa *f.* pause
pava *f.* kettle
pavita *f.* (*dim.* **pava**) little kettle
pavo *m.* turkey; fool
  azul pavo peacock blue
paz *f.* peace
peces *m.* (*pl.* **pez**) fish
pecho *m.* chest, breast; heart
  salírsele* del pecho to leap out from your *(for.)*/his/her chest
pedal *m.* pedal
pedalear (en) to pedal; to pump
  dejó de pedalear you *(for.)*/ he/she stopped pedaling
pedazo *m.* piece
pedido requested
pedigree *m.* pedigree
pedir* (i,i) to ask for; to beg; to solicit
  pedir* la mano to ask for (her) hand in marriage
pegar* to hit, to strike, to beat, to slap; to press; to stick; to paste; to fasten
  no pegar* el ojo not to sleep a wink
  te pega un tiro he/she will shoot you
peinado combed
peinarse to comb one's hair
pelado bald, hairless
pelaje *m.* fur
peldaño *m.* step
pelear to fight; to struggle; to quarrel
película *f.* movie
peligroso dangerous
pelirrojo redhead
pelo *m.* hair
peluche *f.* plush
  muñeco de peluche stuffed animal
pellejo *m.* skin, pelt
pena *f.* pain; shame; sorrow
  Toque sin pena. Don't hesitate to knock.
  valer* la pena to be worthwhile
penacho *m.* plume, ornament
pendiente *f.* slope
penetrar to penetrate; to enter
penoso painful
pensado planned
pensamiento *m.* thought
pensar* (ie) to think; to intend to, to plan
  pensar* de to think of (to offer an opinion of)
  pensar* en to think of (to turn one's thoughts to); to think about
pensativo pensive, thoughtful
penumbra *f.* penumbra; darkness
peor *(adj. & adv.)* worse; worst
pequeñez *f.* smallness
pequeño *m.* little one, child
pequeño small, little
percatar to perceive; to realize

perder* (ie) to lose; to fade
perder* colores y carnes to become pale and thin
perder* de vista to lose sight of
pérdida *f.* loss
perdido lost
perdonar to pardon, to forgive
perfección *f.* perfection
perfecto perfect
presente perfecto present perfect
perfumar to perfume
perico *m.* parakeet
periódico *m.* newspaper
perla *f.* pearl
permanecer* to remain
permanente permanent
permanentemente permanently
permitir to permit, to allow
pero but
perogrullada *f.* nonsense
perplejo puzzled, perplexed
perro *m.* dog; vermin
perro pastor shepherd dog
persecución *f.* persecution
persistir to persist, to continue
persogar* to stake out
persona *f.* person
personaje *m.* personage; character *(in a literary work)*
personalidad *f.* personality
perspective *f.* perspective
pertenecer* to belong
peruano Peruvian
perverso perverted; wicked
pesado heavy, harsh; tiresome
pesar *m.* sorrow, regret
a pesar de in spite of
pescador *m.* fisherman
pescar* to fish
pescuezo *m.* neck
pesimista *m. & f.* pessimist
peso *m.* weight; burden; monetary unit in some Latin American countries
pestañear to blink
petróleo *m.* oil
pez *m.* fish
piano *m.* piano
picar* to poke; to puncture; to chop; to pick
picardía *f.* roguery, malice
con picardía playfully
pico *m.* short time; pick, pick-axe
pida (*pres. subj.* **pedir***) ask, request
pidiendo (*pres. p.* **pedir***) asking, begging
pidió (*pret.* **pedir***) you *(for.)*/he/she/it asked for, requested
pie *m.* foot, base, bottom; caption
de pie standing, firm, steady
de pies muy andariegos very fond of walking
tenerse* en pie to remain standing
piedad *f.* pity, mercy; piety
Piedad *f.* *Pietá* (statue by Michelangelo)
piedra *f.* rock, stone
piel *f.* skin; leather
pierna *f.* leg
pieza *f.* piece; room
pila *f.* pile, heap
pilas de heno haystacks
pimpollo *m.* sapling
pintado painted, portrayed, depicted
pintar to paint; to hang around
pintarse to depict, to describe
pinza *f.* tong
pipa *f.* pipe
a pipa of a pipe
piropo *m.* flattery; compliment
pisar to step on; to pound, to beat; to walk
piso *m.* floor; apartment
pistola *f.* pistol
pizcador *m.* picker
pizcar* to pick
placentero pleasant
placer *m.* pleasure
plana *f.* page; side *(of a sheet)*
plano *m.* plan
plantado fixed, placed
plata *f.* silver; money
plateado silvered
plato *m.* dish, plate
playa *f.* beach
plaza *f.* plaza; public square
plazo *m.* time
plenitud *f.* fullness, plenitude
pleno full, complete
en pleno in the middle of
plomo *m.* lead
a plomo vertically; directly
pluma *f.* feather
plumero *m.* feather duster
pobre poor
Pobre de ti. You poor thing.
pobreza *f.* poverty
poco little, small
al poco rato in a little while
poco a poco little by little
pocos few
ser* poco to be of little importance
un poco (de) a little
poder* (ue) to be able, can
a más no poder to the utmost
no poder* más to be no longer able to stand something
poder* con to be able to bear, to manage
poeta *m. & f.* poet
póker *m.* poker
policía *f.* police
policial police
poltrona *f.* easy chair
polvera *f.* powder-box
polvo *m.* dust
polvoriento dusty
pomo *m.* flask
poner* to put, to place; to set *(the table)*; to add; to make, to cause; to become
al ponerse* el sol at sunset
llevar puesto to wear
ponerse* to become
ponerse* a *(+ inf.)* to begin to *(do something)*
ponerse* colorado to get red in the face
se puso a you *(for.)*/he/she/it began to
póngase (*for. com.* **ponerse***) put yourself
poniente *m.* west
por by; through; over; by means of; during; in; per; for
de por aquí in the vicinity, around here
por ahora for the present
por anticipado in advance
por aquí this way; through here; here; around here
por completo completely
por consiguiente consequently; therefore
por cuestión de because of the matter of
por dentro on the inside

por *(continued)*
por efecto de as a result of
por ejemplo for example
por entonces around that time
por eso for that reason, therefore
por favor please
por fin at last
por la mañana in the morning
por la noche at night
por lo general generally
por lo tanto for that reason
por malo que no matter how bad
por medio de by means of
por primera vez for the first time
¿por qué? why?
por qué why
por teléfono by telephone
por última vez for the last time
porcelana *f.* porcelain
porche *m.* porch, portico
pordiosero *m.* beggar
porque because
porque si because if
portal *m.* hallway, entrance
porte *m.* bearing
portento *m.* portent
posada *f.* inn; lodging
posadera *f.* innkeeper
posadero *m.* innkeeper
posar(se) to perch; to alight; to rest
posesión *f.* possession
posibilidad *f.* possibility
posible possible
posición *f.* position; status
posterior back; after
postigo *m.* shutter; gate
postizo false
póstumo posthumous
poyo *m.* stone seat or bench
pozo *m.* well
preceder to precede
precepto *m.* precept
precio *m.* price
precipitado precipitate, hasty, rash
preciso necessary
precoz precocious
predicar* to preach
predilecto favorite
preferible preferable
preferido preferred
preferir* (ie,i) to prefer
pregunta *f.* question
hacer* preguntas to ask questions
preguntar to ask a question, to ask
premiado prize-winning
premio *m.* prize
premio gordo first prize
sacar* el premio to win the prize
prenda *f.* jewel; pledge; token
prender to grasp, to catch; to fasten
prendido fastened, filled
preocupación *f.* preoccupation; worry
preocupado worried
preocupar to preoccupy
preocuparse to worry
preparar to prepare
prepararse to prepare oneself
preparativo *m.* preparation
prescindir to do without, to omit
presencia *f.* presence
presentar to present, to show; to introduce
presentarse to present oneself; to appear, to show up
presente present, actual
presente perfecto present perfect
presentir (ie,i) to have a premonition of, to suspect
presión *f.* pressure
preso imprisoned
prestar to loan, to lend
prestar atención to pay attention
prestigio *m.* prestige
presunto presumed, assumed
pretender to pretend, to claim
pretendiente *m.* suitor
pretérito *m.* preterite
pretexto *m.* pretext
pretil *m.* walk; edge
prevenido alert, vigilant
prima *f.* cousin
primer first *(before masculine singular nouns)*
primero first, first of all
a primera hora first thing in the morning
por primera vez for the first time
primero *m.* first (one)
primitivo primitive
primo *m.* cousin
princesa *f.* princess
principio *m.* start, beginning
al principio in the beginning
prisa *f.* haste
con prisa hurriedly
prisión *f.* imprisonment; prison
privado private
probable probable
probablemente probably
probar* (ue) to try; to taste
probarse* (ue) to try on
problema *m.* problem
procurar to try
producir* to produce; to bring forth
produjo (*pret.* **producir***) you (*for.*)/he/she/it produced
profesión *f.* profession
profesor *m.* professor
profundo deep, profound; great
profusión *f.* profusion, lavishness; extravagance
progenitor *m.* parent
prohibido forbidden
prohibir to forbid
prójimo *m.* neighbor
prometer to promise; to offer
prontamente promptly
pronto quick, fast; ready, soon
de pronto suddenly
tan pronto como as soon as
pronunciación *f.* pronunciation
propio proper, suitable; one's own
amor propio self-esteem
propia vida life itself
proponer* to propose
propuso (*pret.* **proponer***) you (*for.*)/he/she/it proposed
proseguir* (i,i) to continue
prosiguió (*pret.* **proseguir***) you (*for.*)/he/she/it continued
protagonista *m. & f.* protagonist
protección *f.* protection
junta de protección a animalitos society for the protection of animals
protector protective
proteger* to protect
protesta *f.* protest
protestar to protest
provisión *f.* provision; supply, stock

provocar* to provoke
próximo next; near; neighboring; close
Prusia Prussia
azul prusia Prussian blue
público *m.* public
pude (*pret.* **poder***) I was able, I could
pudrir to rot
pueblo *m.* town; people
pueblecito *m.* (*dim.* **pueblo**) small town
puente *m.* bridge
puerco *m.* pig
puerta *f.* door; gate
puerta cancel screen door
puertecilla *f.* (*dim.* **puerta**) little door; gate
pues then; well
puesto (*p.p.* **poner***) put, placed; focused
llevar puesto to wear
puesto *m.* booth; place; spot
pulido polished
pulir to polish, to finish, to give polish to
pulsera *f.* bracelet
reloj pulsera wristwatch
pullover *m.* pullover
puna *f.* breathing difficulty; mountain sickness
punta *f.* point
puntiagudo sharp, pointed
punta *f.* end, tip, point, toe of shoes
punta de los dedos fingertips
punto *m.* point
a punto de on the point of, about to
al punto right away, immediately
punto de vista point of view
puntos luminosos bright mirrors
puntual punctual
punzante sharp
puñado *m.* handful
puñal *m.* dagger
puñetazo *m.* blow with the fist
pupila *f.* pupil *(eye)*
pupitre *m.* desk
puro pure; sheer; clear; outright, out and out
púrpura *f.* purple
puse (*pret.* **poner***) I put, I placed; I pitched *(a tent)*, I set up *(a tent)*
pusieron (*pret.* **poner***) you *(pl.)*/they put, placed

Q

que that which; who, whom
el que he who
más que more than
¿por qué? why?
por qué why
sino que *(conj.)* but
¡qué! *(interj.)* what! what a! how!
quebrar* **(ie)** to break
quedar to be left, to end up; to be located
quedarle ajustado to fit
quedarse to stay, to remain
quedarse con to keep
quedito (*dim.* **quedo**) very quiet
quedo quiet, still; gentle
queja *f.* moan; complaint
quejarse to complain
quejido *m.* groan
quejumbroso sighing; complaining
quemado burned
quemar to burn
querer* **(ie)** to wish, to want; to love, to desire
querer* decir to mean
quiebre *m.* crack, failure
quien *(rel. pron.)* who, whom
quién *(interrog. pron.)* who, whom
quiera (*pres. subj.* **querer***) want
cuando quiera whenever
quieras (*pres. subj.* **querer***) you may wish
quieto quiet, calm, still, tranquil
quietud *f.* quiet, calm, stillness
quince fifteen
quise (*pret.* **querer***) I wanted
quiso (*pret.* **querer***) you *(for.)*/ he/she/it wanted
quitar to remove, to take off; to rob, to take away
quizás perhaps

R

rabia *f.* rage, anger
rabioso bad-tempered, rabid, mad, raging, furious
rabito *m.* (*dim.* **rabo**) little tail
rabo *m.* tail
racimo *m.* bunch
ráfaga *f.* flash; gust of wind
rajar to crack
ralo thin
rama *f.* branch, bough
rama heráldica noble lineage
rancho *m.* ranch
rápidamente rapidly
rapidez *f.* rapidity
rápido rapid
raramente strangely; rarely
raro rare; strange
rascar* to scratch
rastro *m.* trace
rata *f.* rat
rato *m.* short time, little while; period of time
a ratos from time to time
al poco rato in a little while
en los ratos during the short times
en ratos at times, for short periods
hace rato a little while ago
hacía rato after a little while
un rato awhile
ratón *m.* mouse
raya *f.* stripe
a rayas striped
rayo *m.* beam, ray; thunderbolt
raza *f.* lineage, race
razón *f.* reason
tener* razón to be correct
razonable reasonable
reaparecer* to reappear
reaccionar to react
real *m.* Spanish coin
realidad *f.* reality; truth
en realidad really, truly
realista realistic
realizar* to accomplish
realmente really
reanudar to renew; to resume
reavivar to revive
rebato *m.* alarm
rebelarse to rebel
rebullirse to stir, to begin to move
recargar* to reload; to shift
recelar to suspect
recelo *m.* fear, suspicion
receloso fearful, distrustful, suspicious

recibir to receive
recién recently, just, newly
recientemente recently
recíproco reciprocal
recitar to recite
reclamar to claim
recobrar to recover
recoger* to gather, to collect, to pick up
recomendar* (ie) to recommend
recomenzar* (ie) to begin again
recompensa *f.* compensation, return
reconfortante comforting
reconocer* to recognize; to admit; to acknowledge
reconocimiento *m.* recognition; acknowledgment
reconvenir* to reprimand, to reproach, to rebuke
recordar* (ue) to remember
recorrer to run over, to examine; to pass through
recortar to trim, to shorten; to outline
recostado reclining, reclined
recostarse* (ue) to lean, to lay against
recreo *m.* recreation; recess
recuerdo *m.* memory
recular to back up
recuperar to recuperate
rechazar* to reject
rechoncho chubby
red *f.* screen; net
redoblar to redouble
redoble *m.* repeating; beating
redondo round
reducido reduced
reducir* to reduce
reemplazar* to replace
referencia *f.* reference
reflejar to reflect
  reflejarse to reflect, to be reflected
reflejo *m.* reflection
reflexión *f.* reflection
reflexionar to reflect
reflorecer* to reflourish, to blossom again
refresco *m.* refreshment
regalar to give, to present as a gift
regañar to scold; to quarrel
regido ruled, governed
regocijo *m.* happiness
regresar to return; to go back
regreso *m.* return
regular regular
reinar to reign
reír* (i,i) to laugh
reja *f.* iron gate
rejilla *f.* lattice; cane work
relación *f.* relationship
relampaguear to flash *(as with lightning)*
relato *m.* story
releer* to reread
religión *f.* religion
reloj *m.* clock, watch
  reloj pulsera wristwatch
rematar to finish off; to perfect; to give the finishing touch
remedio *m.* remedy; choice
  sin remedio without help, without a solution; without fail
remolinar to whirl about, to spin
remorderse* (ue) to feel remorse
remordimiento *m.* remorse
remozado rejuvenated
remozar* to rejuvenate
rencor *m.* rancor
rendija *f.* crack
renovación *f.* renovation
renovado renewed
renunciar to renounce; to reject; to forego
  renunciar a *(+ inf.)* to renounce
reojo *m.* contempt
reparar to repair, to restore
repartir to distribute
repasar to go over
repaso *m.* revision; review
repente *m.* sudden outburst
  de repente suddenly
repetidamente repeatedly
repetido repeated
  repetidas veces repeatedly
repetir* (i,i) to repeat
repitiendo (*pres. p.* **repetir***) repeating
replicar* to reply, to answer
reponer* to regain, to restore, to recover; to reply
reposado restful
reposar to rest
representación *f.* representation; performance
representar to represent; to perform
reprimir to repress
reprochar to reproach
repuesto (*p.p.* **reponer***) reinstated
repuso (*pret.* **reponer***) you (*for.*)/he/she/it replied
requisito *m.* requirement, requisite
resaltar to stand out; to jut out
resbalar to slip; to glide
rescoldo *m.* ember
reseco dry, parched
residuo *m.* residue
resignar to resign
resistencia *f.* resistance
resistir to resist
resolver* (ue) to resolve; to solve; to decide on
resonancia *f.* resonance
resorte *m.* spring
  sillón de resortes *m.* padded dental stool
respaldo *m.* back
respecto *m.* relation; proportion; respect
  con respecto a in regard to
  respecto a considering; with regard to
respeto *m.* respect
respirar to breathe
  respiraba un olor glacial his breath was icy
resplandor *m.* brightness
responder to answer, to respond
responsabilidad *f.* responsibility
restañar to stop the flow of
restauración *f.* restoration, renovation
restaurado restored, repaired
restaurar to restore; to repair
resto *m.* rest, remainder
  restos remains
restricción *f.* restriction
resuelto resolute, determined
resultar to turn out to be
resumen *m.* summary, résumé
resumir to summarize
resurgir* to resurge, to reappear
retacar* to fill up

retardar to delay
retazo *m.* fragment
retener* to stop, to withhold
retirado distant, remote
retirar to retire; to hold; to pull back
retirarse to withdraw, to retreat; to leave
retorcerse* (ue) to wring, to twist; to writhe
retorno *m.* return
retrato *m.* portrait; photograph; picture
retroceder to turn back, to go backward
retumbar to echo, to resound
retuvieron (*pret.* **retener***) you (*pl.*)/they held, retained
reunido gathered
reunir to gather, to assemble, to meet
revelar to reveal
revés *m.* reverse
revisar to inspect, to examine
revista *f.* magazine
revivir to revive; to relive
revolución *f.* revolution
revólver *m.* revolver
ribazo *m.* embankment
rico rich; wealthy; delicious; exquisite
riego *m.* irrigation
rifle *m.* rifle
rígidamente rigidly, strictly
rígido rigid, stiff
rincón *m.* corner
riñón *m.* kidney
río *m.* river
riqueza *f.* wealth, richness
risa *f.* laughter
risueño cheerful
rivalidad *f.* rivalry
rizar* to curl
roadster *m.* automobile
robar to rob
roble *m.* oak
robo *m.* robbery, theft
roca *f.* rock
roce *m.* friction, contact
rodar* (ue) to roll, to revolve
rodeado surrounded
rodeado de surrounded by
rodear to surround; to go around; to encircle
rodearse to turn, to twist, to toss about
rodeo *m.* campsite
rodilla *f.* knee
de rodillas on one's knees, kneeling
roer* to gnaw, to bite
rogar* (ue) to implore, to entreat; to request
roído gnawed; corroded; damaged, destroyed
rojo red
rollo *m.* roll
romance *m.* ballad; verse
rombo *m.* rhombus
romper* to break; crack, crevice
rompió (*pret.* **romper***) you (*for.*)/he/she/it broke
rompió a sollozar you (*for.*)/he/she began to sob
rondar to make the rounds of, to encircle
ropa *f.* clothing
rosa *f.* rose
rosal *m.* rose bush
rosca *f.* twist, spiral
roscas de azúcar sugar twists
rostro *m.* face
roto (*p.p.* **romper***) broken
rubio blond
rubor *m.* flush, blush
rudo rough, uneducated, unpolished, crude
rugir* to roar
ruido *m.* noise
hacer* ruido to be noisy
ruina *f.* ruin
rumbo *m.* bearing, course, direction
rumbo a bound for, in the direction of
rumor *m.* rumor
rural rural

S

sábado *m.* Saturday
los sábados on Saturdays
saber* to know; to know how to
saborear to savor
sabroso delicious, tasty
sacar* to get, to obtain; to pull out, to take out, to remove, to extract; to pull up; to draw to; to win
sacar* el gordo to win first prize
sacar* el premio to win the prize
sacar* la lotería to win the lottery
sacar* las mejores notas to get the best grades
sacar* notas to get grades
saco *m.* sack, bag
sacrificio *m.* sacrifice
sacudida *f.* shake, jolt
sacudido shaking; shaken, dusted off
sacudir to shake; to shake off
sacudirse to shake, to move
sacudón *m.* jerk, jolt
sal *f.* salt
cubierto de sal covered with salt
sala *f.* hall; drawing room; living room; room
sala de clase classroom
sala de espera waiting room
salamandra *f.* salamander
salida *f.* exit
salida del sol sunrise
salido emerged
salir* to leave, to go out, to come out; to go away, to depart; to result, to turn out
la luna venía saliendo the moon was coming out
salírsele* del pecho to leap out from your (*for.*)/his/her chest
salita *f.* (*dim.* **sala**) little room
salita de espera small waiting room
salón *m.* drawing room
saltar to jump; to leap, to hop; to burst; to crack
saltar a to jump into
salto *m.* jump, leap, bound
saludo *m.* salute; greeting
salvador *m. & f.* rescuer, savior
salvador (*adj.*) saving, having a potential for saving
salvar to save
salvo except, save
San Martín Saint Martin
sangre *f.* blood
santo *m.* saint
sarnoso mangy
sartén *f.* frying pan

satín *m.* satin
satisfacción *f.* satisfaction
satisfacer (se)* to satisfy
satisfaga (*pres. subj.* **satisfacer***) satisfy
satisfecho satisfied
  darse* por satisfecho to consent; to be content
se *(impersonal)* one; you; they
se *(refl. pron.)* yourself *(for.)*; himself; herself; oneself; themselves
sé (*pres.* **saber***) I know
Sea. (*pres. subj.* **ser***) So be it.
secamente dryly
secar* to dry, to wipe dry
  secarse* to dry; to dry oneself, to get dry; to wither
seco dry
  en seco high and dry
secretamente secretly
secreto *m.* whispering; secret
secreto *(adj.)* secret
secundario secondary
sed *f.* thirst
  tener* sed to be thirsty
seda *f.* silk
seguida *f.* series, succession; following
  en seguida at once, immediately
seguido successive
  seguido de followed by
seguir* (i,i) to follow; to pursue; to continue
  seguir* *(+ ger.)* to keep on *(doing something)*
según according to
segundo second
seguramente surely, certainly
seguridad *f.* security, safety
seguro sure, certain; secure; safe; reliable; constant
seis six
sello *m.* postage stamp
semana *f.* week
  fin de semana weekend
sembrado planted
sembrar* (ie) to sow, to seed, to plant
semi semi, half
semilla *f.* seed
semítico Semitic
sencillo simple
senda *f.* path
sendero *m.* path
seno *m.* bosom, breast
sensación *f.* sensation
sensual sensual
sentado seated
sentar* (ie) to seat; to settle; to fit
  sentarse* (ie) to sit, to sit down; to sit down to; to settle
sentido *m.* sense; meaning
sentido *(adj.)* felt; deeply felt; sensitive
sentimental sentimental
sentimiento *m.* sentiment; feeling; sorrow, regret
sentir* (ie,i) to feel; to be or feel sorry for; to hear; to sense, to perceive
  sentirse* (ie,i) to feel; to feel oneself to be; to be resentful; to crack
señal *f.* signal, sign
señalar to point out; to point; to show; to signal; to mark
señas *f. pl.* address
señor *m.* Lord; sir, gentleman, Mr.; owner
señora *f.* madam, Mrs.; lady
señorito *m.* sir; master; young gentleman
sepa (*pres. subj.* **saber***) know
separación *f.* separation
separado separated
separar to separate
septiembre *m.* September
sepulcro *m.* sepulcher, tomb; grave
séquese (*for. com.* **secarse***) dry
sequoia *f.* sequoia *(tree)*
ser *m.* being; essence; life
ser* to be
  ser* de to belong to; to be made of; to be from
  ser* poco to be of little importance
serie *f.* series
seriecito (*dim.* **serio**) pretty serious
serio serious; reliable; firm; strong
  en serio seriously
serpiente *f.* serpent, snake
servicio *m.* service
servir* (i,i) to serve
  no se servía de ella he wasn't using it
  servir* de to serve as
  servirse* to use
sesenta sixty
sesión *f.* session
seto *m.* hedge
severo severe
sexto sixth
si if
  como si as if
  como si le costara as if it were hard for you *(for.)*/him/her
  porque si because if
sí yes; indeed; itself
  ahora sí certainly now
  decir* que sí to say yes
  eso sí that indeed
  sí misma herself
  sí mismo oneself/yourself/ himself
  sobre sí self-possessed
siembra *f.* sowing; sown field
siempre always
  como siempre as always
  desde siempre from the beginning of time
  para siempre forever
sierra *f.* mountain range
siesta *f.* afternoon nap, siesta
siete seven
siga (*for. com.* **seguir***) follow; continue
siglo *m.* century
significar* to signify, to mean
siguiendo (*pres. p.* **seguir***) continuing
siguiente following, next
silbar to whistle
silbido *m.* whistle
silencio *m.* silence
  guardar silencio to remain silent
silencioso silent
silla *f.* seat; chair
  silla voladora flying chair *(an amusement park ride)*
sillón *m.* armchair; chair
  sillón de resortes dental stool
simbolizar* to symbolize
simpatía *f.* affection, attachment, liking, friendliness
  cobrarse simpatía to become fond of each other

simpático nice, congenial
simple simple
simplificar* to simplify
sin without
sin duda without a doubt, certainly
sin embargo however, nevertheless
sin remedio without help, without a solution; without fail
sin siquiera without even
toque sin pena don't hesitate to knock
sincero sincere
sinfonía *f.* symphony
sinnúmero *m.* countless number
un sinnúmero de countless
sino but
sino que but
sintiendo (*pres. p.* **sentir***) feeling
sinuoso winding
siquiera even; at least
ni siquiera not even
sin siquiera without even
siquiera *(conj.)* although, even though
sirena *f.* siren
sirvienta *f.* servant
sitio *m.* place, spot, location; room
situación *f.* situation
situado situated, located
situar* to situate, to locate
sobre above, on, about
de sobre on top of
sobre sí self-possessed
sobre *m.* envelope
sobresalir* to project; to hang out; to stand out, to excel
sobresaltarse to be startled, to be frightened
sobresalto *m.* fright, scare, start
sobretodo *m.* overcoat
sobrino *m.* nephew
social social
sociedad *f.* society
soeces (*pl.* **soez**) dirty, vulgar
soez dirty, vulgar
sofá *m.* sofa
sofocar* to choke, to suffocate
sofoco *m.* suffocation, oppression
sol *m.* sun
al ponerse* el sol at sunset
salida del sol sunrise
solamente only
solar *m.* lot, ground-plot
soldado *m.* soldier
soledad *f.* loneliness, solitude
soliloquio *m.* soliloquy
solitario solitary, lonely
solo *(adj.)* alone, sole
sólo *(adv.)* only
soltar* (ue) to let out, to release; to untie
solterón *m.* bachelor
sollozar* to sob
rompió a sollozar you *(for.)*/he/she began to sob
sombra *f.* shade; shadow; darkness; ghost
sombrero *m.* hat
sonaja *f.* rattle
sonar* (ue) to ring, to sound
sonar a to sound like
sonido *m.* sound
sonreír* (i,i) to smile
sonriendo (*pres. p.* **sonreír***) smiling
sonrió (*pret.* **sonreír***) you *(for.)*/he/she smiled
sonrisa *f.* smile
soñar (ue) to dream
soñar con to dream of
soñar en alta voz to talk in (one's) sleep
sopa *f.* soup
soplar to blow
soportar to bear; to hold up; to endure, to tolerate
sorber to sip, to soak up
sórdido sordid
sordo deaf; dull; muffled
sorprender to surprise
sorprendido surprised
sorpresa *f.* surprise
sorpresivo unexpected
sortija *f.* engagement ring
sosegado calm
sospechar to suspect
sostén *m.* support
sostener* to support, to hold up; to sustain
sostenerse* to support
soy (*pres.* **ser***) I am
lo soy I am
suave suave, smooth, soft; gentle, mild, meek
suavemente softly
subir to raise; to lift; to carry up; to go up; to alight; to climb
subirse to rise
súbito sudden
subjuntivo *m.* subjunctive
suceder to happen
suceso *m.* event
sucio dirty
sucumbir to succumb, to yield
sudar to sweat
sudor *m.* sweat
sudoroso sweaty
suegro *m.* father in law
sueldo *m.* salary
suelo *m.* floor, ground
echar al suelo to tear down
suelta (*fam. com.* **soltar***) untie
suelto loose; free
tierra suelta dirt
sueño *m.* sleep, dream
tener* sueño to be sleepy
suerte *f.* luck; fortune; fate
llevarse la suerte to be lucky
suerte a que lucky that
tocar* la mala suerte to suffer bad luck
sufijo *m.* suffix
sufrimiento *m.* suffering
sufrir to suffer
sujetar to subject, to keep; to hold fast, to fasten, to hold down
sumarísimo swift, expeditious
consejo sumarísimo court martial
sumergir* to submerge
sumir to sink
supe (*pret.* **saber***) I found out
superficie *f.* surface
suplicante imploring
supo (*pret.* **saber***) you *(for.)*/he/she/it found out, you *(for.)*/he/she/it became aware
suponer* to suppose
surcado furrowed
surcar* to furrow
surco *m.* row, furrow
suspender to suspend
suspirar to sigh
suspiro *m.* sigh

sustancioso substantial
sustantivo *m.* noun
sustituirse to be substituted
susurrar to whisper
susurro *m.* whisper
sútil (or **sutil**) subtle
suyo yours *(for.)*; his; hers; theirs; your own *(for.)*; his own; her own; their own

T

tabaco *m.* tobacco
tabla *f.* table; list; board; index
táctil tactile, relating to touch
tacto *m.* tact, dexterity
tal such, so, as
  con tal que provided that
  de tal modo que so much so that
  tal vez perhaps
talón *m.* heel
tambaleante wavering
tambalearse to sway, to stagger
también also
tampoco neither, not either
tan so; as; such
  tan pronto como as soon as possible; as soon as
tanto so much; as many; so many; so long
  en tanto in the meantime
  mientras tanto meanwhile
  por lo tanto for that reason
  un tanto somewhat
tapa *f.* cover
tapar to cover
tapia *f.* adobe wall
tapiz *m.* tapestry
tardar to delay
  tardar en *(+ inf.)* to delay in *(+ -ing)*
  tardarse to be delayed
tarde *f.* afternoon; evening
  a la tarde in the afternoon
  todas las tardes every afternoon
tarde *(adj.)* late
  ya era tarde it was already too late
tarde *(adv.)* late; too late
  más tarde later
tardío tardy, late
tardísimo extremely late
tarea *f.* job; task
tarjeta *f.* card
tarjetita *f.* (*dim.* **tarjeta**) little card
tartana *f.* round-topped two-wheeled carriage
taza *f.* cup
técnica *f.* technique
techo *m.* ceiling; roof
teja *f.* tile; roof tile
tejabán *m.* roofed house
tejado *m.* roof
tejer* to knit
tejido *m.* knitting
tela *f.* cloth
  cancel de tela curtain
telaraña *f.* spider web
teléfono *m.* telephone
  por teléfono by telephone
telescopio *m.* telescope
televisión *f.* television
tema *m.* theme, subject
temblar* (ie) to tremble, to shake, to quiver
  temblando una canción singing a song
temblete *m.* aspen
temblor *m.* tremor, shaking, trembling
tembloroso trembling
temer to fear
temor *m.* fear
temperatura *f.* temperature
tempestad *f.* storm
temporada *f.* season
tempranito (*dim.* **temprano**) very early
temprano early
tenaza *f.* tong
tender* (ie) to offer; to stretch out; to extend
tener* to have; to consider
  no tenías llenadero you couldn't be filled
  tener*... años to be . . . years old
  tener* calor to be hot or warm *(people)*
  tener* cuidado to be careful
  tener* frío to be cold *(people)*
  tener* ganas de to feel like
  tener* hambre to be hungry
  tener* la bondad to be so kind (as to), please
  tener* la culpa to be to blame, to be guilty
  tener* la edad para comprender to be old enough to understand
  tener* lástima to take pity, to feel compassion
  tener* lugar to take place
  tener* miedo to be afraid
  tener* que *(+ inf.)* to have to *(do something)*
  tener* que ver con to have to do with
  tener* razón to be correct
  tener* sed to be thirsty
  tener* sueño to be sleepy
  tenerse* en pie to remain standing
teniente *m.* lieutenant
tenis *m.* tennis
tensión *f.* tension
tentación *f.* temptation
tentar* (ie) to tempt
tenue tenuous, delicate
teñir* (i,i) to dye, to stain
tercer third
terciopelo *m.* velvet
terminado finished
terminantemente positively
terminar to finish, to end
ternura *f.* tenderness
terraplén *m.* terrace, embankment
terrenal earthly
terreno *m.* land, soil; field, terrain
terrible terrible
terriblemente terribly
terrón *m.* lump
terror *m.* terror
tesoro *m.* treasure
testarudo obstinate, stubborn
testigo *m.* witness
ti you *(fam. s.)*; thee
  Pobre de ti. You poor thing.
tía *f.* aunt
tibieza *f.* coolness, lukewarmness
tibio tepid, lukewarm, warmish
tiempo *m.* time; tense; weather
  al mismo tiempo at the same time
  al poco tiempo in a short time
  hacer* mal tiempo to have bad weather

tienda *f.* store
tienta *f.* probe
buscó a tientas you *(for.)*/he/she/it groped for
tiento *m.* halter, strap
tierno soft; fresh
tierra *f.* ground, earth, land; dust
tierra de labranza farming land
tierra suelta dirt
timbre *m.* bell
tocar* el timbre to ring the doorbell
tímidamente timidly
timidez *f.* cowardice, timidness
tinaja *f.* large earthen jar
tinta *f.* ink
tío *m.* uncle
tipo *m.* type
tiranía *f.* tyranny
tirar to abandon; to throw away; to cast; to pull
tirarse to throw oneself
tiro *m.* shot
a tiro within range
te pega un tiro he/she will shoot you
tironear to pull, to tug
título *m.* title; degree
tocable relating to the sense of touch
tocar* to touch; to touch on; to feel; to ring; to toll; to strike; to play an instrument; to come to know; to suffer
la parte que a uno le toca to pertain to, to concern; to fall to the lot of, to be the turn of
tocar* el timbre to ring the doorbell
tocar* la mala suerte to suffer bad luck
todavía still, yet; already
todavía no not yet
todo all; everything
de todas maneras anyway
en todo caso in any case
todas las mañanas every morning
todas las tardes every afternoon
todos los días every day
tolerancia *f.* tolerance
tolerante tolerant
tomado taken, seized, captured, taken over
tomar to take; to get; to seize; to take on; to catch; to have *(food or drink)*, to drink
tono *m.* tone
tonto silly, foolish
topar (con) to run into, to encounter
toque (*for. com.* **tocar***) knock; touch
Toque sin pena. Don't hesitate to knock.
torcido twisted, bent
tormenta *f.* storm
tornar to return
tornarse to become
torpe stupid, clumsy
torpedo *m.* torpedo
torre *f.* tower
torta *f.* mine pit
tortilla *f.* tortilla; omelet *(Spain)*
tortura *f.* torture
toser to cough
trabajador *m.* worker
trabajar to work; to till
trabajo *m.* work, job
dar* trabajo to be difficult
trabajosamente laboriously, with difficulty
trabar to seize, to grab; to lock
tradición *f.* tradition
traducir* to translate
tradúzcalo (**traduzca:** *for. com.* **traducir**) translate it
traer* to bring; to cause; to lead
tragar* to swallow
traído (*p.p.* **traer***) brought
traje *m.* suit
trajeron (*pret.* **traer***) you *(pl.)*/they brought
trajinar to traipse; to deceive; to poke around
trajo (*pret.* **traer***) you *(for.)*/he/she/it brought
trama *f.* plot
trance *m.* moment
tranquilamente tranquilly, calmly
tranquilidad *f.* tranquillity
tranquilo tranquil, calm
transcurrir to pass, to elapse
transformación *f.* transformation, change
transformar to transform
transformarse to be transformed
transparencia *f.* transparency
transparente transparent
tranvía *f.* streetcar
trapo *m.* rag
tras after; behind
trasero hind, back
trasformar to transform
trasporte *m.* transport
trasquila *f.* shearing
trastes *m. pl.* dishes, pots and pans
tratar to handle, to deal with; to treat
tratar de *(+ inf.)* to try to *(do something)*
tratarse to be concerned with
tratarse de to have to do with, to be about
tratase de (*imp. subj.* **tratar**) were dealing with
través *m.* inclination to one side, bias; adversity
a través de across, through
trayendo (*pres. p.* **traer***) bringing
trazar* to trace
trébol *m.* clover
trecho *m.* space; lapse
a trechos by intervals
treinta thirty
trémulo trembling
tren *m.* train
en tren by train
trenza *f.* braid
treparse to climb up
tres three
tribuna *f.* tribune; platform
tricota *f.* turtleneck sweater
triste sad
tristemente sadly
tristeza *f.* sadness, gloominess
triunfador *m.* victorious, triumphant
triunfar to triumph
triunfo *m.* triumph
trompeta *f.* trumpet
tropa *f.* troops
tropezar* (ie) to stumble over, to trip over; to run into; to stumble; to stumble upon

tropezar *(continued)*
tropezar* con to bump into; to come upon, to stumble upon
tropezón *m.* stumble
a tropezones stumbling, falteringly
trote *m.* trot
al trote at a trot; hastily, hurriedly
trotecillo *m.* (*dim.* **trote**) little trot
trozo *m.* piece
tú you *(fam.)*; thou
turbar to perturb; to embarrass
tuve (*pret.* **tener***) I had
tuviera (*imp. subj.* **tener***) had
tuvimos (*pret.* **tener***) we had
tuvo (*pret.* **tener***) you *(for.)*/he/she/it had
tuyo *(fam. s. pron.)* yours

U

u or, either (*before words beginning with* **o-** *or* **ho-**)
ultimátum *m.* ultimatum
último *m.* last, latest; final; excellent; superior
por última vez for the last time
ultrajar to insult; to abuse, to offend
umbral *m.* doorway, threshold
uncir* to harness
únicamente only
único only, sole; unique
uniformado uniformed
uniforme *m.* uniform
unir to unite
universidad *f.* university
uno one
unos some; a pair of
uña *f.* fingernail
urbe *f.* metropolis, large city
urgente urgent
usado used
usar to use; to wear
usted you *(for.)*
útil useful
utilidad *f.* utility, usefulness
utilizar* to utilize
uva *f.* grape

V

vaca *f.* cow; cowhide
vacaciones *f. pl.* vacation
de vacaciones on vacation
vacilante vacillating, hesitating
vacilar to vacillate, to hesitate
vacío *m.* emptiness
vacío empty
vagabundo *m.* vagabond
vagamente vaguely
vagar* to wander
vagido *m.* wail *(especially of a newborn child)*
vago vague, obscure
vaina *f.* pod; husk
Es la misma vaina. It's the same thing.
vainita *f.* (*dim.* **vaina**) little pod
valentía *f.* courage
valer* to have worth; to be worthy; to be worth; to be valuable
valer* la pena to be worthwhile
valga (*pres. subj.* **valer***) is worthy
valiente valiant, brave
valija *f.* suitcase, valise
valioso valuable
valor *m.* value; worth; courage; price
valle *m.* valley
vanamente vainly
vano vain
en vano in vain
vara *f.* rod, stick; a measure of length of about 33 inches
vario various, varied
varios several
varón *m.* male, man
vaso *m.* glass
vastedad *f.* vastness
¡Vaya! *(interj.)* Come on! Well! Come on now!
vaya (*for. com.* **ir***) go
que se vaya that you *(for.)*/he/she go away
vaya por la Virgen in the name of the Virgin (Mary)
veces *f.* (*pl.* **vez**) times, occasions
a veces sometimes
muchas veces often
repetidas veces repeatedly
vecindario *m.* neighborhood
vecino neighboring
vecino *m.* neighbor
veinte twenty
veinte justos exactly twenty
veinticinco twenty-five
veintiocho twenty-eight
veintitrés twenty-three
vejete *m.* old codger, absurd old man
vejez *f.* old age
vela *f.* candle
dar* vela to give an excuse
velador *m.* night table, night light
velo *m.* veil
ven (*fam. com.* **venir***) come
vena *f.* vein
vencedor *m.* winner, victor
vencer* to conquer; to expire
vendedora *f.* seller
vender to sell
venganza *f.* revenge, vengeance
venir* (ie) to come
me viene como anillo al dedo it fits me like a glove
vengan a come
venir* a que to come with the purpose that; to come so that
venirle* a uno bien to be becoming; to fit well
venta *f.* sale
libro de ventas salesbook
ventaja *f.* advantage
ventajoso advantageous
ventana *f.* window
ventanal *m.* large window
ventanilla *f.* window *(of a ticket office)*
vente (*fam. com.* **venirse***) come, bring yourself
ventura *f.* fortune, happiness
ver* to see
a ver let's see
al ver upon seeing
al verlas upon seeing them
habría que ver we would just have to see
tener* que ver con to have to do with
veranillo *m.* (*dim.* **verano**) little summer
veranillo de San Martín Indian summer
verano *m.* summer
veras *f. pl.* truth
de veras really
verbo *m.* verb
verdad *f.* truth
verdaderamente truly, really

verdadero real, true
verde green
verde brillante bright green
verde olivo olive green
vergüenza *f.* shame
verídico true
verja *f.* fence, grating
vestido dressed
vestir(se)* (i, i) to dress
veta *f.* vein *(of a mineral)*
vete (*fam. com.* **irse***) go away
vez *f.* time, occasion; turn
a la vez at the same time
a su vez in turn; on your *(for.)*/his/her part
a veces sometimes
alguna vez now and then
cada vez each time
cada vez más more and more
de una vez in one stroke, all at once
de vez en cuando occasionally
de vez en vez once in a while
en vez de instead of
otra vez again
por primera vez for the first time
por última vez for the last time
repetidas veces over and over again
tal vez perhaps
una vez once
una y otra vez repeatedly
viaje *m.* trip, journey
hacer* un viaje to take a trip
vicaria *f.* vinca *(a flowering plant)*
víctima *f.* victim
vida *f.* life; livelihood
propia vida life itself
vidriera *f.* glass case
vidrio *m.* window pane; glass
vieja *f.* older woman
viejita *f.* (*dim.* **vieja**) dear woman; dear wife; older woman
viejo *m.* old man
viejo old
viento *m.* wind
vientre *m.* womb
viese (*imp. subj.* **ver***) see
vigilancia *f.* watchfulness, vigilance
vigilar to watch over
vinito *m.* (*dim.* **vino**) nice wine
vino *m.* wine
vino (*pret.* **venir***) you *(for.)*/he/she/it came
viña *f.* vineyard
violencia *f.* violence
violento violent
virgen *f.* virgin
vaya por la Virgen in the name of the Virgin (Mary)
virginidad *f.* virginity; innocence
virilidad *f.* virility
virtud *f.* virtue
visión *f.* vision
visita *f.* visit; visitor, caller
vista *f.* vision, sight
perder* de vista to lose sight of
punto de vista point of view
visto (*p.p.* **ver***) seen
visual visual
viuda *f.* widow
vivaces (*pl.* **vivaz**) lively
vivaz lively
vivir to live
vivo alive
vocabulario *m.* vocabulary
vocal *f.* vowel
vocecita *f.* (*dim.* **voz**) little voice
voces *f.* (*pl.* **voz**) voices
volador flying
volante *m.* steering wheel
volar* (ue) to fly
volcán *m.* volcano
volcar* (ue) to overturn
voltear to knock down
voluntad *f.* will, determination; good will
volver* (ue) to return, to come back
volver* a *(+ inf.)* to *(do something)* again
volverse* to turn around; to return
volverse* hacia atrás to go back
vosotros *(fam. pl.)* you
voz *f.* voice
en voz alta aloud
vuelta *f.* turn; twirl
dar* la vuelta to turn around
dar* una vuelta to turn around; to take a stroll; to take a drive
dar* vuelta to turn over
dar* vueltas to fuss about; to shift back and forth
estar* de vuelta to be back
vuelto (*p.p* **volver***) returned
vuelva (*for. com.* **volver***) return

Y

y and
ya already; right away; now; finally
ya no no longer
ya que inasmuch as, since
yendo (*pres. p.* **ir***) going
yerba *f.* grass
yerno *m.* son-in-law
yeso *m.* plaster
yo I
yo mismo I myself

Z

zafiro *m.* sapphire
zaguán *m.* vestibule, entrance hall
zambullir to dive; to duck
zapato *m.* shoe
zapatos de charol negro black patent leather shoes
zapatos de piel leather shoes
zarandeado shaken
zarandear to shake
zigzagueante zigzagging
zinc *m.* zinc
zorro *m.* fox
zumbido *m.* buzzing
zurrón *m.* bag

Acknowledgements

p. 9: Enrique Anderson Imbert, "Sala de espera" (Buenos Aires, 1965). Reprinted by permission of the author.

p. 20: Jorge Luis Borges, "Leyenda," from *Elogio de la sombra* © Emecé Editores, S. A. (Buenos Aires, 1969).

p. 25: Sabine R. Ulibarrí, "Un oso y un amor," from *Primeros Encuentros,* 1982, pp. 23–27. Reprinted by permission of Bilingual Press/Editorial Bilingüe.

p. 38: Francisco Jiménez, "Cajas de cartón," from *The Bilingual Review/La Revista Bilingüe,* Vol. 4, Nos. 1 and 2 (January–August 1977), pp. 119–122. Reprinted by permission of Bilingual Press/Editorial Bilingüe.

p. 53: Humberto Padró, "Una sortija para mi novia" (San Juan, Puerto Rico, 1929), pp. 45–50. Reprinted by permission of Carmen Ma. Ramos Vda. Padró.

p. 87: Ana María Matute, "Bernardino," from *Historias de la Artamila.* (Barcelona: Ediciones Destino, 1975).

p. 100: Sonia Rivera-Valdés, "El Beso de la Patria," from *Nosotras: Latina Literature Today,* edited by María del Carmen Boza, Beverly Silva, and Carmen Valle, 1986. Reprinted by permission of Bilingual Press/Editorial Bilingüe.

p. 117: Gabriel García Márquez, "Un día de estos," from *Los Funerales de la Mamá Grande,* 1962, pp. 23–26. Reprinted by permission of Carmen Balcells Agencia Literaria.

p. 133: Ana María Matute, "La conciencia." Reprinted by permission of Ediciones Destino, S. A. (Barcelona, 1961).

p. 147: Juan Rulfo, "No oyes ladrar los perros." Reprinted by permission of Fondo de Cultura Económica (Mexico, D. F., 1953).

p. 156: Julio Cortázar, "Casa tomada," from *Bestiario.* Reprinted by permission of Carmen Balcells Agencia Literaria.

p. 167: Amalia Rendic, "*Un perro, un niño, la noche*" (Santiago, Chile, 1981). Reprinted by permission of the author.

p. 177: Julio Cortázar, from "Continuidad de los parques" from *Ceremonias.* (Barcelona: Editorial Seix Barral, 1968). Reprinted by permission.